U0711191

中华经典藏书

史记

韩兆琦　译注

中华书局

前　言

从公元前 206 年刘邦建国，到公元后 220 年汉献帝被曹操的儿子曹丕所取代，前后共 427 年，这就是历史上所说的"汉代"。汉帝国政权的统一与强大，是夏商周以来前所未有的，它与当时欧洲的古罗马东西并立，创建了令后世叹为观止的物质文明与精神文明，并对整个世界历史的发展起了巨大的推动作用。汉帝国之所以能形成这种局面，关键是在于西汉武帝时代的大力经营。武帝是在他父亲平定吴、楚七国之乱的基础上，进一步打击、削弱国内的割据势力，同时反击北方匈奴族的入侵，并着手经营东南、南方、西南、西北、东北各方的边境，大大扩展了旧日华夏的版图，真正建立了以汉族为中心的多民族友好相处的统一国家。他还多次派人通使西域，从而使中国文化变得更为绚丽多姿。这是一个宏阔豪迈、人材辈出、大有作为的时代，生活在这个时代的士人们似乎谁都想为国家一试身手，而且充满自豪地相信一定能获得成功。汉武帝总结秦朝失败的教训，重视思想教化，他大力兴办以儒术为中心，实则兼容并包以往各家各派思想理论的学术事业；他喜爱辞赋，搜采歌诗，加强中原理性文化与荆楚浪漫文化的融合，从而为汉代文学的蓬勃发展提供了主、客观的良好条件，汉代两位最杰出的文学

家司马相如与司马迁都同时出现在武帝时代，绝不是偶然的。

司马迁，字子长，左冯翊夏阳（今陕西韩城）人，生于景帝中元五年（前145年）。青少年时代曾在家乡耕过田、放过牛，因为他从十岁就开始读古文，所以到二十岁时就是一个很有才情的青年学者了。从二十岁开始他到各地游学考察，前后十几年间，向南到过湖南、浙江，向东到过今山东曲阜和安徽、河南的许多地方。这是一次饱览祖国河山，寻访文化遗迹，收集历史资料，向社会向劳动人民进行调查和深入学习的过程。回到长安后不久，便入仕做了郎中。郎中是皇帝的侍从人员。由于当时正是西汉王朝的鼎盛时期，又正值武帝盛年，所以巡狩、祭祀一类的活动很多，因此司马迁又扈从汉武帝去过许多地方。元鼎六年（前110年），汉武帝平定了西南夷，在今云南、贵州一带设立了五个郡，司马迁又受命到这一带地区进行过考察。这次他到过邛、笮、昆明等地，这是他的第二次大游历。

司马迁从西南地区回来的时候，其父司马谈病在垂危。司马谈临死前再三嘱咐司马迁一定要继承自己的遗愿写好《史记》，司马迁含着眼泪接受了父亲的嘱托。司马谈去世三年后，司马迁接替其父做了太史令。至太初元年（前104年），撰写《史记》的浩繁工作正式开始。至天汉二年（前99年），已经埋头写《史记》写了六年的司马迁，忽然大祸临头了。原因是这年五月贰师将军李广利北伐匈奴，与匈奴右贤王战于天山。武帝让李广的孙子李陵为李广利运送物资，李陵不肯，自请率兵独当一面。经再三请求，武帝让李陵率步兵五千从居延出发北行，以分匈奴兵势。结果这支小部队遇上了匈奴大军。李陵与部下虽经英勇战斗，但终于因为没有后援，寡不敌众而失败。李陵也放下武器被匈奴人俘去。消息传来，满朝文武一变平时称道李陵的故态，纷纷落井下石，说李陵的坏话。司马迁深感不平。当武帝问到司马迁对此有何看法时，司马迁便陈述了李陵的平常为人，又说一支小部队与如此强大的敌人相遇，打得如此卓绝，尽管失败了也不宜深责。这使武帝大为震怒，他认为司马迁这是转弯抹角地攻击李广利，而且有对皇帝的不满，于是一怒之下将司马迁判了死刑。司马迁因为《史记》还没有写完，于是根据当时的规定，忍辱请求改为了宫刑。

受宫刑对司马迁是一种极大耻辱，是肉体上、精神上的一种极大摧残。司马迁是靠着一种使命感，靠着一种非凡的人生观、生死观硬挺着生存下来的，这些在他的《报任安书》中有非常明确的表白，在《史记》中也不断地流露出来。他说："人固有一死，或重于泰山，或轻于鸿毛，用之所趋异也。"他又说："勇者不必死节，怯夫慕义何所不勉焉。"他还说："诚已著此书，藏之名山，传之其人，通邑大都，则仆已偿前辱之责，虽万被戮，岂有悔哉！"这就是人们通常所说的"忍辱发愤著书"，但这些在当时是很少有人能够理解的。

司马迁受刑后，由于条件适合，被汉武帝任命为中书令。中书令是个为皇帝掌管文书的小官，司马迁之所以要接受这个职务，正是由于这个职务可以更有机会接近皇家的图书馆和档案，而这些是他写作《史记》所不能缺少的。就这样，他又忍辱奋斗了八年，到征和二年（前91年），他的朋友任安因戾太子事件下了狱，任安从狱中给司马迁写信时，司马迁便写了有名的《报任安书》。从这篇作品中可以看出，这时候《史记》已经写完了。关于司马迁的死因与死年，历史上没有记载，人们的看法也不一致。我认为大约就是死于征和三年（前90年），也就是他写完《报任安书》后不久。司马迁的著作，除了《史记》与《报任安书》外，还有一篇不长的《悲士不遇赋》。

《史记》共一百三十篇，五十二万字，包括"本纪"、"世家"、"列传"、"书"、"表"五个部分，记事上起轩辕黄帝，中经唐、虞、夏、商、周、秦，下讫武帝太初年间（前104—前101年），共写了两千多年的历史。《史记》首先令我们感到惊奇而为之赞叹的是它的包罗之广泛，体大而思精：它不仅写了远古、近古，也写了现代、当代；不仅写了中原、华夏，也写了边疆、外国；不仅写了政治、军事，也写了经济、文化；不仅写了帝王将相、英雄豪杰，也写了广大下层的各色人等。这种囊括古今各类知识、各家各派文化于一炉而加以融会贯通的气魄，是前无古人的；司马迁自述其写作此书的目的是"究天人之际，通古今之变，成一家之言"，这种打通一切领域，自立学术章程，总结一切规律以求为现实政治服务的宏伟目标，也是前无古人的。

《史记》中最激动人心的思想在今天看来有四点：其一是它所表现的进步的民族观。司马迁吸收了战国以来有关中国境内各民族以及周边国家发展来源的说法,在《史记》中把春秋、战国时代的中原、荆楚、吴越、秦陇、两广、云贵、塞北、东北各地区的国家与民族都写成是黄帝的子孙。这对于两千年来我国这个多民族的友好大家庭的形成与稳定,起了难以估量的作用。不仅如此,司马迁在写到汉王朝对周边国家、周边民族用兵的时候,又总是站在反对穷兵黩武、反对扩张掠夺的立场,他所追求的是各民族间平等友好地和睦相处。正是从这个意义上,我们说司马迁是当时汉族被压迫人民与周边各少数民族的共同的朋友。

其二是它所表现的进步的经济思想。这包括强调发展经济,认为经济是国家强大的基础;反对单打一的"重本抑末",而提倡"工"、"农"、"商"、"虞"四者并重;反对从政治上对工商业者的歧视,而歌颂他们的本领、才干,并专门为他们树碑立传等等。

其三是它所表现的强烈的民主性与批判性。《史记》是先秦文化的集大成,司马迁是先秦士大夫优秀思想人格的继承者与发扬者。他之所以写《史记》不是单纯地为了记载历史陈迹,而是明确地为了成一家之言。因而《史记》中突出地显示了一种作者所追求的理想政治、理想社会的光芒,和对现实政治、现实社会的种种批判。其中有些是相当深刻、相当准确,甚至是两千年来常读常新的。

其四是贯彻全书的那种豪迈的人生观、生死观、价值观。司马迁在《史记》中所歌颂的几乎都是一些勇于进取、勇于建功立业的英雄。他们有理想、有抱负、有追求;

他们为了某种信念、某种原则可以不惜牺牲自己的生命；他们都有一种百折不挠、不达目的誓不罢休的精神。司马迁曾在《报任安书》中写道："人固有一死，或重于泰山，或轻于鸿毛，用之所趋异也。"当他遭受宫刑，痛不欲生的时候，是为了完成《史记》的写作才顽强地硬挺着活了下来。他视为榜样的是"文王拘而演《周易》，仲尼厄而作《春秋》，屈原放逐，乃赋《离骚》；左丘失明，厥有《国语》；孙子膑脚，兵法修列；不韦迁蜀，世传《吕览》；韩非囚秦，《说难》《孤愤》；《诗》三百篇，大抵圣贤发愤之所为作也。此人皆意有所郁结，不得通其道，故述往事，思来者"。当年毛泽东曾经说过："中国有两部大书，一曰《史记》，一曰《资治通鉴》，都是有才气的人在政治上不得意的境遇中编写的。看来人受点打击，遇点困难，未尝不是好事。当然这是指那些有才气，又有志向的人说的。没有这两条，打击一来，不是消沉，便是胡来，甚至去自杀，那便是另当别论。"（《毛泽东的晚年生活》）司马迁的奋斗经历与《史记》中所歌颂的这些艰苦奋斗的思想，是司马迁留给后人的一份宝贵财富，它永远给我们以激励，给我们以启迪，当我们灰心丧气、濒临绝望的时候，给我们以无比的力量、信心与勇气。

《史记》是我国第一部以人物为中心的伟大的历史著作，也是我国古代第一部以人物为中心的伟大的文学著作。从历史的角度讲，它开了我国古代两千多年历朝"正史"的先河；从文学的角度讲，它第一次运用丰富多彩的艺术手法，给人们展现了一道栩栩如生的人物画廊。《史记》人物与先秦文学人物的显著差异是在于他们的鲜明的个性。由于作者十分注意设身处地揣摩每个情节、每个场面的具体情景，并力求逼真地表达出每个人物的心理个性，因此《史记》的描写语言和他为作品人物所设计的对话都是异常精彩的。试回想其中的刘邦、项羽、张良、韩信，以及毛遂、蔺相如等，哪一个不生动得令人为之赞叹呢？《史记》这种超前成熟的写人艺术，对我国后代传记文学以及小说、戏剧的创作产生了巨大影响，《史记》中的诸多主题，《史记》人物的诸多范型，以及《史记》故事的许多情节场面，都为后世的小说、戏剧开出了无数法门。当代的美国汉学家蒲安迪（Andrew. H. Plakes）把《史记》称作中国古代的"史诗"，说它对中国后代文学的影响就如古代希腊的《伊利亚特》、《奥得塞》之影响后代的欧洲文化一样。

《史记》作为第一部传记文学的确立，是具有世界意义的。过去欧洲人以欧洲为中心，他们称古希腊的普鲁塔克为"世界传记之王"。普鲁塔克大约生于公元46年，死于公元120年，著有《列传》（今本译作《希腊罗马名人传》）50篇，是欧州传记文学的开端。如果比较一下，可以发现，普鲁塔克比班固（32—92年）还要晚生14年，若和司马迁相比，则要晚生191年了。司马迁的《史记》要比普鲁塔克的《列传》早产生几乎两个世纪。司马迁才真正是中国与世界的传记文学之祖呢！

本书是《史记》的选本，选取本纪五篇，世家两篇，列传九篇，加上《太史公自序》，共17篇。由于篇幅有限，有些纪传作了删选。本书以中华书局版"二十四史"的《史记》为底本，进行了核校，并作了注释和翻译。这个选本的篇目、注释与译文，都是周旻同志协助编选的，在此深表感谢！注释基本来源于我的旧著《史记笺证》与评注本《史记》，译文有一部分是新译的，也有一部分是来源于旧著《史记文白评精选》与《〈史记〉百则》。由于材料来源很多，各本之间难免有些矛盾不统一的地方。如有不妥之处，请读者指正。

韩兆琦

2007 年 2 月

目　录

本　纪

世　家

列　传

本　纪

五帝本纪

　　《五帝本纪》记述了我国古代神话传说中的五个圣明的帝王，即黄帝、颛顼、帝喾、尧、舜。有关黄帝的传说，春秋、战国以至西汉有不少，但因为"荒诞离奇"，与真正的人类历史距离太远，孔子、孟子都不怎么讲。司马迁把他从众多神话人物中选出来，又择取了一些比较"可信"的材料，将之作为《史记》的开端。随后他将颛顼、帝喾、尧、舜、禹、汤、文武，春秋战国时期的中原诸国、秦、楚、吴、越，以及周边的匈奴、东越、南越等都说成是黄帝的子孙，这就为中国人确定了"始祖"，同时又确定了华夏与周边各民族的同胞兄弟关系。

　　尧、舜被儒家称为"圣人"，见之于儒家著作的说法较多，尤其尧、舜"禅让"的故事更被后世传为美谈。司马迁之写尧、舜两位古代帝王，从中寄托了自己的政治理想，并使之与秦、汉以来的专制政治形成对照，其用意是显而易见的，尧、舜无疑是《史记》中最使司马迁尊崇的大公无私的理想帝王。司马迁把尧、舜的"禅让"放在"本纪"的第一篇，把吴太伯的"让"放在世家的第一篇，把伯夷的"让"放在"列传"的第一篇，这种安排不是偶然的。我们在此选取的就是尧、舜的故事。

帝尧者,放勋①。其仁如天,其知如神。就之如日,望之如云。富而不骄,贵而不舒②。黄收纯衣③,彤车乘白马。能明驯德④,以亲九族⑤。九族既睦,便章百姓⑥。百姓昭明⑦,合和万国。

注释:

①帝尧者,放勋:帝号曰"尧",名"放勋",国号曰"陶唐"。

②舒:放纵,恣意而行。

③收:冕名,其色黄,故曰"黄收"。纯衣:即"缁衣",黑衣。纯,读曰"缁"。

④驯德:顺天应人的美德。驯,同"顺"。

⑤九族:泛指自己的宗族与外戚。

⑥便章:也作"辨章",治理的意思。百姓:这里指百官。

⑦昭明:指各自的权利、职责、义务分明。

译文:

帝尧,名放勋。他的仁德有如苍天,覆盖大地;他的智慧有如神灵,无所不晓。人们对他的归附,如同葵花向阳;人们对他的企盼,有如大旱之望云雨。他富有而不骄奢,他尊贵而不放纵。他戴着黄色的帽子,穿着黑色的衣裳,坐着红色的车子,拉车的都是白马。他有顺天应人的美德,能使自己的九族亲善。九族亲善后,便进一步治理朝廷百官。等到朝廷百官的职分明确且又各司其职,再进一步使天下万国都变得融洽和睦。

乃命羲、和①,敬顺昊天,数法日月星辰②,敬授民时。分命羲仲③,居郁夷④,曰旸谷⑤。敬道日出⑥，便程东作⑦。日中，星鸟⑧，以殷中春。其民析⑨，鸟兽字微⑩。申命羲叔⑪，居南交⑫，便程南为，敬致。日永，星火⑬，以正中夏。其民因⑭，鸟兽希革⑮。申命和仲，居西土，曰昧谷⑯。敬道日入，便程西成。夜中，星虚⑰，以正中秋。其民夷易⑱，鸟兽毛毨⑲。申命和叔，居北方，曰幽都⑳，便在伏物㉑。日短，星昴㉒，以正中冬。其民燠㉓，鸟兽氄毛㉔。岁三百六十六日，以闰月正四时。信饬百官㉕，众功皆兴。

注释：

①羲、和：羲氏和和氏的并称。尧命羲仲、羲叔、和仲、和叔分驻四方，观天象，制历法。

②数法：遵循，推算。

③分命：分派，派出。

④郁夷：今山东半岛一带。

⑤旸（yáng）谷：也作"汤谷"，相传为日出之处。

⑥道：同"导"，引导。

⑦便程：分派，布置。东作：春天的农事活动。

⑧鸟：鸟星，即"七星"，也单称为"星"，是"二十八宿"中的东方"七宿"之一。

⑨析：分散，分散到田野上进行农业劳动。

⑩字：乳也，谓产子、哺乳。微：同"尾"，交尾。

⑪申命：任命时予以告诫。

⑫南交：南方的交趾。

⑬火:也称"大火",即心宿,是"二十八宿"中的南方"七宿"
之一。

⑭因:就,指老弱到田中帮助丁壮务农。

⑮革:改变。

⑯昧谷:神话中的日落之处。

⑰虚:星名,为"二十八宿"中的西方"七宿"之一。

⑱夷易:平和、快乐的样子,言其为秋收而喜悦也。

⑲毨(xiǎn):理,毛再生整理。

⑳幽都:北方的阴气聚集之地。

㉑便在:意同"便程"。伏:储藏。

㉒昴(mǎo):星名,是"二十八宿"中的北方"七宿"之一。

㉓燠(yù):暖,此指保暖之衣,或曰保暖之室。

㉔氄(rǒng)毛:细毛。

㉕信:同"申",申明条例、申明纪律。饬(chì):约束,整顿。

译文:

帝尧任命羲、和主管天文,让他们遵循上天的法则,考察
日月星辰运行的规律,制定历法,告诉人们播种与收获的季
节。他分派羲仲居住在郁夷的旸谷。让他虔敬地迎接东方
升起的太阳,并督促黎民准备春耕生产。羲仲根据白天和黑
夜的时间等长,和鸟星出现在正南方,确定这一天叫"春分"。
这时人们都走向田野,忙于播种;各种鸟兽交尾繁殖。帝尧
任命羲叔住在南方的交趾,让他督管南方民众的农事活动。
羲叔根据白天的时间最长,和心宿出现在正南方,确定这一
天为"夏至"。这时正是夏忙,老幼都到田里劳动,鸟兽的羽
毛变得稀少。帝尧任命和仲到西部边极的昧谷,在那里敬送
太阳下山,主管秋季收获的劳作。和仲根据白天和黑夜等长,
而虚星位处正南,便确定这一天是"秋分"。这时候,人们的

心情平和愉悦，鸟兽即将换毛。帝尧任命和叔住在北方的阴气聚集之地，督促人们的收藏。和叔根据这时的白昼最短，而昴星出现在正南方，确定这一天为"冬至"。这时人们穿的衣服很多，鸟兽也长了厚厚的羽毛。帝尧确定以三百六十六日为一年，其中设置闰月，以使四时不至于错位。在帝尧的严格要求下，百官各尽其责，于是各方面都呈现一派兴旺发达的景象。

尧曰："谁可顺此事①?"放齐曰："嗣子丹朱开明。"尧曰："吁！顽凶②，不用。"尧又曰："谁可者?"谨兜曰③："共工旁聚布功④，可用。"尧曰："共工善言，其用僻⑤，似恭漫天，不可。"尧又曰："嗟，四岳⑥，汤汤洪水滔天⑦，浩浩怀山襄陵⑧，下民其忧，有能使治者?"皆曰鲧可⑨。尧曰："鲧负命毁族⑩，不可。"岳曰："异哉，试不可用而已。"尧于是听岳用鲧。九岁，功用不成⑪。

注释:

① 顺：循，继承。

② 顽凶：既愚顽又凶狠。或曰"凶"同"讼"，争讼。

③ 谨(huān)兜：尧的大臣，为后文所称的"四凶"之一。

④ 共工：尧的大臣，水官，为后文所称的"四凶"之一，与"怒触不周山，天柱折，地维绝"的共工非一人。旁：同"溥"、"普"。

⑤ 用：行事，实践。僻：邪恶。

⑥ 四岳：四方的诸侯之长。

⑦汤汤(shāng)：水势浩大的样子。

⑧怀：包围。襄：上，意即淹没。

⑨鲧(gǔn)：尧臣，禹的父亲。

⑩负命毁族：违抗命令，伤害同僚。负，背，违。族，类，同伙。

⑪用：因。

译文：

帝尧问群臣说："谁可以继承我的事业？"放齐说："你的长子丹朱英明通达，可以继承。"帝尧说："哼，这孩子既愚顽又凶狠，不能用。"又问："谁可以继承呢？"谨兜说："共工能调集人力，兴办事业，可以继承此位！"帝尧说："共工好夸夸其谈，做事不循正道，貌似虔敬而实则傲慢，不能用。"帝尧又问四方的诸侯之长："嗨，你们四位诸侯之长，如今洪水滔天，包围着高山、淹没了丘陵，黎民百姓都为此忧伤，你们说说，谁能担此治水的重任？"四方诸侯之长都说鲧可以任用。帝尧说："鲧常违抗命令、伤害同僚，不能用。"四位诸侯长说："不会吧，他似乎不像你说的那样。先试试吧，不行再撤换。"帝尧于是只好听从他们的话，试着用鲧治水。结果治水九年，一无所成。

尧曰："嗟！四岳，朕在位七十载，汝能庸命①，践朕位？"岳应曰："鄙德忝帝位②。"尧曰："悉举贵戚及疏远隐匿者。"众皆言于尧曰："有矜在民间③，曰虞舜。"尧曰："然，朕闻之。其何如？"岳曰："盲者子。父顽④，母嚚⑤，弟傲⑥，能和以孝，烝烝治⑦，不至奸⑧。"

五帝本纪

注释:

①庸:用。

②鄙德:犹言"德鄙",品德不高。鄙,粗野。忝(tiǎn):辱,辱没。

③矜(guān):同"鳏",老而无妻。

④顽:心不则德义之经为顽。

⑤嚚(yín):口不道忠信之言为嚚。

⑥弟傲:舜之弟名"象",为人狂傲。

⑦烝烝(zhēng):温厚善良的样子。治:劝导使其自治。

⑧奸:干,抵触,冒犯。

译文:

帝尧说:"喂,几位诸侯长,我在位七十年了,你们谁能顺应天命,继承我的帝位呢?"四位诸侯长说:"我们的品德微薄,不敢辱没帝位。"帝尧说:"你们也可以从在朝的亲贵或远方的隐士当中推荐。"于是大家都说:"民间有个鳏夫,名叫虞舜。"帝尧说:"对,我听说过,这人怎样?"诸侯长们说:"他是一个盲人的儿子,他的父亲不讲德义,他的母亲不讲忠信,他的弟弟狂傲无礼;但他仍能凭借孝顺、友爱和他们共处,能温厚善良地感化他们而不和他们冲突。"

尧曰:"吾其试哉。"于是尧妻之二女①,观其德于二女。舜饬下二女于妫汭②,如妇礼。尧善之,乃使舜慎和五典③,五典能从。乃遍入百官,百官时序④。宾于四门⑤,四门穆穆⑥,诸侯远方宾客皆敬。尧使舜入山林川泽,暴风雷雨,舜行不迷。尧以为圣,召舜曰:"女谋事至而言可绩⑦,三年矣,女登帝位。"舜让于德不怿⑧。正月上日⑨,舜受终于文祖⑩。文祖者,尧大祖也⑪。

注释:

① 二女:娥皇、女英。

② 饬:训教,告诫。妫汭(guīruì):妫水入黄河的河口,舜的老家之所在,在今山西永济境内。

③ 慎和:谨慎地制定并付诸实行。五典:也称"五常",指"父子有亲,君臣有义,夫妇有别,长幼有序,朋友有信"。

④ 时:是,因此。

⑤ 宾:用如动词,迎宾,礼宾。

⑥ 穆穆:喜悦、心服的样子。

⑦ 绩:考查。

⑧ 让于德:推让说自己的德行不够。不怿(yì):不乐,因感力不胜任。

⑨ 正月上日:正月初一。上日,朔日。或曰"上日"谓上旬吉日。

⑩ 受终:本意应该是指"接受禅让",但这里实际是指接受"摄政"之权。文祖:此指文祖之庙。

⑪ 大祖:即太祖。大,同"太"。

译文:

　　帝尧说:"那就先让我考验考验他。"于是尧把自己的两个女儿嫁给舜做妻子,通过这两个女儿来观察舜的德行。舜打发这两个女人回家侍奉公婆,这两个女人都能在舜家恪守妇道。尧认为舜做得很好,就让舜认真地制定"五常"之规,百姓都能遵从。于是又让他入朝治百官,百官因而能各居其位,各司其职。让他接待四方来宾,舜又能让各地的诸侯、使臣、宾客都恭敬有礼。尧让舜视察山川水泽，正好遇到暴风雨，舜竟能不迷路。尧认为舜确实很神圣，便把他叫回来对他说："你办事成功，说到做到，三年来很有成绩。你可以登天子之位。"舜推辞自己的德行不够，深感不能胜任。正月初一，舜不得已终于在文祖庙接受了尧的禅让。文祖，就是尧的太祖。

于是帝尧老[1]，命舜摄行天子之政，以观天命。

注释：

① 老：即今之所谓"退位"。

译文：

从此帝尧退位，让舜代行天子之政，以此观察上天的反应。

谨兜进言共工，尧曰："不可。"而试之工师[1]，共工果淫辟[2]。四岳举鲧治鸿水，尧以为不可，岳强请试之，试之而无功，故百姓不便。三苗在江淮、荆州数为乱[3]。于是舜归而言于帝，请流共工于幽陵[4]，以变北狄[5]；放谨兜于崇山[6]，以变南蛮[7]；迁三苗于三危[8]，以变西戎[9]；殛鲧于羽山[10]，以变东夷[11]：四罪而天下咸服[12]。

注释：

① 工师：主管土木建筑的官员。

② 淫辟：骄纵，邪恶。

③ 三苗：古代的少数民族名，生活在今湖南一带，其种不一，故称"三苗"。

④ 流：迁，发配。幽陵：北部边裔的都城，约当今之北京密云。

⑤ 以变北狄：使其逐渐同化北方的少数民族，也就是起一种抵御北方民族入侵的作用。

⑥ 崇山：具体方位不详，约当今之越南北部一带。

⑦ 南蛮：泛称南方的少数民族。

⑧ 三危：山名，在今甘肃敦煌东南。

⑨ 西戎：泛称西部的少数民族。

⑩ 殛(jí)：诛。这里是"流放"的意思。羽山：东部边地的山名，约在今山东临沂一带。

⑪ 东夷：泛称东部地区的少数民族。

⑫ 罪：被治罪。

译文：

　　讙兜举荐共工为继承人，尧说："不行。"让他试任工师之职，共工果然骄纵邪恶。四岳举荐鲧治理洪水，尧认为他不合适，四岳一再请求试用，结果一无所成，使黎民大受其害。后来又有三苗在江淮、荆州一带多次作乱。于是舜巡视归来向尧建议，请求把共工流放到幽陵，让他去改造北方的少数民族；把讙兜流放到崇山，让他去改变南蛮的风俗；把三苗迁往三危，让他去改变西戎的风俗；把鲧发配到羽山，让他去改变东夷的风俗。惩办了这四个罪人，天下都感到心服。

尧立七十年得舜，二十年而老，令舜摄行天子之政，荐之于天。尧辟位凡二十八年而崩①。百姓悲哀，如丧父母。三年，四方莫举乐，以思尧。尧知子丹朱之不肖，不足授天下，于是乃权授舜②。授舜，则天下得其利而丹朱病；授丹朱，则天下病而丹朱得其利。尧曰："终不以天下之病而利一人。"③而卒授舜以天下。尧崩，三年之丧毕，舜让辟丹朱于南河之南④。诸侯朝觐者不之丹朱而之舜⑤，狱讼者不之丹朱而之舜，讴歌者不讴歌丹朱而讴歌舜。舜曰："天也。"夫而后之中国践天子位焉⑥，是为帝舜。

注释：

①辟位：避位，退位。凡二十八年而崩：据文意，是舜"摄政"二十八年，尧始崩。此与后文所述不同，详见后。

②权授舜：此以封建社会的制度推测远古。权，变通。

③"授舜"至"终不以天下"六句不见于古书，乃史公所自增，可见其社会理想。

④让辟：动词连用，让位于人而己回避之。

⑤朝觐(jìn)：指诸侯进京朝见天子。春见曰"朝"，秋见曰"觐"。

⑥之中国：由"南河之南"进入京城。中国，一国之中心，即首都。

译文：

尧在位七十年得到舜，二十年后退位，让舜代行天子之政，把舜推荐给上天。尧离开帝位二十八年后去世。去世时百姓哀痛得就像死了父母。为了悼念帝尧，天下四方三年之内不演奏音乐。尧知道自己的儿子丹朱不成材，不足以把天下交给他，因而采用变通的做法，把天下交给了舜。交给舜可使天下人得利而只对丹朱一人不利；交给丹朱则对天下人不利而只对丹朱一人有利。尧说："怎么着也不能让天下人受害而让一个人得利。"于是毅然地将天下交给了舜。尧死后，三年守丧结束，为了让位给丹朱，舜躲避到了黄河的南边。可是前来朝贡的诸侯们都不去丹朱那里而到舜这边来；打官司的都不去找丹朱而去找舜；唱颂歌的不歌颂丹朱而歌颂舜。舜说："这是天意啊！"于是回到京师即天子之位，这就是帝舜。

舜，冀州之人也。舜耕历山，渔雷泽，陶河滨，作什器于寿丘①，就时于负夏②。舜父瞽叟顽，母嚚，弟象傲，皆欲杀舜。舜顺适不失子道③，兄弟孝慈。欲杀，不可得；即求，尝在侧④。

注释：
①什器：各种生活、劳动用品。
②就时：犹逐时，乘时射利，即做买卖。
③顺适：顺从。
④尝：同"常"。

译文：
　　舜是冀州人士。曾在历山种田，在雷泽捕鱼，在黄河边上制作陶器，在寿丘制造各种生产生活用品，还在负夏从事过商业活动。他的父亲瞽叟不讲道义，后母不讲忠信，弟弟

象傲慢无礼,都想杀死舜。而舜则顺应父母心意,不失为子
之道,对于那个狠毒狂傲的弟弟也很友善。他们想杀他,找
不到借口;想找他,他又总是就在他们的身边。

　　舜年二十以孝闻。三十而帝尧问可用者,四
岳咸荐虞舜,曰可。于是尧乃以二女妻舜以观其
内,使九男与处以观其外。舜居妫汭,内行弥
谨①。尧二女不敢以贵骄事舜亲戚②,甚有妇道。
尧九男皆益笃。舜耕历山,历山之人皆让畔③;渔
雷泽,雷泽上人皆让居④;陶河滨,河滨器皆不苦
窳⑤。一年而所居成聚,二年成邑,三年成都⑥。
尧乃赐舜絺衣⑦,与琴,为筑仓廪⑧,予牛羊。瞽
叟尚复欲杀之,使舜上涂廪⑨,瞽叟从下纵火焚
廪。舜乃以两笠自捍而下⑩,去,得不死。后瞽叟
又使舜穿井,舜穿井为匿空旁出⑪。舜既入深,瞽
叟与象共下土实井,舜从匿空出,去。瞽叟、象
喜,以舜为已死。象曰:“本谋者象⑫。”象与其父
母分。于是曰:“舜妻尧二女,与琴,象取之。牛
羊仓廪予父母。”象乃止舜宫居⑬,鼓其琴。舜往
见之,象鄂不怿⑭,曰:“我思舜正郁陶⑮!”舜曰:
“然,尔其庶矣⑯!”舜复事瞽叟爱弟弥谨。于是
尧乃试舜五典百官,皆治。

注释：

①内行：在家族以内的行为表现与其处理事务的能力。

②亲戚：这里指公婆。

③畔：田界。

④上：应作"之"。

⑤不苦窳(yǔ)：精致，结实。苦窳，粗劣，易坏。

⑥"一年"三句：聚，村落。邑，市镇。都，都城。

⑦绤(chī)衣：细葛布做的衣裳，在当时很贵重。

⑧仓：粮仓。廪：上有篷顶的粮仓。

⑨涂廪：用泥抹粮仓上的屋顶。

⑩扞(hàn)：同"捍"，防护。

⑪匿空：秘密通道。匿，藏，不使人知。空，孔。旁出：从旁边通向地面。

⑫本谋：主谋。

⑬止：这里指住。宫：屋舍。

⑭不怿(yì)：不高兴。这里是尴尬的样子。

⑮郁陶：伤心痛苦的样子。

⑯庶：可以，够味。

译文：

　　舜从二十岁就以孝顺出名，三十岁时尧问谁可以继天子之位，四岳全都举荐舜，说他可以继承帝位。于是帝尧就将自己的两个女儿嫁给了舜，以观察舜治家的能力；又让他的九个儿子与他交往，以观察他处理外部事务的能力。舜家住在妫汭，舜在家族内部的表现非常严谨。尧的两个女儿都不敢因出身高贵而在舜的家中稍有怠慢，表现得很守妇道；尧的九个儿子也变得愈发稳重厚道。舜在历山务农时，历山的人从来没有地界纠纷；舜在雷泽捕鱼，泽中的渔民常互相谦让住处;舜在河边制陶,河边的陶器从不出次品。舜在哪里住上一年,哪里就会形成村落;住上两年,哪里就成了市镇;住上三年,哪里就成了都城。尧赐给舜上等布衣一套、琴一把,并且为他修建了粮仓、送给他一些牛羊。可是瞽叟还是总想置舜于死地,他让舜到仓顶上抹泥,而他却在底下放火。舜撑开两柄小伞从上面跳了下来,没有被烧死。后来瞽叟又让舜去挖井,舜预先在井中挖了个秘密通道。待至井挖深了,瞽叟和象便一齐往井里填土,舜早从秘密通道逃走了。瞽叟与象挺高兴,以为舜已死了。象说:"这个主意是我想出来的。"他与父母瓜分舜的财产,说:"舜的两个妻子和那把琴归我,牛羊和粮仓归父母。"象于是住进了舜的房子,弹琴取乐。舜又回来了去见他。象既惊愕,又尴尬,他说:"我正在想你想得很伤心呢!"舜说:"是啊,你我的兄弟情谊很不错啊!"事后,舜侍奉父亲依然恭谨,对待弟弟依然友爱。于是尧就试着让舜制定五典,教化民众,治理百官。舜都做得很好。

　　昔高阳氏有才子八人①,世得其利,谓之"八恺"。高辛氏有才子八人,世谓之"八元"。此十六族者,世济其美②,不陨其名③。至于尧,尧未能举。舜举"八恺",使主后土④,以揆百事⑤,莫不时序⑥。举"八元",使布五教于四方⑦,父义,母慈,兄友,弟恭,子孝,内平外成⑧。

注释:

①才子:成材的人。

②济：达到，成就。

③陨：落。

④后土：即指土，大地。

⑤揆(kuí)：观察，忖度。这里即指治理。

⑥时序：承顺。

⑦五教：即前所谓"五常"。

⑧内：诸夏。外：夷狄。

译文：

　　当年高阳氏有八位有才能的人，替世人做了许多好事，人们称他们为"八恺"。高辛氏有八个有才能的人，世人称他们为"八元"。这十六个家族，世世代代都能保持他们的美德，没有辱没他们先人的名声，一直到尧的时代仍是如此，但尧却没有起用他们。于是舜起用"八恺"，让他们主管大地上的水利、农作诸事，结果他们都管理得井井有条。舜同时任用"八元"，让他们主管国家的教育、教化，结果整个社会变得为父者义、为母者慈、为兄者友、为弟者恭、为子者孝，于是国内太平，四周的夷狄向化。

　　昔帝鸿氏有不才子①，掩义隐贼②，好行凶慝③，天下谓之浑沌④。少暤氏有不才子⑤，毁信恶忠，崇饰恶言，天下谓之穷奇。颛顼氏有不才子，不可教训，不知话言⑥，天下谓之梼杌。此三族世忧之。至于尧，尧未能去。缙云氏有不才子⑦，贪于饮食，冒于货贿⑧，天下谓之饕餮。天下恶之，比之三凶。舜宾于四门，乃流四凶族，迁于四裔，以御螭魅，于是四门辟⑨，言毋凶人也⑩。

注释：

①帝鸿氏：指黄帝之族。

②掩义隐贼：掩蔽仁义，包庇奸贼。"掩"亦可训为"袭击"。

③凶慝(tè)：凶邪。

④浑沌：即谨兜。

⑤少暤(hào)氏：也作"少昊"。

⑥话言：谓善言。

⑦缙(jìn)云氏：姜姓，炎帝之苗裔。

⑧冒：没，其他皆所不顾。

⑨四门辟：四门大开，言其太平无事之状。

⑩毋：通"无"。

译文：

　　从前帝鸿氏有个不成材的子弟，他袒护坏人，行凶作恶，人们管他叫浑沌；少暤氏有个不成材的子弟，他妒能忌贤，诽谤他人，粉饰错误，人们管他叫穷奇；颛顼氏有个不成材的子弟，他不知好歹，不懂人话，无法教育，人们管他叫梼杌，这三个家族成为世人的祸患。到尧的时代，尧未能把他们除掉。缙云氏有个不成材的子弟，好吃好喝，贪污受贿，天下人管他叫饕餮。大家都讨厌他，认为他与前面"三凶"没有什么两样。舜为了敞开国都四门以迎接四方贤者，就将这四个凶顽的家伙流放到了边远的地方，让他们去抵御远方的妖魔鬼怪。从此国都的四门大开，因为国内已经没有为非作歹的坏人了。

　　舜入于大麓①，烈风雷雨不迷，尧乃知舜之足授天下。尧老，使舜摄行天子政，巡狩。舜得举用事二十年，而尧使摄政。摄政八年而尧崩②。三年丧毕,让丹朱,天下归舜。而禹、皋陶、契、后稷、伯夷、夔、龙、倕、益、彭祖③,自尧时而皆举用,未有分职。于是舜乃至于文祖,谋于四岳,辟四门,明通四方耳目。命十二牧论帝德④,行厚德,远佞人⑤,则蛮夷率服⑥。

注释:

① 麓:山脚。这里指深山。

② "摄政"句:据前文,"尧立七十年得舜,二十年而老,令舜摄行天子之政,荐之于天,尧辟位凡二十八年而崩",是舜居首辅二十年后,乃摄政;摄政二十八年后,尧始崩。而今又谓"摄政八年而尧崩",前后不一。

③ 禹:鲧之子,因治水有功,受舜禅让为帝。皋陶(gāoyáo):舜时掌刑狱的大臣。契:舜时掌教化的官,商朝的祖先。后稷(jì):名弃,舜时掌管农事的官,周朝的祖先。伯夷:舜时掌礼的官,与周初之饿死首阳山者同名。夔(kuí):舜时主乐的官。龙:舜时的谏官。倕:舜时主管建筑的官。益:也称"伯益"、"伯翳"、"大业",秦国的祖先。

④ 十二牧:十二州的州长。论帝德:弘扬帝尧之德。论,阐发,光大。

⑤ 佞(nìng)人:以甜言蜜语取悦于人者。

⑥ 率服:相率来归顺。

译文:

  由于舜能进入深山遇暴风雨而不迷路,因而尧知道舜是个贤才,可以将天下交给他。尧退位后,让舜代行天子之政,让舜出外巡视。舜被选拔任职二十年后代尧摄政,摄政八年后尧去世。三年守丧结束,舜退让天子之位与丹朱,但天下人心都归向舜。当时禹、皋陶、契、后稷、伯夷、夔、龙、倕、益、彭祖等人,虽从帝尧时代就被选拔任用,但却始终没有明确的职务分工。于是舜把四方的诸侯之长召集到文祖庙与他们商量,同时敞开京城的四门,广迎四方贤人,广泛听取各方面的意见。舜让十二州的州长发扬光大帝尧之德,让他们广施仁政,不要靠近那花言巧语的小人,只有这样才能让四方的蛮夷都来归服。

此二十二人咸成厥功:皋陶为大理①,平,民各伏得其实②;伯夷主礼,上下咸让;倕主工师,百工致功;益主虞,山泽辟;弃主稷,百谷时茂;契主司徒,百姓亲和;龙主宾客③,远人至;十二牧行而九州莫敢辟违④;唯禹之功为大,披九山⑤,通九泽,决九河⑥,定九州,各以其职来贡⑦,不失厥宜。方五千里,至于荒服⑧。南抚交阯、北发⑨,西戎、析枝、渠廋、氐、羌⑩,北山戎、发、息慎⑪,东长、鸟夷⑫,四海之内咸戴帝舜之功⑬。于是禹乃兴《九招》之乐⑭,致异物,凤皇来翔。天下明德皆自虞帝始⑮。

注释:
①大理:官名,全国最高的司法官。
②伏:通"服",谓被定罪者皆内心服气。

③龙主宾客：龙为"纳言"，求见舜者必须首先通过龙，故曰
"龙主宾客"。

④九州：华夏原称"九州"，其长官也只有"九牧"；后又增三州
为"十二州"，故其长官也就成了"十二牧"。此处"十二"与
"九"错落使用。辟：邪恶。违：抗命。

⑤披：通"劈"。九山：极言为泄导洪水所开凿的山岭之多。

⑥决：疏通。

⑦职：责任，也就是按照本州地形与物产应向朝廷进献的
贡品。

⑧方五千里，至于荒服：此指当时整个华夏的疆域。古称自
天子王畿向四周辐射，"五百里甸服，五百里侯服，五百里
绥服，五百里要服，五百里荒服"。按直径计算，即五千里。

⑨交阯：也作"交趾"，其首府即今越南河内市。北发：即"北
向户"，指广东、广西南部之北回归线以南，窗户向北开的
地方。

⑩西戎、析枝、渠廋（sōu）、氐、羌："西"下省"抚"字。戎、析
枝、渠廋、氐、羌，都是西部的少数民族名，大约生活在今陕
西西部、四川西北部与甘肃、青海一带地区。

⑪北山戎、发、息慎："北"下亦省"抚"字。山戎、发、息慎，都
是当时东北地区的少数民族名。

⑫东长、鸟夷：意即东抚长夷、鸟夷。鸟夷也作"岛夷"。这些
指当时东部大海中的岛国名。

⑬咸：全，都。戴：拥戴，拥护。

⑭"于是"句："禹"字疑当作"夔"，叙禹于诸臣之后者，以禹功
最大。而太乐之作，所以告成功，故又叙夔于禹之后。《九
招》，同《九韶》，相传为舜时所作的古乐名。

⑮明德：兼指崇高的道德与圣明的政治。

译文：

　　二十二人在功业上都各有建树：皋陶当法官，司法公平，被定罪的人都很服气；伯夷主管礼仪，朝廷上下无不礼让；倕主管土木建筑及各种手工制作，各种工艺都很精致；益主管林牧，山林水泽的资源得到了开发；弃主管农业，各种谷物都种得及时，长得茂盛；契主管政教，百姓都亲爱和睦；龙主管接待宾客，远方的人都来朝拜；十二州牧奉法行事没有一个敢为非作歹；在这当中禹的功劳最大，他开凿九山以泄洪水，他疏导了九州的湖泊，疏通了九州的江河，他划定了九州的疆界，并规定了各州对朝廷的贡物，没有一处不妥当。从中央王朝的方圆五千里，直至四方的边荒之地。南至交趾、北发，西至西戎、析枝、渠廋、氐、羌，北至山戎、发、息慎，东至长夷、鸟夷，四海之内都称颂舜的功业。于是禹创作了《九韶》之乐，各种祥瑞之物闻声而至，连凤凰也会降临，随着乐声飞舞，天下理想的政德就是从虞舜开始的。

　　舜年二十以孝闻，年三十尧举之，年五十摄行天子事，年五十八尧崩①，年六十一代尧践帝位。践帝位三十九年，南巡狩，崩于苍梧之野②，葬于江南九疑③，是为零陵④。

注释：

①年五十八尧崩：此与舜纪前文"舜得举用事二十年，而尧使摄政，摄政八年而尧崩"的说法相同；与尧纪所谓"尧立七十年得舜，二十年而老，令舜摄行天子之政，荐之于天，尧辟位凡二十八年而崩"的说法不同。

②苍梧：汉郡名，郡治广信，即今广西梧州。

③九疑：山名，在今湖南宁远南，因山有九峰皆相似，故称"九疑"。

④零陵：汉郡名，郡治在今广西兴安北，九疑山正处于当时苍梧郡与零陵郡的交界处。

译文：

　　舜从二十岁时因孝顺而闻名天下，三十岁时被尧选拔任用，五十岁时代行天子之权，舜五十八岁时尧崩，六十一岁代尧即天子位。舜在帝位三十九年，到南方巡视，死在苍梧郡的郊野，葬在了长江以南的九疑山，也就是后来的零陵郡。

周本纪

　　《周本纪》是以周朝帝王为纲领的整个周民族与周王朝的编年史。

　　周民族的发展史经历夏朝、殷朝共千馀年,至商末强大起来,雄据西方。至周文王,吞并了四周小国,为日后武王灭商奠定了基础。武王即位后,在姜太公、周公、召(shào)公等一大批贤才的辅佐下,于公元前 1046 年率领许多同盟力量共同伐纣,灭亡了殷朝,建立了周朝。

　　关于西周史,《诗经》、《尚书》、《逸周书》、《国语》等文献中有比较丰富的史料可供依据,而战国以来还没有一种比较系统的西周历史,所以司马迁便对西周部分作了比较详细的铺陈,以一个"德"字贯穿西周史的始终,其中蕴含着令人警省的教训。春秋时期的周史主要依据《春秋》、《左传》而作。当时政治舞台的主宰者已由天子转为诸侯中的霸主,太史公在撰写这一时期的周史时突出了王道衰微的内容。战国史料被秦始皇焚烧殆尽,供司马迁取材的只有《战国策》与诸子中涉及的一些材料,而这些材料的真实性也成问题,再加上战国后期已经小得极其可怜的周国又分裂成东西两部分,以至于司马迁连这两个小国诸侯的名字与世系都无法说清了。

　　在周的历史上,周文王、武王无疑是最重要的两位君主,儒家学派认为周文王、武王都是"顺天应人"的大圣人,而武王伐纣,建立周朝,更是最重要的事件,所以我们在这里选取的就是"武王伐纣"这一段。

武王即位，太公望为师①，周公旦为辅，召公、毕公之徒左右王②，师修文王绪业③。

注释：
①师：官名，又称太师，帝王的辅导官。
②左右：通"佐佑"，辅佐。
③师修：动词连用，意即遵循。
译文：
　　武王即位后，任命太公望做太师，周公旦做宰辅，召公、毕公这些人在左右辅佐他，承继文王遗留下来的事业。

　　九年①，武王上祭于毕②。东观兵③，至于盟津。为文王木主，载以车中军④。武王自称太子发，言奉文王以伐⑤，不敢自专。乃告司马、司徒、司空、诸节⑥："齐栗⑦，信哉！予无知，以先祖有德臣，小子受先功⑧，毕立赏罚，以定其功。"遂兴师。师尚父号曰："总尔众庶⑨，与尔舟楫，后至者斩。"武王渡河，中流，白鱼跃入王舟中，武王俯取以祭。既渡，有火自上复于下⑩，至于王屋⑪，流为乌，其色赤，其声魄云。是时，诸侯不期而会盟津者八百。诸侯皆曰："纣可伐矣。"武王曰："女未知天命，未可也。"乃还师归。

注释：
①九年：武王即位之第九年（前1048年）。有人谓此指"文王

受命"之第九年者,似不足取。

②武王上祭于毕:指往祭文王墓。

③观兵:显示武力,即今之所谓"示威"。

④载以车中军:语略不顺,泷川引桃源说作"载以居中军",比较明畅。

⑤"武王"二句:正因此,后人遂称周朝开国之王为文王与武王二人。

⑥司马:官名,掌军政。司徒:官名,掌土地和役徒。司空:官名,掌工程营建。诸节:指接受任命的各种官员。

⑦齐栗:迅捷,戒惧。

⑧小子:谦词,自己。

⑨总:集合。

⑩复:通"覆",覆盖。

⑪王屋:指武王所居之屋。

译文:

　　九年,武王到文王的墓地毕举行祭祀。又到东方显示武力,到达了盟津。做了文王的灵牌,用车载着供在中军帐中。武王自称为太子发,说是奉行文王的旨意来讨伐,不敢自行专断。于是诏告司马、司徒、司空、诸节各官:"大家都要迅捷恭敬,切实努力! 我是无知的人,但因为我的先祖是有德行的大臣,所以我承继了先人的功业,已确立了各种赏罚制度,来确保功业的建立。"于是起兵。师尚父发布号令道:"集合起你们的民众,整理好你们的船只。迟到者斩。"武王渡黄河,船到河流中间,有条白鱼跃入武王的船中,武王俯身拾取用以祭祀。渡过黄河后,有一团火从上覆盖而下,一直到达武王居住的房屋,变为乌鸦,它的颜色是红色的,发出"叽"的一声。这时,未经过事先约定而到达盟津参加盟会的有八百位诸侯。诸侯都说："可以讨伐纣王了。"武王说："你们不了解上天的意图，还不可以讨伐。"就班师回去了。

居二年，闻纣昏乱暴虐滋甚，杀王子比干，囚箕子。太师疵、少师彊抱其乐器而奔周①。于是武王遍告诸侯曰："殷有重罪，不可以不毕伐②。"乃遵文王，遂率戎车三百乘③，虎贲三千人④，甲士四万五千人，以东伐纣。十一年十二月戊午⑤，师毕渡盟津，诸侯咸会。曰："孳孳无怠⑥！"武王乃作《太誓》⑦，告于众庶："今殷王纣乃用其妇人之言⑧，自绝于天，毁坏其三正⑨，离逷其王父母弟⑩；乃断弃其先祖之乐，乃为淫声，用变乱正声⑪，怡说妇人。故今予发维共行天罚⑫，勉哉夫子⑬，不可再，不可三！"

注释：

①太师：官名，乐工之长。少师：官名，乐官太师之佐。

②毕：迅速。

③戎车：兵车。

④虎贲(bēn)：即勇士。

⑤十一年十二月戊午：武王之十一年相当于公元前 1046 年。

⑥孳孳：同"孜孜"，勤勉的样子。

⑦《太誓》：即《泰誓》，周武王伐纣前大会诸侯的誓师词。

⑧妇人：指纣王的宠妃妲己。

⑨三正：旧注说法纷歧，或指建子、建丑、建寅三种历法，或指

天、地、人之正道，刘起釪以为是指商朝的主要大臣。

⑩离逷(tì)：又作"离遬"，疏远。王父母弟：同出自一个祖父母的兄弟。王父母，祖父祖母。

⑪"乃为"二句：古代以雅乐为正声，以俗乐为淫声。用，以。

⑫维：发语词。共行：恭敬地执行。共，通"恭"。

⑬夫子：男子汉，壮士。

译文：

　　过了两年，听说纣王更加昏乱暴虐，他杀了王子比干，囚禁了箕子。太师疵、少师彊就抱了他们的乐器逃奔到周国。武王因此遍告诸侯说："殷朝犯下重大的罪过，不可以不进行彻底讨伐。"于是遵照文王遗命，率领了三百乘兵车，三千名勇士，以及带甲的武士四万五千人，向东方去伐纣。十一年十二月戊午日，大军全部渡过盟津，各地诸侯都会集在一起。说："勤勉努力，不要懈怠！"武王于是写下《太誓》，向众人宣告道："如今殷王纣居然听信妇人的言论，自己与上天断绝关系，残害那些重臣，疏远自己同祖父母的兄弟；居然抛弃先祖创制的乐曲，谱写淫乱的音调，以此扰乱雅声，讨得妲己的欢心。所以现在我姬发恭敬地执行上天的惩罚。努力呀，各位壮士。不可能有第二次，更不可能有第三次！"

　　二月甲子昧爽①，武王朝至于商郊牧野②，乃誓。武王左杖黄钺③，右秉白旄④，以麾⑤。曰："远矣，西土之人！"武王曰："嗟！我有国冢君⑥，司徒、司马、司空、亚旅、师氏⑦，千夫长、百夫长⑧，及庸、蜀、羌、髳、微、纑、彭、濮人，称尔戈，比尔干，立尔矛，予其誓⑨。"王曰："古人有言：'牝鸡无晨。牝鸡之晨,惟家之索⑩。'今殷王纣维妇人言是用,自弃其先祖肆祀不答⑪;昏弃其家国⑫,遗其王父母弟不用,乃维四方之多罪逋逃是崇是长⑬,是信是使,俾暴虐于百姓,以奸轨于商国⑭。今予发维共行天之罚。今日之事,不过六步七步,乃止齐焉⑮,夫子勉哉!不过于四伐五伐六伐七伐⑯,乃止齐焉,勉哉夫子!尚桓桓⑰,如虎如罴,如豺如离⑱,于商郊,不御克奔,以役西土,勉哉夫子!尔所不勉,其于尔身有戮。"誓已,诸侯兵会者车四千乘,陈师牧野。

注释:

①二月甲子昧爽:武王十一年周历二月的甲子日拂晓。昧爽,黎明,拂晓。

②牧野:地名,在殷都朝歌(在今河南淇县)南七十里。

③左杖黄钺(yuè):左手杖钺,示有事于诛。杖,持。黄钺,以黄金饰斧。

④右秉白旄:右手把旄,示有事于教令。秉,握。旄,装饰以旄牛尾的旗。

⑤麾:通"挥",晃动。

⑥有:通"友"。冢君:大君。即指下述"庸"、"蜀"等八个西部古代部落的首领。

⑦亚旅、师氏:皆高级军官名。

⑧千夫长、百夫长:皆中下级军官名。

⑨"称尔戈"四句:称,举。比,排列。干,盾牌。其,将。

⑩索：尽，死光。

⑪肆祀：祭祀。答：报，报谢祖先的祭祀。

⑫昏弃：抛弃。

⑬逋(bū)：逃亡。

⑭奸轨：同"奸宄"(guǐ)，外来为奸，中出为宄。

⑮止齐：暂止而取齐。

⑯伐：击刺。

⑰桓桓：威武貌。

⑱离：同"螭"(chī)，古代传说中没有角的龙。

译文：

　　周历二月的甲子日拂晓，武王很早来到商都郊外的牧野，举行了誓师会。武王左手持铜斧，右手握着白色的牦牛尾，用来指挥。"辛苦啦，远道而来的西方的人们！"武王说，"啊！我的友邦君主们，司徒、司马、司空、亚旅、师氏，千夫长、百夫长各位官员，以及庸、蜀、羌、髳、微、纑、彭、濮各国的人们，举起你们的长戈，排列好你们的盾牌，树起你们的长矛，你们听我宣誓。"武王说："古人说过这样的话：'母鸡是没有在黎明时啼叫的。如果哪家的母鸡在黎明时啼叫，那么这个人家就要灭绝了。'现在殷纣王只听信妇人的言论，自动废弃对他的先祖的祭祀，不答谢神灵；抛弃国家朝政，遗弃同出于一个祖父母的兄弟不加进用，对于那些从四方诸侯国逃亡到商国的罪人，推崇他们、尊敬他们、信任他们、任用他们。让他们来对百姓施加暴虐，让他们在商国为非作歹。如今我姬发恭敬地执行上天对商国的惩罚。今日战场出击不要超过六步、七步就停下来，把队伍整顿一下再继续推进。大家要努力啊！武器刺击敌人，少则四五下，多则六七下，就可以停下来整顿队伍继续前进。大家要努力啊！希望大家都勇往直前，像老虎像罴熊，像豺狼像螭蛟，在商都的郊外作战，不要迎击那些前来投降的殷国士兵，让他们给我们西方人服劳役。大家要努力啊！如果你们不努力，就会被处死。"宣誓完毕，诸侯的军队聚集在一起，兵车有四千乘，列阵于牧野。

帝纣闻武王来，亦发兵七十万人距武王①。武王使师尚父与百夫致师②，以大卒驰帝纣师③。纣师虽众，皆无战之心，心欲武王亟入。纣师皆倒兵以战，以开武王。武王驰之，纣兵皆崩畔纣。纣走，反入登于鹿台之上④，蒙衣其珠玉，自燔于火而死。武王持大白旗以麾诸侯，诸侯毕拜武王，武王乃揖诸侯，诸侯毕从。武王至商国⑤，商国百姓咸待于郊⑥。于是武王使群臣告语商百姓曰："上天降休⑦！"商人皆再拜稽首，武王亦答拜⑧。遂入，至纣死所。武王自射之，三发而后下车，以轻剑击之⑨，以黄钺斩纣头，县大白之旗⑩。已而至纣之嬖妾二女，二女皆经自杀。武王又射三发，击以剑，斩以玄钺，县其头小白之旗。武王已乃出复军。

注释：
①距：通"拒"，抵御。
②致师：即今所谓挑战。
③大卒：指武王的嫡系部队，主要指虎贲而言。驰：以战车冲击。

④鹿台：在当时的殷都朝歌城南，相传纣王在这里贮藏了大量珠玉钱帛。

⑤商国：商朝的国都，即朝歌。

⑥商国百姓：商朝之百官与各家贵族。

⑦降休：降下福祥。休，吉祥。

⑧武王亦答拜：据《逸周书·克殷解》，武王答拜的是诸侯，非答拜商人。

⑨轻剑：佩剑。

⑩县：同"悬"。

译文：

帝纣听说武王攻来，也派了七十万人的军队抵御武王。武王派师尚父与百名勇士挑战，勇士以战车冲击纣王的军队。纣王的军队虽然人数众多，却没有斗志，心里希望武王迅速攻入殷国。纣王的军队都倒戈攻击己军，为武王开路。武王冲向殷军，纣王的军队四散奔逃，背叛纣王。纣王逃走，返回城中登上鹿台，穿上镶嵌有珍贵珠宝的衣服，自焚于火中而死。武王手持大白旗来指挥各地诸侯，诸侯们都向武王参拜，武王就作揖答谢诸侯，诸侯们都服从他。武王进入商都，商国的百姓都在郊外迎接。于是武王派群臣告诉商国的百官与各家贵族说："上天降下福祥！"商人们都再次跪拜叩头，武王也作了答谢回拜。接着就进城，到达纣王自焚的地方。武王亲自向纣王的尸体射箭，射了三箭以后下车，又用佩剑砍他，然后用铜斧砍下纣王的头颅，悬挂在大白旗的旗杆上。接着又来到纣王两位宠妾的住所，这两位女子已经上吊自杀。武王又向她们射了三箭，以剑砍击，用铁制的黑斧砍下她们的头颅，将头颅悬挂在小白旗的旗杆上。办完上述诸事武王返回军中。

其明日,除道,修社及商纣宫①。及期,百夫荷
罕旗以先驱②。武王弟叔振铎奉陈常车③,周公旦
把大钺,毕公把小钺④,以夹武王⑤。散宜生、太
颠、闳夭皆执剑以卫武王。既入,立于社南大卒之
左⑥,左右毕从。毛叔郑奉明水⑦,卫康叔封布
兹⑧,召公奭赞采⑨,师尚父牵牲。尹佚策祝曰⑩:
"殷之末孙季纣,殄废先王明德⑪,侮蔑神祇不祀,
昏暴商邑百姓,其章显闻于天皇上帝⑫。"于是武王
再拜稽首,曰:"膺更大命,革殷,受天明命。"⑬武王
又再拜稽首,乃出。

注释:

①修社:修缮祭祀土神的地方。武王"修社及商纣宫",盖即
　　拆除商朝之旧社,重立周朝之新社。

②荷:扛,打着。罕旗:即云罕旗。先驱:仪仗队的一部分,负
　　责在前面开路。

③常车:插着太常旗的仪仗车。太常旗指画有日月形象的
　　旗,以象征王者的地位与威严。

④毕公把小钺:此处之"毕公"应作"召公"。

⑤夹:左右陪侍,兼有护卫之意。

⑥社南大卒:战场破纣军之武王嫡系部队,今又充当仪卫,列
　　于社南。

⑦明水:古代祭祀所用的净水,亦称"玄酒"。

⑧布兹:铺草席于地。布,铺。兹,席子。

⑨赞采:帮助武王献上供品。也有说是为武王赞礼。

⑩尹佚：又称"史佚"，西周初期的史官、天文家、星占家。策祝：诵读策书上的祭神文字。

⑪殄(tiǎn)废：灭弃。

⑫章显：明显，谓其罪行显著。

⑬曰："膺(yīng)更大命，革殷，受天明命"：此"曰"字的主语是"史佚"，不是"武王"。膺更，承受。大命，天命。革殷，上天改变了对殷朝的眷顾。有人解为革除殷朝政权。

译文：

　　第二天，清除道路，修缮祭祀土神的祭坛以及商纣的王宫。到了规定时候，一百名士兵打着云罕旗为武王在前开道。武王的弟弟叔振铎为武王赶着车子，周公旦拿着大斧，毕公拿着小斧，在左右陪侍武王。散宜生、太颠、闳夭都持剑护卫武王。进入社庙，武王站在庙的南面、精锐部队的左边，左右护卫都跟随着他。毛叔郑手捧玄酒，卫康叔封给地铺上草席，召公奭帮助武王献上供品，师尚父牵着祭祀用的牲畜。尹佚诵读策书上的祭神文字，说："殷朝的末代子孙名叫纣的，灭弃先王的善德，轻慢天地之神不去祭祀，祸害商邑的百姓，他的罪行显著，已被天皇上帝了解。"于是武王再次跪拜叩头，说："禀承天命，上天改变了对殷朝的眷顾，接受上天圣明的旨令。"武王又再次跪拜叩头，离开社庙。

秦始皇本纪

　　《秦始皇本纪》记载了秦始皇在其历代祖先积蓄力量的基础上并吞六国,统一天下,第一次建立了中央集权的强大国家的过程,肯定了秦始皇的丰功伟绩;同时也记载了秦始皇称帝后由于缺少历史经验而采取的种种错误做法;尤其是写了秦始皇死后,秦二世以非法手段篡取政权,倒行逆施,终致在两年多的时间里将秦王朝彻底葬送的悲惨教训。作品篇幅很长,叙述极其精彩,是《史记》中篇幅较长的作品之一。如果将这篇作品与《李斯列传》参照,就等于一篇详尽细致的秦王朝的兴亡史,其中包含着深刻的历史教训。

　　司马迁是将始皇帝作为一个因缺少历史经验而招致失败的悲剧英雄来进行写作的,笔下有无限惋惜之情。

　　我们在这里选取的是秦始皇称帝后建立、实施一系列制度与措施的片段,表现了秦始皇的雄才大略与恢宏气度。司马迁对此尽管也有批评、不满,但大体上是肯定的、赞扬的,这与《六国年表》所说的"秦取天下多暴,然世异变,成功大"观点一致;文章的气势亦高屋建瓴,与《商君列传》叙述商鞅变法的措施、功效两相辉映。

　　秦初并天下，令丞相、御史曰①："异日韩王纳地效玺，请为藩臣，已而倍约，与赵、魏合从畔秦，故兴兵诛之，虏其王。寡人以为善，庶几息兵革。赵王使其相李牧来约盟②，故归其质子。已而倍盟，反我太原，故兴兵诛之，得其王。赵公子嘉乃自立为代王，故举兵击灭之。魏王始约服入秦，已而与韩、赵谋袭秦，秦兵吏诛，遂破之。荆王献青阳以西，已而畔约，击我南郡③，故发兵诛，得其王，遂定其荆地。燕王昏乱，其太子丹乃阴令荆轲为贼，兵吏诛，灭其国。齐王用后胜计，绝秦使④，欲为乱，兵吏诛，虏其王，平齐地。寡人以眇眇之身，兴兵诛暴乱，赖宗庙之灵，六王咸伏其辜，天下大定⑤。今名号不更⑥，无以称成功，传后世，其议帝号。"丞相绾、御史大夫劫、廷尉斯等皆曰⑦："昔者五帝地方千里，其外侯服夷服⑧，诸侯或朝或否，天子不能制。今陛下兴义兵，诛残贼⑨，平定天下，海内为郡县，法令由一统，自上古以来未尝有，五帝所不及。臣等谨与博士议曰⑩：古有天皇，有地皇，有泰皇，泰皇最贵⑪。臣等昧死上尊号，王为'泰皇'。命为'制'，令为'诏'，天子自称曰'朕'。"王曰："去'泰'，著'皇'，采上古'帝'位号，号曰'皇帝'。他如议。"制曰可⑫。追尊庄襄王为太上皇。制曰："朕闻太古有号毋谥，中古有号，死而以行为谥。如此，则子议父，臣议君也，甚无谓，朕弗取焉。自今已来，除谥法。朕为'始皇帝'，后世以计数，二世三世至于万世，传之无穷。"

注释：

①丞相：此时的秦丞相为王绾（wǎn）。御史：此指御史大夫，掌监察、纠弹，位同副丞相。此时秦的御史大夫为冯劫。

②李牧：赵国的最后一位名将。

③击我南郡：楚反秦于南郡在楚王被虏后，非在楚王被虏之前，此与事实不合。

④"齐王"二句：据《田完世家》，后胜前乃受秦收买，哄骗齐王亲秦；迫秦兵击齐，"齐王听后胜计，不战，以兵降秦"，与此说法不同。

⑤"六王"二句：秦王于此文中将所有被他消灭的诸侯，通通说成是"阴谋"反他，甚至编无作有，完全是一套强盗逻辑。

⑥名号不更：指还像以往的称"王"。

⑦廷尉斯：即李斯。廷尉，九卿之一，全国最高的司法长官。

⑧"昔者"二句：五帝，史公以为指黄帝、颛顼（zhuānxū）、帝喾（kù）、尧、舜五人。地方千里，其外侯服夷服：指自天子的都城向四周辐射，千里之内是"王畿"；再向外辐射五百里为"侯服"；再向外辐射五百里为"甸服"；依次向外辐射，每五百里为一"服"，有"男服"、"采服"、"卫服"、"蛮服"、"夷服"、"镇服"、"藩服"。这当然只是一种空想的安排，实际上戎、狄等少数民族就在王城不远，甚至可以赶着"天子"四处逃难。

⑨残：残忍。贼：害，凶狠。

⑩博士：官名，帝王身边的侍从人员，以知识渊博者为之，掌参谋、议论。

⑪秦皇：即人皇。

⑫制曰可：前面的一大段文字是记载始皇与群臣讨论的过程，"制曰可"三个字才是皇帝下达的命令。从现有的标点本看，人们通常是作如此理解，但联系《三王世家》，可以认为从"令丞相、御史曰"至"他如议"，是由丞相、御史等共同起草的一个文件，其中记载了帝王与诸臣讨论该问题的过程；文件形成后，交由帝王审批，"制曰可"中的"可"字，即帝王最后在该文件上的批语。

译文：

　　秦统一天下后，秦王对丞相、御史下令道："前者韩王交出土地，献上玉玺，声称愿做秦国的诸侯王，但不久又背弃盟约，与赵、魏联合起来反叛秦国，所以我们兴兵讨伐他，俘虏了他的国王。我认为这是件好事，这样就可以永远结束秦、韩之间的战争了。赵王曾派他的丞相李牧来签订盟约，我们归还了他们的质子。但不久他们背弃盟约，在太原反叛我们，所以我们兴兵讨伐他，俘虏了赵国的国王。赵公子嘉又自立为代王，所以我们兴兵消灭了他。魏王当初已经说好服从秦国，不久又与韩、赵合谋袭击秦国。因此我们只得派兵前往讨伐，终于把他们击败了。楚王已经献出了青阳以西的土地，不久又违背约定，袭击我国的南郡，所以我们派兵讨伐他，俘虏了他们的国王，平定了楚国之地。燕王头脑发昏，他的太子丹竟然暗地里派荆轲前来行刺，我们只好派兵前去讨伐，灭了他们的国家。齐王建采纳后胜的计谋，与秦国断交，想作乱，我们派兵前往征讨，俘获了他们的国王，平定了齐国土地。就凭我这么一个渺小的人物，居然能兴兵讨平暴乱，倚仗着列祖列宗的威灵，六国之王都已服罪，天下已经大体平定。如今若不更改名号就无法与我们取得的功业相称，无法使之流传后世,你们都讨论一下我这个帝王应该用什么名号。"丞相王绾、御史大夫冯劫、廷尉李斯等一起上书说:"过去'五帝'直接管辖的地区方圆不过千里,千里之外是'侯服'、'夷服'的地区,那时的诸侯有的朝贡,有的不朝贡,天子无法控制。如今陛下起义兵,讨残暴,平定天下,整个国家实行郡县制,一切命令都由朝廷发出,这是自古以来从未有过的,连传说中的'五帝'也无法企及。我们与博士商量,共同认为:古代有'天皇'、'地皇'、'泰皇',三者之中'泰皇'最尊贵。因此我们大胆建议,您应当称为'泰皇',您的命令称为'制'和'诏',您应该自称为'朕'。"秦王说:"去掉'泰'字,留下'皇'字,再加上古代所称的'帝'字,合称为'皇帝'。其他就按你们商量的意见办。"说罢便在他们的上书上批示曰"可"。于是追尊庄襄王为"太上皇"。皇帝下令道:"我听说远古之时只有生时的帝号没有死后的谥号;中古之时生有帝号,死后又根据他生前的表现加一个谥号。这样做就等于是让儿子评议父亲,臣子评议君主了,这是很没有道理的,我不采取这种做法。从此以后,取消谥号。我就叫'始皇帝',后世以数字相称,从二世、三世直到万世,让它的传递无穷无尽。"

始皇推终始五德之传①,以为周得火德,秦代周德,从所不胜②。方今水德之始③,改年始④,朝贺皆自十月朔。衣服旄旌节旗皆上黑⑤。数以六为纪,符、法冠皆六寸⑥,而舆六尺⑦,六尺为步,乘六马。更名河曰德水,以为水德之始。刚毅戾深⑧,事皆决于法,刻削毋仁恩和义⑨,然后合五德之数⑩。于是急法,久者不赦。

注释：

①终始五德之传：将金、木、水、火、土五行的相生相克，周而复始，引用到历史朝代的相承相变上。

②从所不胜：前一个朝代所不能战胜的那种"德（性）"，就是下一个朝代的"德（性）"。秦人认为周朝是"火"德，能灭"火"的是"水"，因此秦朝是"水"德。

③"方今"句：据《封禅书》，秦文公获黑龙，以为水瑞，秦始皇因自谓水德。

④改年始：指始皇改用颛顼历，以十月为岁首。

⑤衣服：指帝王在祭祀、朝会时所穿的礼服。旄（máo）：饰有羽毛的旗帜。旌：编羽所成的旗帜。节：帝王所派使者所持的信物。旗：画有龙虎以及各种图案的旗帜。皆上黑：阴阳五行家以五行与五方、五色相配，说秦既是水德，其方位则在北，其颜色则主黑，故秦朝的服饰、旌旗皆上黑。上，通"尚"。

⑥符：符节，皇帝使者的信物，以竹、金等为之。法冠：祭祀、朝会等隆重场合所戴的礼帽。

⑦舆六尺：车子两轮之间的距离（即车宽）为六尺。

⑧戾深：暴戾，酷苛。

⑨刻削：谓执法严酷。

⑩合五德之数：意谓秦朝的行政、司法，一切都与其"水德"相一致。

译文：

　　始皇帝按照金、木、水、火、土五德终始循环、相生相克的原理，认为周朝是得火德，秦代替周的火德而兴盛，就应该是周德所不能胜的水德。现在是水德的开始，应更改每年的起始月，群臣入朝贺岁都从十月初一开始。衣服、旌旗、符节的颜色都应该崇尚黑色。数目以六为准,符节、法冠都是六寸,车子的宽度为六尺,以六尺为一步,驾车的马用六匹。黄河改称德水,以此作为水德的开始。为政应强硬果决,一切都取决于法律,执法严酷而不讲仁慈宽大,这样才符合水德之治。于是施行严厉的刑法,对犯罪者从不宽赦。

丞相绾等言:“诸侯初破,燕、齐、荆地远,不为置王,毋以填之①。请立诸子,唯上幸许。”始皇下其议于群臣,群臣皆以为便。廷尉李斯议曰:“周文武所封子弟同姓甚众②,然后属疏远③,相攻击如仇雠,诸侯更相诛伐,周天子弗能禁止。今海内赖陛下神灵一统,皆为郡县④,诸子功臣以公赋税重赏赐之⑤,甚足易制。天下无异意,则安宁之术也。置诸侯不便。”始皇曰:“天下共苦战斗不休,以有侯王。赖宗庙,天下初定,又复立国,是树兵也,而求其宁息,岂不难哉! 廷尉议是。”

注释:
①毋以填之:无法维持那些地区的稳定。毋,通“无”。填,通“镇”,弹压。
②周文武所封:实即武王所封,因武王灭纣时文王已死,武王乃托父命讨伐殷纣。
③后属:后来的亲缘关系。
④皆为郡县:早在春秋时期各国已有郡、县之置,然当时是郡县与有土封君相互错杂。至秦始皇统一天下后,遂大规模

地实行郡县制，但极少数的国内封君也还存在。

⑤公赋税：国家收敛上来的赋税。

译文：

　　丞相王绾等人上书奏道："诸侯国刚被消灭，燕、齐、楚地区偏远，不在那里封建王侯就无法维持那些地区的稳定。请立各皇子为王，请您准许。"始皇把这个意见交给群臣讨论，群臣都认为此话有理。廷尉李斯则说："周文王、周武王所封的子弟及同姓很多，但是后来亲缘关系疏远，互相攻击就像冤家对头，诸侯更是互相征伐诛杀，周天子也无法制止。如今海内仰赖陛下的威灵而统一，各地都设置了郡县，各子弟功臣都用国家收来的赋税重赏他们，这样做很容易控制。天下人也都没有别的想法，这是使国家长治久安的好办法！封立诸侯对国家不利。"始皇说："天下人过去饱尝无休止的战争的苦难，就是因为有诸侯王的存在。如今仰赖先祖的神灵，统一的国家刚刚建立，又要建立诸侯国，这是埋下战争的种子，再想寻求国家的安宁，那不是很难！廷尉的意见正确。"

　　分天下以为三十六郡①，郡置守、尉、监②。更名民曰"黔首"③。大酺。收天下兵④，聚之咸阳，销以为钟鐻⑤，金人十二，重各千石，置廷宫中。一法度衡石丈尺⑥，车同轨⑦，书同文字⑧。地东至海暨朝鲜，西至临洮、羌中，南至北向户⑨，北据河为塞，并阴山至辽东⑩。徙天下豪富于咸阳十二万户。诸庙及章台、上林皆在渭南⑪。秦每破诸侯，写放其宫室⑫，作之咸阳北阪上⑬。南临渭，自雍门以东至泾、渭⑭，殿屋复道周阁相属。所得诸侯美人钟鼓，以充入之。

注释：

①"分天下"句：这只是秦始皇二十六年刚统一六国时的数字。

②郡置守、尉、监：守，郡守，郡里的最高行政长官。尉，郡尉，郡里的武官，主管治安，缉捕盗贼。监，监郡，皇帝派驻该郡的监察官员，由御史担任，主管监察该郡的吏治。

③黔(qián)首：以"黔首"称百姓，不始于此时，然全国统一称黎民为"黔首"则自此时起。

④兵：兵器，当时多为铜制。

⑤镶(jù)：夹钟，也是钟的一种。

⑥一：统一，划一。衡石："衡"是枰砣；"石"是重量单位。丈尺：长度单位。

⑦车同轨：两轮间的距离一致。

⑧书同文字：指规定凡刻石一律用小篆，官方文件一律用隶书。

⑨北向户：指今海南岛与越南北部等地区，因其地处北回归线以南，门窗往往向北开。

⑩"北据河"二句：此即令蒙恬筑长城事。塞，城障。并，通"傍"，沿着。辽东，秦郡名，其辖区约当今辽宁东部直达今朝鲜平壤市西北。

⑪诸庙：秦国历代先王的祭庙。章台：秦宫名。上林：即上林苑，秦朝的皇家猎场。渭南：渭水之南。

⑫写放：模仿，仿照。放，同"仿"。

⑬作：建造。阪：山坡。六国宫殿在秦时咸阳城北部的宫城北侧。

⑭雍门：地名，当时咸阳城的大西南。泾、渭：泾水与渭水的
　　汇流处。

译文：

　　于是把天下分成三十六郡，每个郡设置郡守、郡尉和监郡。对黎民百姓改称作"黔首"。让天下人聚集饮宴以示庆贺。收缴天下的兵器，汇总到咸阳，熔铸成大钟、大镶各若干，又铸造了十二个大铜人，各重千石，放在宫廷内。统一法律和度量衡，统一车轨的尺寸，统一全国的文字。秦朝的版图东境到达大海及朝鲜，西境到达临洮、羌中，南境到达广州、南宁，北境以黄河作为要塞，沿着阴山直至辽东。把天下十二万户富豪人家迁到咸阳。秦朝各代先祖的祭庙、章台宫、上林苑都设置在渭水的南岸。秦每灭掉一个诸侯国，就按着被灭国家的宫殿模样，在咸阳城北的山坡上仿建一座。这些建筑向南对着渭水，从雍门以东直到泾水、渭水的汇合处。殿宇之间有天桥与各殿长廊相连相通，把从各诸侯国获得的美人、钟鼓，都安置在这些宫殿里。

　　二十七年，始皇巡陇西、北地，出鸡头山，过回中。焉作信宫渭南①，已更命信宫为极庙，象天极②。自极庙道通郦山③，作甘泉前殿④。筑甬道⑤，自咸阳属之⑥。是岁，赐爵一级。治驰道⑦。

注释：

①焉作：于是建造。信宫：秦始皇举行重大朝会活动的宫殿。
②天极：星座名。中国古代天文学家把天空的星座分为五个区域，称作五宫，天极是中宫的中心星座。

③郦山：也写作"骊山"，在当时的咸阳城东南。

④甘泉前殿：甘泉宫的前殿，在今陕西西安夹城堡、黄庄和铁锁村一带。

⑤甬（yǒng）道：两侧筑有夹墙的通道。

⑥属：连通。

⑦驰道：驰骋车马的宽广道路，中央专供皇帝通行，列树标明，两旁任人行走。

译文：

　　二十七年，秦始皇巡视陇西、北地二郡，越过鸡头山，经过回中宫。于是在渭水之南建造信宫，后又改名为极庙，来象征天极。从极庙修路直通郦山，建造甘泉宫前殿。又修造甬道，从咸阳直通这里。这一年给天下百姓普遍赐爵一级。又增修供皇帝出行使用的大道。

项羽本纪

　　司马迁以无限饱满的热情歌颂了项羽在灭秦过程中所建立的丰功伟绩，充分地肯定了他的历史作用；而对于项羽在楚汉战争中由于政治思想落后，政策方略错误，以及他个人性格上的种种缺点所导致的最终失败，则寄予了极大的惋惜与同情。有人仅取一端，或扬之为千古英雄，或抑之为桀、纣再世，亦可谓偏颇之极。司马迁的叙述全面，评价准确。作品所展示的重大历史场面的复杂性与深刻性，所描绘的人际关系与种种细节的深沉的历史感，都是前所未见的文献资料。在艺术上，《项羽本纪》是《史记》中精彩的篇章之一，既是秦末农民战争与楚汉战争的生动的历史画卷，又是带有许多艺术夸张、充满作者浓厚感情的传记文学杰作，其叙事之生动，其语言之精彩，尤其是对项羽、刘邦这两个人物形象的描写，其成就更是空前的。他们既有英雄的伟大，又有普通人所常有的弱点，千载之下读之，仍觉其虎虎有生气，历历如在目前。

项籍者，下相人也，字羽。初起时，年二十四。其季父项梁①，梁父即楚将项燕，为秦将王翦所戮者也②。项氏世世为楚将，封于项，故姓项氏。

注释：

①季父：小叔父。季是兄弟排行中最小的。

②王翦：始皇前期的名将。

译文：

　　项籍是下相人，字羽。开始起事的时候，年方二十四岁。他的小叔叔名叫项梁，项梁的父亲就是被秦将王翦所杀的楚国的名将项燕。项家世世代代在楚国为将，因为有功被封在项这个地方，所以他们就以项为姓了。

项籍少时，学书不成，去学剑，又不成。项梁怒之。籍曰："书，足以记名姓而已；剑，一人敌，不足学；学万人敌。"于是项梁乃教籍兵法，籍大喜，略知其意，又不肯竟学。项梁尝有栎阳逮，乃请蕲狱掾曹咎书抵栎阳狱掾司马欣①，以故事得已。项梁杀人，与籍避仇于吴中②。吴中贤士大夫皆出项梁下。每吴中有大繇役及丧③，项梁常为主办，阴以兵法部勒宾客及子弟，以是知其能。秦始皇帝游会稽④，渡浙江⑤，梁与籍俱观。籍曰："彼可取而代也。"梁掩其口，曰："毋妄言，族矣！"梁以此奇籍。籍长八尺馀⑥，力能扛鼎⑦，才气过人⑧，虽吴中子弟皆已惮籍矣。

注释：

①狱掾（yuàn）：主管监狱的吏属。掾，旧时对吏目的通称。
　　抵：犹今之所谓"致"。

②吴：秦县名，其县治即今江苏苏州。

③大繇（yáo）役及丧：给国家出民力与当地大户人家办丧事，
　　都是兴师动众的事。

④会稽：山名，在今浙江绍兴东南。

⑤浙江：即今钱塘江。

⑥长八尺馀：约当今之一米八四以上。秦时一尺相当今之二
　　十三厘米。

⑦扛（gāng）鼎：举鼎。扛，举。

⑧才气：古时多以此称人之勇武多力，与后世之偏于称人之
　　思维慧敏者略异。

译文：

　　项籍小时候，开始学习写字，没有学成就不学了，于是改去学剑，还是没有学成。项梁很生他的气。项籍说："学了写字也不过是用来记个姓名而已；练好了剑术也不过是能对付一个人，这些都不值得学；我要学能对付万人的本事。"项梁见他有这份志向，于是就教他兵法，项籍很高兴，但他仍是粗知大意而已，不肯下功夫有始有终地好好学。项梁曾因为犯罪被栎阳县逮捕，于是他就请蕲县的典狱官曹咎给栎阳县的典狱官司马欣写了一封说情的信，案子得以了结。后来，项梁又杀了人，和项籍一起躲避仇人到了吴县。吴县的贤士大夫们对他们叔侄都很佩服敬重，每逢吴县有大的徭役或丧事，总是请项梁来操办，在办这些事的过程中，项梁常常用兵

法来组织这些宾客和子弟,借此来了解这些人的能力。有一次,秦始皇出游会稽,在渡钱塘江的时候,项梁和项籍都赶上去观看,项籍说:"我可以代替他!"项梁一听,赶紧捂住他的嘴,说:"可别胡说,当心要灭族的!"但是从此他心里也觉得他这个侄子不寻常。项籍身高八尺多,力气超人,双手可以举起大鼎,连吴县土生土长的那些豪门子弟也都很怕他。

秦二世元年七月①,陈涉等起大泽中②。其九月,会稽守通谓梁曰:"江西皆反③,此亦天亡秦之时也。吾闻先即制人,后则为人所制。吾欲发兵,使公及桓楚将。"是时桓楚亡在泽中。梁曰:"桓楚亡,人莫知其处,独籍知之耳。"梁乃出,诫籍持剑居外待。梁复入,与守坐,曰:"请召籍,使受命召桓楚。"守曰:"诺。"梁召籍入。须臾,梁眴籍曰④:"可行矣!"于是籍遂拔剑斩守头。项梁持守头,佩其印绶。门下大惊,扰乱,籍所击杀数十百人。一府中皆慑伏⑤,莫敢起。梁乃召故所知豪吏,谕以所为起大事,遂举吴中兵。

注释:
①秦二世元年:前 209 年。
②大泽:乡名,当时属蕲县,在今安徽宿县东南。
③江西:长江自九江到南京的一段,是由西南流向东北,因此古人习惯称今皖北一带为江西。

④眴(shùn)：使眼色。

⑤慑伏：因恐惧而服气。慑，恐惧失气的样子。

译文：

　　秦二世元年七月，陈涉等人在大泽乡起义。这年的九月，会稽郡守殷通对项梁说："现在长江以西全部造反，看来是老天爷真要灭掉秦朝了。俗话说先发者制人，后发者就要被人所制。因此我也想起兵，想请您和桓楚给我当将军。"当时桓楚因为犯罪逃亡到大泽中去了。项梁说："桓楚逃亡在外，没人知道他的下落，只有我侄项籍知道。"说完就出来找到了项籍，让他手提宝剑在外头等着。项梁自己又进去陪着郡守坐了一会儿。然后说："请您叫项籍来，让他去找桓楚吧。"郡守说："好的。"于是项梁就把项籍叫了进来。又过了一会儿，项梁给项籍使了个眼色，说："可以动手了！"于是项籍拔出剑来就砍下了郡守的人头。项梁拎着郡守的人头，把郡守的印绶佩在自己身上。这时郡守的手下人都吓坏了，乱作一团。项籍趁势把他们一连杀了近百个，其馀的都吓得趴倒在地，不敢再动弹。这时项梁就把他平日所了解的那些豪强大吏们找来，告诉了他们自己要干的事情，就在吴县发兵起义。

　　章邯已破项梁军，则以为楚地兵不足忧，乃渡河击赵①，大破之。当此时，赵歇为王，张耳为相，皆走入钜鹿城②。章邯令王离、涉间围钜鹿③，章邯军其南，筑甬道而输之粟。陈馀为将，将卒数万人而军钜鹿之北，此所谓河北之军也④。

注释：

①渡河：谓北渡黄河。

②"皆走"句：事在秦二世二年闰九月。钜鹿，秦县名，亦为钜
鹿郡的郡治所在地，在今河北平乡西南，当时邯郸城的
东北。

③王离、涉间：皆秦将名。或曰王离不是章邯的部下，是与章
邯并列的秦军统帅，其级别尚在章邯之上。

④"此所谓"句：当时义军以楚、齐、赵三地者为劲旅，亦为各
地所盛传，今楚、齐皆破，独存赵军，故敌我双方皆属目之。

译文：

　　章邯打败项梁的军队后，认为楚地的义军用不着担心
了，于是渡过黄河，北进攻赵，大败赵国。这时候，赵歇是赵
国的国王，张耳是赵国的宰相，他们都退进了钜鹿城内。章
邯命令王离、涉间二将领兵将钜鹿团团围住，他自己率大军
驻扎在钜鹿的南面，中间修筑了一条甬道互相联接，从甬道
中给王离、涉间输送粮草。陈馀是赵国的将军，他率领着几
万人驻扎在钜鹿的城北，这就是当时人们所说的河北军。

　　初，宋义所遇齐使者高陵君显在楚军，见楚王
曰①："宋义论武信君之军必败，居数日，军果败。
兵未战而先见败征，此可谓知兵矣。"王召宋义与
计事而大说之，因置以为上将军②；项羽为鲁公，为
次将；范增为末将③，救赵。诸别将皆属宋义④，号
为卿子冠军⑤。行至安阳⑥，留四十六日不进。项
羽曰："吾闻秦军围赵王钜鹿，疾引兵渡河，楚击其
外，赵应其内，破秦军必矣。"宋义曰："不然。夫搏

牛之虻不可以破虮虱⑦。今秦攻赵，战胜则兵罢⑧，我承其敝；不胜，则我引兵鼓行而西⑨，必举秦矣。故不如先斗秦、赵。夫被坚执锐，义不如公；坐而运策，公不如义。"因下令军中曰："猛如虎，很如羊⑩，贪如狼，强不可使者，皆斩之。"乃遣其子宋襄相齐，身送之至无盐⑪，饮酒高会⑫。天寒大雨，士卒冻饥。项羽曰："将戮力而攻秦⑬，久留不行。今岁饥民贫，士卒食芋菽⑭，军无见粮，乃饮酒高会，不引兵渡河因赵食，与赵并力攻秦，乃曰'承其敝'。夫以秦之强，攻新造之赵⑮，其势必举赵。赵举而秦强，何敝之承！且国兵新破，王坐不安席，扫境内而专属于将军，国家安危，在此一举。今不恤士卒而徇其私⑯，非社稷之臣⑰。"项羽晨朝上将军宋义，即其帐中斩宋义头，出令军中曰："宋义与齐谋反楚，楚王阴令羽诛之。"当是时，诸将皆慑服，莫敢枝梧⑱。皆曰："首立楚者，将军家也。今将军诛乱⑲。"乃相与共立羽为假上将军⑳。使人追宋义子，及之齐，杀之。使桓楚报命于怀王。怀王因使项羽为上将军㉑，当阳君、蒲将军皆属项羽㉒。

注释：

①楚王：即楚怀王。

②上将军:非固定官名,盖令其位居诸将之上,以统领诸将而言。

③次将、末将:亦非固定职位,只临时表示其在军中的地位。

④诸别将:除怀王已有专门任命(如刘邦)之外的其他楚军诸将。

⑤卿子冠军:"卿子"是当时对男人的敬称,"冠军"犹言"最高统帅"。

⑥安阳:古邑名,在今山东曹县东北。

⑦"夫搏"句:一曰搏,击,用手击牛背,可以杀其上之虻,而不能破虱,喻现在主要是要灭秦,不能尽力与章邯战,免得白费力。一曰虻之搏牛,本不拟破其上之虮虱,也是喻志在大不在小。

⑧罢:同"疲"。

⑨鼓行:击鼓而行,言其公行无忌之状。

⑩很:执拗,不听招呼。

⑪身:亲自。无盐:秦县名,县治在今山东东平东南。

⑫高会:盛大的宴会。

⑬戮力:合力,并力。

⑭"士卒"句:芋,芋头,此处代指蔬菜、野菜。菽,豆类。一说,"芋"一作"半",半菽,半是量器名,容五升,言卒须食五升菽,现有的粮食不够。

⑮新造之赵:新建立的赵国。时赵歇等建国仅九个月,故称"新造"。

⑯恤:体怜。

⑰社稷之臣:与国家同生死、共忧戚的大臣。

⑱枝梧:同"支吾",抗拒。

⑲今将军诛乱:此句语气未完,因与下面的叙述重复,故而省

略对话,单由叙述语补足。

⑳假上将军:代理上将军。假,权摄,代理。

㉑"怀王"句:事在秦二世三年(前 207 年)十一月(当时以十
　月为岁首)。此怀王无可奈何事,其与项羽的矛盾又进一
　步发展。因使,因其请求而使为之。

㉒当阳君:即黥布。

译文:

　　当初宋义出使齐国时半路上遇见的齐国的使者高陵君
显,这时正在楚国的兵营中。他对楚怀王说:"宋义早就预言
过武信君必败,结果没过几天,武信君果然失败了。还没有
打仗,就能先看出他失败的征兆,这真可以说是懂得用兵之
道了。"楚怀王一听,立即派人把宋义找了来,和他谋计大事,
心里很高兴,遂即任命他为上将军;封项羽为鲁公,让他为次
将;让范增为末将,派他们一起率兵救赵。还有其他的一些
将领,楚怀王也通通把他们划到了宋义的部下,宋义号称卿
子冠军。当这支军队前进到安阳的时候,停了下来,一直停
了四十六天。项羽对宋义说:"现在赵王正被秦军围困在钜
鹿,我们应该赶紧率兵渡河,这样我们从外向里打,赵军从里
向外接应,就绝对可以打败秦军。"宋义说:"不对,牛虻是用
来蜇牛的,而不是为了对付那些虱子。现在秦兵正在攻打赵
国,打赢了,他们自己也必然疲惫不堪,到那时我们再乘机收
拾他们;如果秦兵打败了,那我们就可以大摇大摆地长驱西
进,一下子端掉秦朝的老窝。所以目前我们不如先让秦、赵
两方互相火并。论冲锋陷阵,我比不上您;要说到筹谋划策,
您就不如我了。"说罢宋义就命令全军:"凡是凶猛、执拗、贪
婪、顽固而不听使唤的,一律斩首。"而后又派他的儿子宋襄
到齐国去做宰相,还亲自把他一直送到无盐县,并在那里大

摆筵席。而当时天气很冷,又下着大雨,士兵们都又冷又饿。项羽对左右的人们说:"现在最重要的事情是集中一切力量与秦兵作战,可是我们却长期地在这里停留不前。现在年荒人穷,士兵们吃的都是山芋野菽,军中一点粮食都没有。可是作为将军的宋义还在那里大摆筵席,他不赶紧领兵渡河去到赵国就地取粮,去和赵国合力攻秦,却说'要等秦军疲惫不堪'。现在让如此强大的秦军去攻打一个新建不久的赵国,那是肯定要把赵国攻打下来的。赵国一被攻打下来,秦军就会变得更强大,还有什么疲惫不堪的机会等着我们!再说我们楚国的军队刚刚失败不久,怀王急得坐立不安,把我们全国的军队集中起来交给了上将军一人,我们整个国家的安危就决定在这次行动上。可是上将军现在竟然完全不体恤士兵,只顾徇他的私情,他不是一个忠于国家的人!"于是他就趁着清早参见宋义的机会,在大帐中把宋义杀了。然后提着人头出来对全军说:"宋义勾结齐国,企图谋反,怀王秘密命令我把他杀掉。"这时所有的将领都被吓得服服帖帖,没有一个人敢抗拒。大家都说:"当初第一个拥立怀王的,就是您们项家,现在您又为楚国杀掉了乱臣!"于是大家一致推举项羽代行上将军的职权。项羽又派人追踪到齐国,把宋义的儿子宋襄也杀掉了。然后,项羽派了桓楚去向怀王报告这件事情的过程。怀王只好顺水推舟地任命项羽做了上将军,让当阳君、蒲将军等各个将领都归项羽统辖。

项羽已杀卿子冠军,威震楚国,名闻诸侯。乃遣当阳君、蒲将军将卒二万渡河,救钜鹿。战少利,陈馀复请兵。项羽乃悉引兵渡河,皆沉船,破釜甑,烧庐舍①,持三日粮,以示士卒必死,无一还心。于是至则围王离,与秦军遇,九战,绝其甬道,大破之②,杀苏角,虏王离。涉间不降楚,自烧杀。当是时,楚兵冠诸侯。诸侯军救钜鹿下者十馀壁③,莫敢纵兵。及楚击秦,诸将皆从壁上观。楚战士无不一以当十,楚兵呼声动天,诸侯军无不人人惴恐④。于是已破秦军,项羽召见诸侯将,入辕门⑤,无不膝行而前,莫敢仰视。项羽由是始为诸侯上将军,诸侯皆属焉。

注释:

①"皆沉船"三句:古兵书有类似记载,项羽所为,亦古兵法所示。釜,锅。甑(zèng),蒸饭的瓦罐之类。

②"绝其"二句:此处所破的是章邯军。围钜鹿的是王离;护甬道以支持钜鹿之围的是章邯。项羽是先渡河破章邯,后击围钜鹿秦军,虏王离。

③壁:营垒。

④惴(zhuì)恐:恐惧。

⑤"项羽"二句:有的版本"入辕门"前重出"诸侯将"三字,当从,这样才能统一这段文字的风格,见当时之气势。辕门,营门。

译文:

项羽杀了卿子冠军宋义以后,威震楚国,名闻天下。于是他就派当阳君、蒲将军率领两万人渡河救赵。战斗初步取得了一些胜利,陈馀继续向项羽请求援助。于是项羽下令全军渡河。过河后,项羽下令把全部船只沉入河底,把全部锅碗一律砸了,把全部帐篷一律烧掉,只带着三天的粮食,以此来向士兵们表示一种只有前进、只有胜利而绝不能后退的决心。楚军一到钜鹿,就立即包围了王离的部队,随即与秦军开战,经过多次战斗,终于冲断了秦军的甬道,接着大破秦军,杀死了苏角,俘虏了王离。涉间不投降,自焚而死。在当时两军交战的时候,楚兵英勇无比。当时各地来援救钜鹿的军队有十几座大营,但是没有一处敢出来与秦军作战。等到项羽的军队与秦军作战了,各路援军的将领们都一个个站在营垒上远远观望。楚军的战士们无不以一当十,杀声震天。其他各路援军见到这种情景,个个都吓得胆战心惊。等到楚军击败了秦军之后,项羽召见各路的将领,这些将领们进辕门的时候,一个个都是跪在地上,用膝盖挪着进去,谁也不敢抬起头来往上看一眼。从此项羽便成了诸侯们共同的上将军,各路诸侯都归项羽统辖。

　　章邯军棘原①,项羽军漳南②,相持未战,章邯欲约。约未成,项羽使蒲将军日夜引兵度三户③,军漳南④,与秦战,再破之。项羽悉引兵击秦军汙水上⑤,大破之。

注释:

①棘原:地名,当在今河北平乡南。

②漳南:漳水南岸。

③三户:即三户津,漳水上的渡口名,在今河北磁县西南。

④军漳南:前羽军漳南,现遣军"渡三户",当往驻漳北。此"漳

南"当作"漳北"。

⑤汙水：源出河北武安西太行山，东南流，在临漳西注入
　　漳水。

译文：

　　这时，章邯的大营驻扎在棘原，项羽的大营驻扎在漳南，两军对峙，尚未正式开战，章邯想要和项羽谈判定盟，结果没有谈成。于是项羽就派蒲将军日夜兼程，带兵渡过了三户津，来到了漳水北岸。蒲将军与秦军接战，秦军又失败了。于是项羽全军出动，在汙水上对秦军发起总攻，把秦军打得一败涂地。

　　章邯使人见项羽，欲约。项羽召军吏谋曰："粮少，欲听其约。"军吏皆曰："善。"乃立章邯为雍王，置楚军中①。使长史欣为上将军②，将秦军为前行。

注释：

①"乃立"二句：章邯投降项羽在秦二世三年七月。虽封为
　　王，但被剥夺了兵权。

②"使长史"句：长史欣即司马欣，前为栎阳狱掾者。司马欣
　　与项氏有故交，故立以为上将军，于此见项羽之用人全凭
　　感情。长史，大将军或丞相手下的属官，为诸史之长，故称
　　"长史"。

译文：

　　章邯只好又派人去见项羽，请求订立盟约。项羽召集他的部下们一道商量，说："眼下我们的粮草太少，我想接受他

们的请求。"部下们都一齐说："好。"于是项羽就封章邯为雍王，把他留在自己的军中，而封章邯的长史司马欣为上将军，让他统领着秦军在前头给自己开路。

到新安①。诸侯吏卒异时故繇使屯戍过秦中②，秦中吏卒遇之多无状③；及秦军降诸侯，诸侯吏卒乘胜多奴虏使之，轻折辱秦吏卒④。秦吏卒多窃言曰："章将军等诈吾属降诸侯，今能入关破秦⑤，大善；即不能⑥，诸侯虏吾属而东，秦必尽诛吾父母妻子。"诸侯微闻其计⑦，以告项羽。项羽乃召黥布、蒲将军计曰："秦吏卒尚众，其心不服，至关中不听⑧，事必危。不如击杀之，而独与章邯、长史欣、都尉翳入秦⑨。"于是楚军夜击坑秦卒二十馀万人新安城南⑩。

注释：

①新安：秦县名，县治在今河南渑池城东。

②诸侯吏卒：指东方起义军的将士，即项羽部下。异时：昔日，指秦朝统治时期。繇使屯戍：指被征调服徭役或屯守边地。秦中：汉时人们对关中地区的习惯称呼。

③无状：不礼貌，不像样子。

④轻折辱：随随便便地侮辱。轻，随意，不当一回事。

⑤关：此指函谷关（在今河南灵宝东北）。

⑥即不能：如果不能胜秦。即，若。

⑦微闻其计：隐隐约约地听到了他们的这些议论。计，计议，

议论。

⑧不听：不听指挥，意即叛变。

⑨都尉翳(yì)：即董翳，原在章邯部下任都尉。都尉，这里是军职名，其地位略低于将军。

⑩"于是"句：此事在汉元年(前206年)十一月，刘邦已在一个月前进驻秦都咸阳。此可见项羽之残暴短视，正是其败亡原因之一。

译文：

　　他们西进到了新安。一些东方人过去到关中当兵服徭役时，关中的吏卒曾歧视虐待过他们；现在秦兵投降了东方诸侯，于是东方的官兵们也就乘着机会反过来把他们看作奴隶，随随便便地凌辱他们。于是很多秦国的士兵就悄悄议论说："章将军骗我们投降了东方诸侯，现在如果我们真能打进关去灭了秦朝，那当然是很好了；如果进不了关、灭不了秦，那时诸侯们就会裹挟着咱们一起回东方去，到那时秦朝就必然要把我们的父母妻儿统统杀光了。"这些话渐渐地传到了楚军将领的耳朵里，他们立刻报告了项羽。项羽立刻把黥布、蒲将军召来商量："现在秦军的人数还很多，他们对我们也不服气，等到进关后他们万一不听指挥，那局面就危险了。不如现在就把他们全杀了，只带着章邯、司马欣和董翳三个人进关。"于是当夜就命令楚军在新安城南把二十几万秦朝降兵统统活埋了。

　　行略定秦地①。函谷关有兵守关②，不得入。又闻沛公已破咸阳，项羽大怒，使当阳君等击关。项羽遂入，至于戏西③。沛公军霸上④，未得与项羽相见。沛公左司马曹无伤使人言于项羽曰:"沛公欲王关中,使子婴为相⑤,珍宝尽有之。"项羽大怒,曰:"旦日飨士卒⑥,为击破沛公军!"当是时,项羽兵四十万,在新丰鸿门⑦,沛公兵十万,在霸上。范增说项羽曰:"沛公居山东时⑧,贪于财货,好美姬。今入关,财物无所取,妇女无所幸,此其志不在小。吾令人望其气,皆为龙虎,成五采,此天子气也。急击勿失。"

注释:

①行:将要。

②函谷关:在今河南灵宝东北,是东方入秦的关隘,自古为兵家必争之地。

③戏西:戏水之西。戏水源出骊山,流过今陕西临潼东,注入渭水。

④霸上:即霸水之西的白鹿原,在今陕西西安东南,当时的咸阳城东南。

⑤子婴:有说是二世之兄,有说是二世之侄,也有说是始皇之弟,二世之叔者。二世三年(前207年)八月,赵高杀掉了胡亥,另立子婴为三世。子婴与其二子合力杀掉了赵高,灭其族。为帝四十六日,刘邦入关,子婴遂降。

⑥旦日:明日。飨(xiǎng):犒劳。

⑦新丰鸿门:新丰县的鸿门。新丰,汉县名,秦时原名郦邑,刘邦称帝后始改称"新丰",在今陕西临潼东北。鸿门,古邑名,在郦邑城东,今名项王营。

⑧山东:崤山以东,泛指旧时的东方六国之地。

译文：

　　项羽接着就要去平定秦国的本土。到了函谷关，函谷关有兵把守，没能进去。又听说沛公已经攻破了咸阳，于是大怒，命令当阳君攻打函谷关。这样项羽才进了关，长驱直入，直到戏水西岸。这时沛公正带领人马驻扎在霸上，还没有和项羽见面。沛公的左司马曹无伤派人给项羽通风报信说："沛公已经打算在关中称王，让秦朝的降王子婴给他当宰相，把秦朝的一切财宝都据为己有。"项羽勃然大怒，说："明早让士兵们饱餐一顿，把沛公的军队打垮了！"这时候，项羽有四十万人，驻扎在新丰县的鸿门。沛公有十万人，驻扎在霸上。项羽的谋士范增对项羽说："沛公在山东老家的时候，又贪财又好色。现在进了关，居然财物也不贪了，妇女也不要了，可见他的野心不小。我让人观望他上空的云气，一片片都成为龙虎的形象，五彩斑斓，这是做皇帝的征兆。必须赶紧消灭他，万万不可错过了机会。"

　　楚左尹项伯者①，项羽季父也，素善留侯张良。张良是时从沛公，项伯乃夜驰之沛公军，私见张良，具告以事，欲呼张良与俱去。曰："毋从俱死也。"张良曰："臣为韩王送沛公②，沛公今事有急，亡去不义，不可不语。"良乃入，具告沛公。沛公大惊，曰："为之奈何？"张良曰："谁为大王为此计者？"曰："鲰生说我曰③：'距关，毋内诸侯④，秦地可尽王也。'故听之。"良曰："料大王士卒足以当项王乎？"沛公默然，曰："固不如也，且为之奈何？"张良曰:"请往谓项伯,言沛公不敢背项王也。"沛公曰:"君安与项伯有故?"张良曰:"秦时与臣游,项伯杀人,臣活之。今事有急,故幸来告良。"沛公曰"孰与君少长?"良曰:"长于臣。"沛公曰:"君为我呼入,吾得兄事之。"张良出,要项伯。项伯即入见沛公。沛公奉卮酒为寿,约为婚姻,曰:"吾入关,秋豪不敢有所近,籍吏民⑤,封府库,而待将军。所以遣将守关者,备他盗之出入与非常也⑥。日夜望将军至,岂敢反乎!愿伯具言臣之不敢倍德也⑦。"项伯许诺。谓沛公曰:"旦日不可不蚤自来谢项王⑧。"沛公曰:"诺。"于是项伯复夜去,至军中,具以沛公言报项王。因言曰:"沛公不先破关中,公岂敢入乎?今人有大功而击之,不义也,不如因善遇之。"项王许诺。

注释:

①左尹:楚国最高长官令尹的副职。

②为韩王送沛公:张良是韩国的旧贵族,项梁立韩成为韩王,张良为韩国司徒。刘邦率军西下,张良随刘邦入关。送,这里是"跟从"的意思。

③鲰(zōu)生:一个无知的人。鲰,小杂鱼,此以喻浅妄无知。

④距:通"拒"。内:通"纳"。

⑤籍吏民:登记所有人口。籍,登记。

⑥非常:意外的变故。

⑦倍德：忘恩。倍，通"背"。

⑧蚤：通"早"。谢：谢罪，赔礼。

译文：

　　楚国的左尹项伯是项羽的叔叔，他向来和张良交好。而张良这时正跟着沛公，项伯于是当夜偷偷地飞马疾驰到沛公的军营，私下去找张良，把情况对张良说了，要拉着张良一道逃走。他说："你不要跟着沛公一道送死了。"张良说："我是替韩王护送沛公，现在沛公有了难，我一声不吭独自逃跑，也太不仗义了。我不能不告诉他。"说罢进去，把一切都对沛公讲了。沛公一听大惊，说："这可怎么办呢？"张良说："把住函谷关，不让项羽进来，这是谁的主意？"沛公说："有个什么也不懂的小子对我说：'把住函谷关，不让别的诸侯进来，您就可以占有秦国全部地盘称王。'我就听了他的话。"张良说："大王自己估计，我们的军队可以敌得过项羽吗？"沛公半天不做声，过了好久才说："当然敌不过了。现在你就说咱们该怎么办吧！"张良说："那就请您出去告诉项伯，说您从来没敢背叛项王。"沛公立刻问张良："你怎么跟项伯认识？"张良说："以前在秦朝的时候，我和项伯是朋友，项伯杀了人，我救了他的命。所以现在有了紧急情况，他来给我送信。"沛公问道："你和他谁的年纪大？"张良说；"他比我大。"沛公说："你马上请他进来，我要用对待兄长的礼节对待他。"于是张良出来把项伯请了进去。沛公一见项伯，端起酒杯向他敬酒，并和他约定做了儿女亲家。沛公说："我进关以来，没敢动关中的一草一木，登记好了吏民的户口，封起了一切大小仓库，就是恭候着项将军的到来。我之所以派兵把守函谷关，是为了防备土匪强盗以及意外的事故。我是日夜地盼望着项将军驾到，怎么敢有别的心呢？请您回去在项将军面前把我这份心思替我说说。"项伯答应了,并对沛公说:"明天一早您要早点儿亲自去向项将军赔罪。"沛公说:"是。"于是项伯又连夜赶回了项羽的大营。回营后,他把沛公的话如实地报告了项羽,并接着说:"如果不是人家沛公先攻入关中,您今天能够这么容易地进来吗?现在人家有这么大的功劳,我们不仅不赏人家还要去打人家,这是不合道义的,我们不如就此好好地对待他吧。"项王听着有理,于是也就答应了。

　　沛公旦日从百馀骑来见项王,至鸿门,谢曰:"臣与将军戮力而攻秦,将军战河北,臣战河南,然不自意能先入关破秦①,得复见将军于此。今者有小人之言,令将军与臣有郤。"项王曰:"此沛公左司马曹无伤言之,不然,籍何以至此。"项王即日因留沛公与饮。项王、项伯东向坐②,亚父南向坐③。亚父者,范增也。沛公北向坐,张良西向侍。范增数目项王,举所佩玉玦以示之者三④,项王默然不应。范增起,出召项庄⑤。谓曰:"君王为人不忍,若入前为寿⑥,寿毕,请以剑舞,因击沛公于坐,杀之。不者,若属皆且为所虏。"庄则入为寿,寿毕,曰:"君王与沛公饮,军中无以为乐,请以剑舞。"项王曰:"诺。"项庄拔剑起舞,项伯亦拔剑起舞,常以身翼蔽沛公⑦,庄不得击。于是张良至军门,见樊哙⑧。樊哙曰:"今日之事何如?"良曰:"甚急。今者项庄拔剑舞,其意常在沛公也。"哙曰:"此迫矣,臣请入，与之同命⑨。"哙即带剑拥盾入军门⑩。交戟之卫士欲止不内，樊哙侧其盾以撞，卫士仆地，哙遂入。披帷西向立⑪，瞋目视项王，头发上指，目眦尽裂。项王按剑而跽曰⑫："客何为者?"张良曰："沛公之参乘樊哙者也⑬。"项王曰："壮士! 赐之卮酒。"则与斗卮酒⑭。哙拜谢，起，立而饮之。项王曰："赐之彘肩。"则与一生彘肩。樊哙覆其盾于地，加彘肩上，拔剑切而啖之。项王曰："壮士，能复饮乎?"樊哙曰："臣死且不避，卮酒安足辞! 夫秦王有虎狼之心，杀人如不能举⑮，刑人如恐不胜⑯，天下皆叛之。怀王与诸将约曰：'先破秦入咸阳者王之。'今沛公先破秦入咸阳，豪毛不敢有所近，封闭宫室，还军霸上，以待大王来。故遣将守关者，备他盗出入与非常也。劳苦而功高如此，未有封侯之赏，而听细说⑰，欲诛有功之人。此亡秦之续耳，窃为大王不取也。"项王未有以应，曰："坐。"樊哙从良坐。坐须臾，沛公起如厕，因招樊哙出。

注释：
①不自意：自己料想不到。刘邦这时是极力装出谦卑。
②东向坐：朝东坐。战国秦汉时期除升殿升堂仍南向外，其他场合多以东向为尊，其次为南向、北向，最下为西向。
③亚父：项羽对范增的敬称，言对其侍奉的礼数仅次于父。

④玦(jué)：有缺口的玉环。玦与"决"谐音，范增举以示羽，是暗示要他下决心杀刘邦。

⑤项庄：项羽的堂兄弟。

⑥若：尔，你。下文"若属"，犹言"尔等"。

⑦翼蔽：遮挡，掩护。

⑧樊哙(kuài)：吕后的妹夫，刘邦的开国功臣。

⑨同命：并命，拼命。一说谓与刘邦同生死，亦通。

⑩带剑：樊哙是刘邦卫士，可以"带剑"；然又非如后文刘邦逃走时之"持剑"，故可闯过交戟之卫士。拥盾：持盾于身前。拥，前持。

⑪披：用手背猛地一拨。西向立：与前文项王之"东向坐"正好相对。

⑫跽(jì)：古人席地跪坐，臀部离开小腿，身子挺直，叫做跽。按剑而跽是一种准备行动的警戒姿势。

⑬参乘(shèng)：古代在王侯右侧充当警卫的人。

⑭斗卮(zhī)：大酒杯。

⑮如不能举：像是只怕杀不尽似的。举，克，尽。

⑯如恐不胜：就像只怕完不成任务似的。胜，胜任。谓极尽其力而犹恐不够。

⑰细说：小人的谗言。

译文：

第二天一早，沛公只带了百十来个人，骑马来到了鸿门，他一见项羽就道歉说："这几年我和将军您齐心协力地攻打秦朝，您攻取河北，我攻取河南，我自己并没想到能先入关灭了秦朝，今天又能在这里见到您。可是今天居然有小人挑拨您和我的关系，让您怀疑我。"项羽说："这都是您的左司马曹无伤说的，不然我怎么能怀疑您呢?"于是项羽就把沛公留下来一起喝酒。项羽和项伯朝东坐，亚父朝南坐，亚父就是范增，沛公朝北坐，张良朝西陪侍。酒会开始后，范增连连地给项羽使眼色，又几次地拨弄他身上所佩的玉玦向项羽示意，但项羽总是默默地不加理睬。范增于是站起来出去找项庄。他对项庄说："大王为人心肠太软，你现在进去给他们敬酒，敬完酒就请求给他们舞剑助兴。趁机把沛公杀死在他的座位上，要不然你们这些人日后都得成了他的俘虏。"项庄进帐向沛公、项羽敬酒，敬完酒后说："大王和沛公在这里饮酒，军营中也没什么东西可以供娱乐，那请请让我舞一趟剑来给你们助兴吧。"项羽说："好。"于是项庄就拔出宝剑舞了起来。项伯一看就明白了项庄的意思，于是也起来拔剑起舞，而且有意地用自己的身体掩护着沛公，使得项庄没有办法下手。张良一看，赶紧出帐到军门去找樊哙。樊哙一见张良，赶紧迎上前问："里边的事情怎么样了？"张良说："危险极了。现在项庄正在舞剑，他的意思完全是对着沛公的。"樊哙说："这就很紧急了。我要进去，和项羽拼命。"说罢樊哙就左手按着剑柄，右手用盾牌护身往军门里闯。守门的卫士们架起双戟，拦住他不让他进去，樊哙侧过盾牌朝卫士们一撞，卫士们被撞倒在地，于是樊哙进了军门，来到帐前。他用手掌打开了门帘，对着项羽一站，瞪眼看着他，头发上指，眼圈圆得都快要裂开了。项羽手按剑柄，跪了起来，问道："你是什么人？"张良赶紧从旁边介绍说："他是沛公的参乘樊哙。"项羽于是顺口称赞说："壮士！给他来杯酒！"旁边赶紧递给了他一大斗酒。樊哙俯身叩谢后，站起来接过酒一饮而尽。项羽又说："给他来只猪腿。"这次旁边的人故意给他了一只生猪腿。樊哙把盾牌扣在地上，接过猪腿放在上面，拔出剑来一边切一边吃。项羽不由得又赞美说："壮士！还能再喝吗？"樊

哙说："我连死都不怕，难道还推辞一杯酒吗？想当初秦王像
虎狼一样，杀人没够，用刑唯恐不狠，结果弄得天下都造反。
一年前怀王当众和各路诸侯们约定：'谁最先破秦入咸阳，谁
就当关中王。'现在沛公先破秦进了咸阳，进城后，一草一木
都没敢动，封好了宫室，退军驻扎到霸上，来等候大王的到
来。我们之所以派人守住函谷关，那是为了防备盗贼出入和
意外的变故。像沛公这样劳苦功高的人，不仅没得到您应有
的封赏，您反而听信小人的坏话，要杀害有功之臣。您所走
的，完全是那个已被灭亡的暴秦的老路。我认为您是万万不
该这样的。"项羽听罢无言以对，只是说："请坐。"于是樊哙就
挨着张良坐下来。过了一会儿，刘邦站起来去厕所，也一道
把樊哙叫了出来。

　　沛公已出，项王使都尉陈平召沛公①。沛公
曰："今者出，未辞也，为之奈何？"樊哙曰："大行不
顾细谨，大礼不辞小让。如今人方为刀俎，我为鱼
肉，何辞为？"于是遂去。乃令张良留谢。良问曰：
"大王来何操？"曰："我持白璧一双，欲献项王；玉
斗一双，欲与亚父，会其怒，不敢献。公为我献
之。"张良曰："谨诺。"当是时，项王军在鸿门下，沛
公军在霸上，相去四十里。沛公则置车骑②，脱身
独骑，与樊哙、夏侯婴、靳强、纪信等四人持剑盾步
走，从郦山下③，道芷阳间行④。沛公谓张良曰：
"从此道至吾军，不过二十里耳。度我至军中，公
乃入。"沛公已去，间至军中⑤，张良入谢，曰："沛公

不胜杯杓，不能辞。谨使臣良奉白璧一双，再拜献大王足下；玉斗一双，再拜奉大将军足下。"项王曰："沛公安在？"良曰："闻大王有意督过之⑥，脱身独去，已至军矣。"项王则受璧，置之坐上。亚父受玉斗，置之地，拔剑撞而破之，曰："唉！竖子不足与谋。夺项王天下者，必沛公也，吾属今为之虏矣。"沛公至军，立诛杀曹无伤。

注释：

①都尉陈平：陈平时属项羽，后归刘邦为重要谋士。

②置车骑：这是为了不惊动里面的项羽、范增。置，抛弃，留下。

③郦山：在今陕西临潼东南，地处当时的鸿门西南，霸上之东北。

④芷（zhǐ）阳：秦县名，在骊山西侧，今陕西西安东北。间行：抄小路而走。

⑤间：估计。

⑥督过：责备，怪罪。过，用如动词，责其过失。

译文：

　　沛公出去后，项羽让都尉陈平出去叫沛公。沛公说："刚才我们出来，并没有向项羽告辞，这样合适吗？"樊哙说："要干大事就不要管那些细节的挑剔，要行大礼就不要怕那些琐碎的指责。如今人家是菜刀砧板，我们是受人家宰割的鱼肉，还告什么辞？"于是沛公决定离开。他把张良留下来辞谢。张良问道："您来的时候带了什么礼物？"沛公说："我带了一对白璧，是给项羽的；一对玉斗，是给范增的。刚才正赶上他们发脾气，没敢献给他们。你替我献给他们吧。"张良说："好。"当时，项羽的大营在鸿门，沛公的大营在霸上，中间相隔四十里。于是沛公就把来时的车马从人都扔下，独自骑着一匹马，让樊哙、夏侯婴、靳强、纪信四人手持剑盾，步行跟着，从骊山下经芷阳抄小路而行。沛公临走时对张良说："我从这条小道回军营，不过二十里路，你估计等我已经到了驻地的时候，再进帐去对项羽说。"沛公走后，估计已经到了霸上军营，张良进帐对项羽说："刚才沛公不胜酒力，喝醉了，不能亲自来向您告辞。他来时带的礼物有白璧一对，让我拜献给您，有玉斗一对，让我拜献给大将军范增。"项羽问："沛公现在哪里？"张良说："他听说您想要责罚他，所以他吓得回去了，估计现在已经回到了军营。"项羽接过了玉璧，放在了座位上。范增接过玉斗，气愤地往地上一摔，拔出剑来把它砍得粉碎，说："唉！这个不成事的小子，不值得与他共谋大事！将来夺走项王天下的，一定是沛公！我们这些人全都要成为他的俘虏啦！"沛公一回到军营，立刻诛杀了曹无伤。

居数日，项羽引兵西屠咸阳，杀秦降王子婴，烧秦宫室，火三月不灭；收其货宝妇女而东。人或说项王曰："关中阻山河四塞，地肥饶，可都以霸。"项王见秦宫室皆以烧残破，又心怀思欲东归，曰："富贵不归故乡，如衣绣夜行，谁知之者！"说者曰："人言楚人沐猴而冠耳①，果然。"项王闻之，烹说者。

注释:

①沐猴而冠:言沐猴纵使戴上人帽子,也始终办不成人事。
　沐猴,猕猴。

译文:

　　又过了些天,项羽带兵西进,屠戮咸阳城,杀了已经投降的秦三世子婴,烧毁了秦朝的所有宫殿,熊熊大火一直烧了三个月;而后他席卷了秦朝的一切财宝和妇女,准备向东撤去。当时有人曾劝他说:"关中地区四面有高山大河为屏障,土地肥沃富饶,如果建都在这里真可以成就霸业。"项羽看着秦朝的宫殿都已烧成了一片瓦砾,加上他怀念故乡想东归,就说:"富贵了如果不回故乡,那就好比穿着锦绣的衣裳在夜间走路,谁能看得见呀!"那个劝项羽的人下去后不自禁地感叹说:"人家都说楚国人目光短浅,就像是一只猕猴,即使给它戴上了帽子,也始终成不了人,果真是如此!'项羽听到了这话,立刻把他抓起来,烹死了。

　　项王使人致命怀王①。怀王曰:"如约。"乃尊怀王为义帝。项王欲自王,先王诸将相。谓曰:"天下初发难时,假立诸侯后以伐秦②。然身被坚执锐首事,暴露于野三年,灭秦定天下者,皆将相诸君与籍之力也。义帝虽无功,故当分其地而王之。"诸将皆曰:"善。"乃分天下,立诸将为侯王。项王、范增疑沛公之有天下,业已讲解,又恶负约,恐诸侯叛之。乃阴谋曰③:"巴、蜀道险④,秦之迁人皆居蜀⑤。"乃曰:"巴、蜀亦关中地也⑥。"故立沛公为汉王，王巴、蜀、汉中⑦，都南郑。而三分关中，王秦降将以距塞汉王。项王自立为西楚霸王⑧，王九郡，都彭城⑨。

注释：

①致命：禀命，请示。

②假立：临时拥立。

③阴谋：暗中商量。

④巴、蜀：皆秦郡名，巴郡辖今重庆一带地区；蜀郡辖今四川西部地区。

⑤迁：流放，发配。

⑥巴、蜀亦关中地：巴、蜀亦处于函谷关之西，自战国时已属秦，故项羽等可以这样说。

⑦王巴、蜀、汉中：项羽最初封给刘邦的地盘只有巴、蜀，后刘邦贿赂项伯，项伯劝说项羽，才将汉中给了刘邦。汉中，秦郡名，辖今陕西秦岭以南地区，郡治南郑（今陕西汉中）。

⑧西楚霸王：旧称江陵为南楚，吴为东楚，彭城为西楚。项羽建都于彭城，故称"西楚霸王"。霸王，略同于春秋时期的霸主，即"诸侯盟主"的意思。

⑨王九郡，都彭城：项羽之九郡大致相当于战国时梁国和楚国的部分地区，即今河南东部、山东西南部，和安徽、江苏的大部分地区。

译文：

　　项羽派人去向楚怀王请示。楚怀王坚持说："按原来的约定办！"项羽就把楚怀王尊为了义帝。项羽想自己称王，于是他就先给各路将领们封王加号。他说："当初大家发难起事的时候，曾立了一些六国诸侯的后代，但真正冲锋陷阵，风餐露宿，野战三年，推翻了秦朝的，是你们诸位和我。义帝虽然没有什么具体功劳，我们还应当分给他一块土地让他称王。"大家都说："对!"于是项羽就分割天下，封立各路将领们为王。项羽和范增本来就担心将来整个天下落入沛公手里，但由于已经讲和了，不好反悔，怕由此引起其他诸侯们的反叛，于是他们私下谋划说："巴、蜀地区山路险远，是过去秦朝流放罪人的地方。"于是对大家说："巴、蜀，也是关中管辖的一部分。"所以封沛公为汉王，统管巴、蜀、汉中三个地区，都城设在南郑。而把真正的关中平原分为三块，分给秦朝的三个降将，让他们在关中堵住汉王的出路。项王自立为西楚霸王，统辖九郡，定都彭城。

汉之元年四月①，诸侯罢戏下②，各就国。项王出之国，使人徙义帝③，曰："古之帝者地方千里，必居上游。"乃使使徙义帝长沙郴县，趣义帝行。其群臣稍稍背叛之，乃阴令衡山、临江王击杀之江中④。

注释:

①汉之元年：刘邦称汉王的第一年，前206年。

②戏下：在主帅的旌麾下。戏，通"麾"。

③使人徙义帝：当时义帝尚在彭城，故必须在项羽到达之前将其迁走。

④"乃阴令"句：据此文击杀义帝者是衡山王吴芮与临江王共敖，然据《黥布列传》，则杀义帝者主要是黥布，而且是杀于

郴县,非杀于"江中"。

译文:

汉王元年四月,各路诸侯们都从项羽的麾下解散,各自到自己的封地去了。项羽也准备离开关中到自己的封地去,派出一哨人马催着义帝迁都,说:"古时候的帝王不仅拥有千里封地,而且还必定要居住在江河的上游。"于是下令将义帝迁到长沙郡的郴县去,而且催着义帝快快启程。义帝的群臣们见到这种情景,渐渐地开始背叛项羽,项羽于是暗中给衡山王吴芮和临江王共敖下密令,让他们在长江上伺机杀掉义帝。

春,汉王部五诸侯兵①,凡五十六万人,东伐楚。项王闻之,即令诸将击齐,而自以精兵三万人南从鲁出胡陵②。四月,汉皆已入彭城,收其货宝美人,日置酒高会。项王乃西从萧,晨击汉军而东③,至彭城,日中,大破汉军。汉军皆走,相随入谷、泗水④,杀汉卒十馀万人。汉卒皆南走山,楚又追击至灵壁东睢水上⑤。汉军却,为楚所挤,多杀,汉卒十馀万人皆入睢水,睢水为之不流。围汉王三匝。于是大风从西北而起,折木发屋,扬沙石,窈冥昼晦⑥,逢迎楚军⑦。楚军大乱,坏散,而汉王乃得与数十骑遁去。欲过沛,收家室而西;楚亦使人追之沛,取汉王家,家皆亡,不与汉王相见。汉王道逢得孝惠、鲁元⑧,乃载行。楚骑追汉王,汉王急,推堕孝惠、鲁元车下,滕公常下收载之⑨。如是者三。曰:"虽急不可以驱,奈何弃之?"于是遂得脱。求太公、吕后⑩,不相遇。审食其从太公、吕后间行,求汉王,反遇楚军。楚军遂与归,报项王,项王常置军中。

注释:

①部五诸侯兵:犹言"率天下之兵"。事在汉之二年(前205年)。部,部署,统领。

②南从鲁出胡陵:意谓直插彭城之西,以截断刘邦之退路。鲁,秦县名,县治即今山东曲阜。出,经由。胡陵,也作"湖陵",秦县名,县治在今山东鱼台东南。

③"西从"二句:谓项羽由胡陵南至萧县,截断刘邦之退路后,始对刘邦发动攻击。萧,秦县名,在今安徽萧县西北,当时的彭城西六十里处。

④谷、泗水:二水名。谷水是泗水的支流,西从砀山、萧县流来,在彭城东北入泗水。泗水源于今山东泗水东,流经曲阜、沛县,经彭城东,南流入淮水。

⑤灵壁:古邑名,在今安徽淮北西。睢(suī)水:古代鸿沟的支派之一,自今河南开封东由鸿沟分出,流经商丘南、夏邑北、灵壁东,东南入泗水。

⑥窈(yǎo)冥昼晦:昏暗得有如黑夜。窈冥,幽黑的样子。

⑦逢迎楚军:这也可能是当时为神化刘邦而捏造的,史公姑妄言之,以见刘邦之获免为侥幸。逢迎,冲着、迎着。

⑧孝惠、鲁元:刘邦的一子一女,皆吕后所生。孝惠,名盈,即日后的孝惠帝。鲁元,孝惠之姊,后嫁与张耳之子张敖,子

张偃封为鲁王,遂为鲁太后,谥曰"元"。这里是史公用后来的称号追述当时的事件。

⑨滕公:即夏侯婴,因其曾为滕县令,故称"滕公"、"滕婴"。

⑩求:寻找。太公:刘邦之父。吕后:刘邦妻吕雉。

译文:

这年春天,汉王统率着所有反对项羽的各路军队,共达五十六万人,东进伐楚。项羽听到消息后,让诸将继续在齐国作战,自己率领着精兵三万人,向南经由鲁县穿过胡陵,星夜返回楚国。这一年的四月,汉军已经攻入了彭城,占有了项羽所有的珍宝美女,每天大摆酒宴大会宾客。这时项羽已经由侧翼绕过了彭城,到达彭城西面的萧县,截断了汉王的归路。第二天一早,项羽向东发起攻击,直逼彭城,到中午时,项羽在彭城大破汉王。汉军溃逃,相随掉入谷水、泗水,仅在这里被杀的汉兵就有十多万人。其他的一些败军都向南逃进了山里,楚军又乘胜追杀到了灵壁东面的睢水上。汉军再次溃退,汉军被楚军逼挤,很多人被杀伤。十多万人纷纷跳进了睢水,以至于睢水都被堵塞得流动不了。楚军里外三层紧紧包围了汉王。正在这关键时刻,一阵大风忽然从西北刮起,拔起了树木,掀走了屋顶,飞沙走石,刮得天昏地暗,白天变成了黑夜,这阵大风迎面向楚军吹去。楚军一下子乱了阵脚,溃不成形,于是汉王才乘这个机会带着几十个随从骑马逃走了。当汉王经过沛县的时候,他想把他的家眷也带上一起向西逃;而这时项羽也正好派兵到沛县,去抓拿汉王的家眷,结果汉王的家眷早已经不知跑到什么地方去了,没能与汉王见着面。汉王在路上遇见了他的儿子和女儿,也就是日后的孝惠帝和鲁元公主,汉王让他们上了自己的车。不一会儿,楚国的骑兵追上来了,汉王急了,又把儿子和女儿推下车去。滕公夏侯婴赶紧下去把他们抱了上来,就这样接连好几次。滕公说:"就算是情况紧急,车子跑不快,又怎么能忍心把孩子扔下呢?"后来大家终于都脱了险。汉王一路上寻找着太公和吕后,没有找到。审食其跟着太公和吕后抄小道,也在寻找汉王,不料遇上了项羽的军队。项羽的军队把他们捉回去,禀报了项羽。从此项羽就把他们当作人质拘留在楚军的营中。

当此时,彭越数反梁地,绝楚粮食,项王患之。为高俎,置太公其上,告汉王曰:"今不急下,吾烹太公。"汉王曰:"吾与项羽俱北面受命怀王,曰'约为兄弟',吾翁即若翁,必欲烹而翁,则幸分我一杯羹①。"项王怒,欲杀之。项伯曰:"天下事未可知,且为天下者不顾家,虽杀之无益,只益祸耳②。"项王从之。

注释:

①"则幸分"句:此事原见于《楚汉春秋》,文字大体相同。

②"虽杀"二句:按,项伯之言固亦在理,然其为刘邦收买之情实,事事可见。

译文:

    而在这时,项羽后方的彭越不断地在大梁一带进行骚扰,截断了楚军的粮草补给,项羽很担心。于是他派人搭了一个高台,上设案板,把汉王的父亲绑在案板上面,告诉汉王说:"你要是还不赶快撤走,我就把你父亲煮了!"汉王大声喊道:"当初我和你项羽一道在怀王的驾下称臣,大家说好'彼此兄弟相待'。我的父亲也就是你的父亲,你如果一定要煮你的父亲,那就请你也给我一碗肉羹喝!"项羽大怒,真想把刘太公杀了。项伯劝他说:"现在天下的大局还看不出,再说打天下的人都是不顾家的,你就是杀了太公也没用,只给自己增添祸患罢了。"项羽听了他的意见。

楚、汉久相持未决,丁壮苦军旅,老弱罢转漕①。项王谓汉王曰:"天下匈匈数岁者②,徒以吾两人耳,愿与汉王挑战决雌雄,毋徒苦天下之民父子为也。"汉王笑谢曰:"吾宁斗智,不能斗力。"项王令壮士出挑战,汉有善骑射者楼烦③,楚挑战三合④,楼烦辄射杀之。项王大怒,乃自被甲持戟挑战。楼烦欲射之,项王瞋目叱之,楼烦目不敢视,手不敢发,遂走还入壁,不敢复出。汉王使人间问之,乃项王也,汉王大惊。于是项王乃即汉王相与临广武间而语⑤。汉王数之⑥,项王怒,欲一战。汉王不听,项王伏弩射中汉王⑦。汉王伤,走入成皋⑧。

注释:
①罢转漕:疲弊劳乏于运送粮饷。车运曰转,船运曰漕。罢,同"疲"。
②匈匈:烦苦劳扰的样子。

③楼烦：原为少数民族名，汉时在其所居之地设楼烦县，即今山西宁武。

④三合：三次，三回。

⑤即：靠近。广武间：即广武涧。

⑥数：一条条地列其罪状。

⑦"项王"句：刘邦受伤时表现得绝顶机灵，可参见《高祖本纪》。

⑧"汉王伤"二句：时刘邦伤势严重，仍听张良强起劳军，以安士卒。见《高祖本纪》。

译文：

　　楚、汉两军相持的时间太长了，双方的青壮年苦于军旅，老弱者也都因运送粮草物资劳累得疲惫不堪。因此项羽对着汉王喊道："百姓们一连几年不得安宁，就是因为你我二人，我愿与汉王挑战决一雌雄，别再让天下百姓们为我们受困苦了。"汉王哈哈大笑说："我要和你斗智，不和你比匹夫之勇。"于是项羽派出一些武艺高强的人挑战，汉王部下有一个楼烦的神箭手，每当项羽的人挑战，这个神箭手就射杀他。项羽大怒，于是自己披甲持戟冲了出来，神箭手搭箭正要再射，项羽睁起眼睛向他大喝一声，那个神箭手被吓得眼也不敢看，箭也不敢发，掉头跑回营内，再也不敢出来了。汉王赶紧派人出去打探，才知道出来挑战的是项羽，内心大吃一惊。于是项羽找了一天约汉王隔着广武涧对话。汉王当面历数了项羽的十大罪状，项羽很生气，想和汉王决一死战。汉王不答应，项羽就让预先埋伏的弓箭手射汉王，汉王被射中。退进了成皋。

　　是时，汉兵盛食多，项王兵罢食绝①。汉遣陆贾说项王,请太公,项王弗听。汉王复使侯公往说项王,项王乃与汉约,中分天下,割鸿沟以西者为汉②,鸿沟而东者为楚。项王许之,即归汉王父母妻子。军皆呼万岁。

项王已约,乃引兵解而东归③。

注释:

①"项王"句:此时韩信已下赵、齐,大破楚龙且军;彭越复反,下梁地,绝楚粮道。

②鸿沟:战国时魏国开凿的沟通黄河与淮水的运河,北起荥阳,东经中牟、开封,南流至淮阳东南入颍水(淮水的支流)。

③"乃引兵"句:此时灌婴已攻入彭城,故项羽立即东归。

译文:

这时汉军方面人多粮足,而楚军方面则是兵疲粮尽。汉王于是就派了陆贾去见项羽,请他放回太公,项羽不答应。汉王又派了侯公去游说项羽,项羽才同意与汉王订立条约,平分天下,约定鸿沟以西的地盘归汉王,鸿沟以东的地盘属项羽。项羽同意了这个协定后,把汉王的父亲和妻子都放了回去。汉军欢呼万岁。

项羽签订条约后,就带着军队撤离,准备回自己东方的领地去了。

汉欲西归,张良、陈平说曰:"汉有天下太半,而诸侯皆附之。楚兵罢食尽,此天亡楚之时也,不如因其机而遂取之。今释弗击，此所谓'养虎自遗患'也。"汉王听之。

译文：

汉王也准备撤军西行，这时张良、陈平说："汉王已经占据了大半个天下，许多诸侯都已经归附了您。而项羽兵疲粮尽，这是上天要灭亡楚国的时候了。我们不如乘机灭了他。如果现在错过不打，那可真成了俗话说的'养虎遗患'啦。"汉王采纳了他们的意见。

项王军壁垓下，兵少食尽①，汉军及诸侯兵围之数重。夜闻汉军四面皆楚歌，项王乃大惊，曰："汉皆已得楚乎？是何楚人之多也！"项王则夜起，饮帐中。有美人名虞②，常幸从；骏马名骓③，常骑之。于是项王乃悲歌慷慨，自为诗曰："力拔山兮气盖世，时不利兮骓不逝。骓不逝兮可奈何，虞兮虞兮奈若何！"歌数阕④，美人和之。项王泣数行下，左右皆泣，莫能仰视。

注释：

①"项王"二句：在会军垓（gāi）下前，楚、汉还有一次固陵之战，因韩信、彭越等未听命前来，汉大败。后来刘邦听张良之计，许诺给韩信等大片封地，诸路军才前来。汉军诸路到达垓下后，与项羽尚有一次决定性的大战。时韩信将三

十万居中,孔将军居左,费将军居右,刘邦在后,周勃、柴将军在刘邦后。项羽率军十万。韩信先诈败诱敌深入,孔将军、费将军从两翼合围,楚兵败;韩信回军掩杀,项羽大败。

②有美人名虞:虞本为其姓,因从项羽,故从夫姓,以己姓为名。

③骓(zhuī):毛色黑白相间的马。

④歌数阕(què):一连唱了几遍。阕,段、遍。

译文:

　　项羽军队驻扎在垓下,兵力又少,粮食也已经没有了,汉军和各路诸侯的军队把他们层层围住。深夜里四面的汉军都在唱着楚地的歌谣,项羽听到后吃惊地说:"莫非汉军已把楚国全部占领了么? 要不然他们的军中怎么有这么多楚人呢?"于是项羽就披衣起来,在帐中饮酒浇愁。当时他身边有一个美人名字叫虞,深受项羽宠爱,几年来一直跟他身边;还有一匹骏马名字叫骓,这是项羽冲锋陷阵一直骑乘的。项羽感慨万分,作歌道:"力能拔山啊,豪气盖世,时运不利啊,骓马不再奔驰。不再奔驰啊,又有何妨? 虞姬虞姬啊,我把你怎样安放?"他一连唱了好几遍,虞美人也和着唱。项羽泪如雨下,左右将士们也一个个涕泣嘘唏,谁都不忍心抬头仰视。

　　于是项王乃上马骑①,麾下壮士骑从者八百馀人,直夜溃围南出②,驰走。平明,汉军乃觉之,令骑将灌婴以五千骑追之。项王渡淮,骑能属者百馀人耳③。项王至阴陵④,迷失道,问一田父,田父绐曰"左"⑤。左,乃陷大泽中,以故汉追及之⑥。项王乃复引兵而东,至东城⑦,乃有二十八骑。汉骑追者数千人。项王自度不得脱，谓其骑曰："吾起兵至今八岁矣，身七十馀战⑧，所当者破，所击者服，未尝败北，遂霸有天下。然今卒困于此，此天之亡我，非战之罪也。今日固决死，愿为诸君快战⑨，必三胜之，为诸君溃围，斩将，刈旗⑩。令诸君知天亡我，非战之罪也。"乃分其骑以为四队，四向⑪。汉军围之数重。项王谓其骑曰："吾为公取彼一将。"令四面骑驰下，期山东为三处。于是项王大呼驰下，汉军皆披靡⑫，遂斩汉一将。是时赤泉侯为骑将⑬，追项王，项王瞋目而叱之，赤泉侯人马俱惊，辟易数里⑭，与其骑会为三处。汉军不知项王所在，乃分军为三，复围之。项王乃驰，复斩汉一都尉，杀数十百人。复聚其骑，亡其两骑耳。乃谓其骑曰："何如？"骑皆伏⑮，曰："如大王言。"

注释：

① 骑：涉下文而衍。

② 直夜：中夜，半夜。

③ 属：跟随。

④ 阴陵：秦县名，县治在今安徽定远西北。

⑤ 绐（dài）：欺骗。

⑥ 以故汉追及之：史公极力突出项羽被追及的偶然性，以寄托其无限同情。

⑦东城:秦县名,县治在今安徽定远东南。

⑧身七十馀战:史公称道将军之勇好用"七十"字,并非确数。

⑨快战:痛痛快快、漂漂亮亮地打一仗。一说,"快战"为"决战"。

⑩刈(yì)旗:砍倒敌军的大旗。

⑪四向:朝着四个方向,盖围作一个圆阵。

⑫披靡:倒伏、避散的样子。

⑬赤泉侯:杨喜,刘邦的部将,因获项羽尸体而被封为赤泉侯。

⑭辟易:因畏惧而退避。辟,退避。易,易地,挪动了地方。

⑮伏:通"服"。

译文:

　　于是项羽上马突围,这时帐下的骑兵还有八百多人跟着他,他们乘着夜色向南冲出重围,疾驰逃走。到天快亮的时候,汉军才发觉。汉王命令骑将灌婴率领五千骑兵追赶项羽。等到项羽渡过淮河,跟着他的骑兵就只剩下一百来人了。项羽跑到阴陵县时,迷了路。他向一个农民打听,这个农民骗他说"往左拐"。项羽向左拐,结果陷在了沼泽里,就因为这一耽误,后面灌婴的追兵就赶了上来。项羽再领着人向东跑,到了东城,身边只剩下了二十八个人,而刘邦派来的追兵有好几千。项羽自己估计着这回是无法脱险了,就对随从们说:"自从我起兵到现在已经八年了,曾身经七十多场大战,所向披靡,没有失败过一次,从而成了天下的霸主。想不到今天竟然被困在这里,这是老天爷要灭亡我,不是我不会打仗。今天要决一生死,为你们诸位再痛痛快快地打一仗,一定要连胜它几回,我要为你们突破重围,杀死追将,砍倒敌旗,让你们明白,这是老天爷要灭亡我,不是我不会打仗!"说罢就把他这二十八个人分成了四组，分别朝着四个方向冲杀。这时汉军已经把他们围了好几层。项羽对他的骑兵们说："看我给你们杀他一个将领！"他命令四个小组分别朝四个方向冲出，并约定好大家在山的东面分三处集合。然后项羽大吼一声拍马冲了出去，汉军一看吓得纷纷倒退，混乱中汉军被项羽杀掉了一个将领。当时，赤泉侯杨喜正给汉王当骑将，他在后面追赶项羽。项羽回头瞪起眼睛，大喝一声，吓得杨喜连人带马向后退出去了好几里地。项羽果然和他的部下们分三个地方集合了，汉军弄不清项羽在哪一处，于是只好把追兵分成三股，分别包围。这时项羽又冲出来杀死了汉军的一个都尉，杀死了汉军士兵近百人。而后把自己的人集合起来一清点，发现才只少了两个。项羽问他的部下说："怎么样？"大家都敬佩地说："果然像大王说的一样！"

于是项王乃欲东渡乌江①。乌江亭长舣船待②，谓项王曰："江东虽小，地方千里，众数十万人，亦足王也。愿大王急渡。今独臣有船，汉军至，无以渡。"项王笑曰："天之亡我，我何渡为！且籍与江东子弟八千人渡江而西，今无一人还；纵江东父兄怜而王我，我何面目见之？纵彼不言，籍独不愧于心乎③？"乃谓亭长曰："吾知公长者。吾骑此马五岁，所当无敌，尝一日行千里，不忍杀之，以赐公。"乃令骑皆下马步行，持短兵接战。独籍所杀汉军数百人，项王身亦被十馀创。顾见汉骑司马吕马童，曰："若非吾故人乎？"马童面之④，指王翳曰⑤:"此项王也。"项王乃曰:"吾闻汉购我头千金,邑万户,吾为若德。"乃自刎而死⑥。王翳取其头,馀骑相蹂践争项王,相杀者数十人。最其后⑦,郎中骑杨喜,骑司马吕马童、郎中吕胜、杨武各得其一体⑧。五人共会其体,皆是。故分其地为五:封吕马童为中水侯,封王翳为杜衍侯,封杨喜为赤泉侯,封杨武为吴防侯,封吕胜为涅阳侯。

注释:

①乌江:乌江浦,在今安徽和县东北之长江西岸。

②舣(yǐ)船:拢船靠岸。

③籍独不愧于心乎:按,或曰项羽因亭长说得太好听而生疑,宁愿战死而不愿被俘,故不上船。所谓江东父老只是借口而已。

④面:正面相对。

⑤王翳:灌婴的部下。

⑥乃自刎而死:项羽败于垓下,自刎乌江,在汉五年(前202年)十二月,时年三十一。

⑦最:同"聚"。

⑧一体:一肢,通常以四肢加头称为"五体"。

译文:

这时,项羽到了乌江浦,准备东渡。乌江亭的亭长驾着一只小船靠在岸边,对项羽说:"江东虽小,可也还有纵横上千里的土地,还有民众几十万,也足够您称王的。请您赶紧上船过江。这里只我一个人有船,汉军追到这里,他们也无法渡过江去。"项羽笑道:"既然老天爷要灭亡我,我还渡江干什么!想当初我渡江西下时曾带着江东子弟八千人,如今他们没有一个活着回去，即使江东父老们可怜我，还拥戴我为王，我自己又有什么脸面去见他们呢？就算人家什么也不说，难道我自己就不问心有愧吗？"接着他又对亭长说："我知道你是好人。我骑这匹马已经五年了，所向无敌，它能一日奔驰千里，我不忍心杀它，就把它送给您吧。"说罢命令所有的人都下马步行，手持短兵与汉军接战。光是项羽一个人就杀死了汉兵好几百，而项羽自己身上也有十馀处受了伤。项羽回头忽然看见了汉军的骑司马吕马童，就招呼他说："那不是我的老朋友吕马童吗？"吕马童定睛一看，指着项羽回头对王翳说："这就是项王。"项羽对他们说："我听说刘邦曾悬赏千金买我的人头，还要给他万户的封地，我今天就成全你们吧！"说罢拔剑自刎而死。王翳赶紧奔过去割了项羽的人头，其馀的骑兵蜂拥而上去抢项羽的尸体，互相拥挤践踏，就死了好几十人。最后，郎中骑杨喜、骑司马吕马童、郎中吕胜、杨武四个人分别各自抢到了项羽的一条腿或一只手。他们四个和王翳五个人把手里的残肢凑在一起，可以确认都是项羽的。于是汉王就把当初悬赏的万户封邑一分为五，封吕马童为中水侯，封王翳为杜衍侯，封杨喜为赤泉侯，封杨武为吴防侯，封吕胜为涅阳侯。

项王已死，楚地皆降汉，独鲁不下，汉乃引天下兵欲屠之。为其守礼义，为主死节①，乃持项王头视鲁②，鲁父兄乃降。始，楚怀王初封项籍为鲁公，及其死，鲁最后下，故以鲁公礼葬项王谷城。汉王为发哀，泣之而去。

注释：

①为主死节：当年楚怀王曾封项羽为"鲁公"，故鲁人对项羽忠心耿耿。

②视鲁：让鲁县人看。视，同"示"。

译文：

　　项羽死后，楚国的地面都相继投降了汉王，只有鲁城曲阜拒不投降。汉王想要带领全国的军队把它夷平，后来考虑到曲阜的军民是出于他们守礼义，忠于其主，于是就派人拿着项羽的人头去给曲阜的百姓们看，曲阜的父老们才宣告向汉王投降。起初，楚怀王曾封项羽为鲁公，项羽死后，鲁城曲阜又最后投降，所以汉王就用鲁公的礼仪把项羽安葬在了谷城。汉王也亲自前来为项羽哭了一场。

　　太史公曰：吾闻之周生曰"舜目盖重瞳子"①，又闻项羽亦重瞳子。羽岂其苗裔邪？何兴之暴也②！夫秦失其政，陈涉首难，豪杰蜂起，相与并争，不可胜数。然羽非有尺寸，乘势起陇亩之中，三年遂将五诸侯灭秦，分裂天下，而封王侯，政由羽出，号称霸王，位虽不终，近古以来未尝有也③。及羽背关怀楚④，放逐义帝而自立，怨王侯叛己，难矣。自矜功伐，奋其私智而不师古，谓霸王之业，欲以力征经营天下，五年卒亡其国，身死东城⑤，尚不觉寤而不自责，过矣。乃引"天亡我，非用兵之罪也"，岂不谬哉！

注释:

①重瞳子:眼球上有两个瞳孔。

②暴:突然。

③"夫秦"至"近古以来未尝有也"十四句:可以见史公列项羽于本纪之意。

④背关:即舍关中形胜之地,而都彭城。怀楚:即其"富贵不归故乡,如衣绣夜行"之想。

⑤身死东城:按,项羽败走至东城,以二十八骑大力冲杀汉军后,复南逃至乌江浦乃自刎而死。乌江浦当时属历阳县,离东城百馀里。

译文:

　　太史公说:我先前曾听周生说过"舜的眼睛有两个瞳孔",又听说项羽也有两个瞳孔,项羽莫非是舜的后代吗?不然怎么会兴起得这么突然呢!当秦朝暴虐无道,陈涉首先起兵发难,各路豪杰们都蜂拥而起,你争我夺,不胜枚举。而项羽并没有尺寸的封地为根基,而是以一个平民百姓的身份拔地而起的。结果不出三年,就率领着东方的诸侯们灭掉了秦朝,接着他切割土地,分封王侯,所有政令都由项羽一人发布,自己号称"西楚霸王"。他的事业虽然没能善始善终,但像他这样的,近古以来也没有过。可是后来他放弃关中,而眷念楚地,又驱逐了义帝而以自己为尊,这时候他再埋怨王侯们背叛他,那就很难啦!他夸耀自己的战功,只知道一意孤行而不吸取古代的历史经验,他只想着成为一代霸主,只想着用武力征伐经营天下,结果五年的时间,弄了个国灭身亡,到临死的时候还不悔悟,不知道责备自己,这就大错特错了,说什么"这是老天爷要灭亡我,不是我不会打仗",这不就太荒谬了吗!

高祖本纪

　　本篇记述了刘邦由起事反秦、楚汉相争,到统一国家,建号称帝,草创制度,以及建国初期为稳定局势所采取的诛杀功臣、平定叛乱等,是一篇既突出地表现了刘邦个人,同时也兼顾了全局的具有典范性的传记杰作。作品对于刘邦取得成功的一切优胜之处,如顺应时代,从和民心,分化敌人,团结内部,知人善任而又驾御有方,刚柔并济,恩威兼施等,一一作了生动的描绘,说明了他的成功绝非偶然。而对于刘邦的造言妖异,自托圣神,表面豁达而内心忌刻;尤其是他晚年残杀功臣,诛除无已,则表现了极大的厌恶。

　　刘邦是《史记》中描写最生动、最精彩的人物,因为除本篇外还有如《项羽本纪》《淮阴侯列传》等二十多篇作品中也描写到刘邦其人,所以刘邦的性格也就表现得最充分、最本质。无与伦比的聪明智慧、雄才大略与明显的粗俗的流氓气水乳交融地统一在一起,就是司马迁为我们展现的那个开创了汉朝几百年基业的汉高祖刘邦,他是个有血有肉、活生生的、令人相信的人物,是司马迁的艺术天才与其"不虚美、不隐恶"的创作思想的光辉体现。

高祖，沛丰邑中阳里人，姓刘氏，字季①。父曰太公②，母曰刘媪。其先刘媪尝息大泽之陂③，梦与神遇。是时雷电晦冥④，太公往视，则见蛟龙于其上。已而有身，遂产高祖⑤。

注释：

①字季："季"是排行，不是字。刘邦之名邦，也是后世史臣所拟。

②太公：与下文的"刘媪"皆非人之姓名，大概是由于下层人其名不雅，故史公以此称之。

③大泽之陂(bēi)：水泽边上的堤岸。

④晦冥：天色昏黑的样子。

⑤遂产高祖：以上数句，皆刘邦称帝后为神化自己所编造，或汉初人为神化刘邦所附会，历朝的开国统治者大体都有这一套。有身，指怀孕。

译文：

汉高祖，沛县丰邑中阳里人，姓刘字季。他的父亲为刘太公，母亲为刘媪。当年刘媪有一次在大泽旁边休息睡着了，梦中与天神交合。当时电闪雷鸣，天昏地暗，刘太公前去寻找她，看见一条龙趴在她身上。后来刘媪就怀了孕，生了高祖。

高祖为人，隆准而龙颜①，美须髯，左股有七十二黑子。仁而爱人，喜施，意豁如也②。常有大度，不事家人生产作业③。及壮，试为吏，为泗水亭长，廷中吏无所不狎侮④。好酒及色。常从王媪、武负贳酒⑤，醉卧，武负、王媪见其上常有龙，怪之。高祖每酤留饮，酒雠数倍⑥。及见怪，岁竟，此两家常折券弃责⑦。

注释：

①隆准：高鼻梁。准，鼻梁。龙颜：上额突起状。颜，上额。

②豁如：豁然，阔达、豪爽的样子。

③家人：平民百姓。

④廷中吏：整个县廷里的吏员。狎侮：戏弄，耍笑。

⑤媪、负：皆老妇人之称谓。贳（shì）：赊欠。

⑥雠（chóu）：售，卖出。

⑦折券弃责：毁弃借据，免除债务。券，赊欠的字据。责，同"债"。

译文：

　　高祖长着高鼻梁，额头突出，胡须很漂亮，左腿上有七十二颗黑痣。他待人慈和，喜欢施舍，心胸豁达。从小有大志，不愿从事平民百姓的生产劳作。长大后试为小吏，任泗水亭长，对于县衙里的吏目们却没有一个不加以耍笑和戏弄。他好喝酒爱女色，常到王媪和武负的酒店里赊酒喝。喝醉了就躺倒在酒店里睡觉。武负和王媪常常看见他醉卧的上方有龙盘绕，感到很奇怪。而且每当刘邦来到酒店喝酒，这天卖出的酒总要比平常多出几倍。由于这种种怪现象，所以在年终结算时，这两家酒店常常把高祖欠的账一笔勾销。

　　高祖常繇咸阳①，纵观②，观秦皇帝，喟然太息曰③："嗟乎，大丈夫当如此也！"

注释：

①常：同"尝"，曾。

②纵观：许可百姓观看。

③喟（kuì）然：动心的样子。

译文：

高祖在到咸阳服劳役时，有一天正好遇上秦始皇出巡，允许百姓们夹道观看，高祖看到秦始皇，感慨地说："哎，大丈夫就应当像这样啊！"

单父人吕公善沛令，避仇从之客①，因家沛焉。沛中豪桀吏闻令有重客②，皆往贺。萧何为主吏③，主进④，令诸大夫曰⑤："进不满千钱，坐之堂下。"高祖为亭长，素易诸吏⑥，乃绐为谒曰"贺钱万"⑦，实不持一钱。谒入，吕公大惊，起，迎之门。吕公者，好相人，见高祖状貌，因重敬之，引入坐。萧何曰："刘季固多大言，少成事。"高祖因狎侮诸客，遂坐上坐，无所诎⑧。酒阑⑨，吕公因目固留高祖⑩。高祖竟酒，后。吕公曰："臣少好相人⑪，相人多矣，无如季相，愿季自爱⑫。臣有息女⑬，愿为季箕帚妾⑭。"酒罢，吕媪怒吕公曰："公始常欲奇此女⑮，与贵人。沛令善公，求之不与，何自妄许与刘季？"吕公曰："此非儿女子所知也⑯。"卒与刘季。

吕公女乃吕后也,生孝惠帝、鲁元公主^⑰。

注释:

①从之客:到他这里做客,亦即投奔。

②沛中豪桀吏:沛县的豪绅与县廷诸吏。桀,同"杰"。

③主吏:即主吏掾,亦称功曹掾,主管县廷的人事考核等工作。

④主进:帮县令接收礼品。一曰,进,谓接过礼品转进于主人。

⑤诸大夫:即指来贺的诸位豪绅县吏。

⑥易:轻视。

⑦绐(dài):欺骗,诈说。谒:名帖。

⑧诎:同"屈",局促,客气。

⑨酒阑:酒席将散,人已渐渐离去。

⑩目:使眼色。

⑪臣:古人自称的谦词,不是君臣的臣。

⑫自爱:自重,自勉,希望其多加努力,以成大事。

⑬息女:亲生女。息,生也。

⑭箕帚妾:打扫清洁的使女,妻子的客气说法。

⑮奇:异,显而异之,使与他人不同。

⑯儿女子:犹通常所谓"妇人、小孩子",以称智商低的人。

⑰孝惠帝:刘邦的嫡子,名盈,刘邦死后继位为帝,"惠"字是谥。鲁元公主:刘邦之女,子张偃,被封为鲁王。"鲁元"盖后人之称,非其生时之号。

译文:

　　单父县的吕公与沛县县令交好,为躲避仇家来到沛县县令家里做客,后来干脆把家搬到了沛县。沛县的豪绅、官吏们听说县令家里来了贵客，便都去送礼祝贺。当时萧何在县衙里当功曹，主管收贺礼。他对客人们说："凡是贺礼不满千钱的请坐在堂下。"高祖是亭长，一向看不起县里的这些吏目，于是便在自己的名帖上假意地写了"贺钱一万"，实际上他一文不名。他的名帖递进去后，吕公看了大惊，起身到大门口来迎接。吕公善于给人看相，他一见高祖的相貌，就很敬重他，把他领到了堂上就坐。萧何说："刘季一向好说大话，很少能实现。"而高祖则把满座的客人都戏弄了一番后，坐在了上座，没有丝毫的客气。酒宴要结束时，吕公向高祖递眼色要他留下，高祖便一直等到了席散。吕公说："我从年轻时候就喜欢给人相面，相过的人太多了，但还没有见过一个像你这么富贵的相貌，希望你自己珍重。我有个女儿，想让她去侍候你，给你当妻子。"酒宴结束后，吕媪生气地对吕公说："你平常总说这个女儿与众不同，要把她嫁给贵人。沛县县令跟你交好，向你请求你都不答应，今天为什么竟胡乱地把她许给了刘季？"吕公说："这不是你们妇人们所能理解的。"吕公最终把女儿嫁给了刘邦，她就是后来的吕后，生了孝惠皇帝和鲁元公主。

高祖以亭长为县送徒郦山①，徒多道亡②。自度比至皆亡之③，到丰西泽中，止饮，夜乃解纵所送徒④。曰："公等皆去，吾亦从此逝矣⑤！"徒中壮士愿从者十馀人。高祖被酒⑥，夜径泽中⑦，令一人行前。行前者还报曰："前有大蛇当径，愿还。"高祖醉，曰："壮士行，何畏！"乃前，拔剑击斩蛇，蛇遂分为两，径开。行数里，醉，因卧。后人来至蛇所，有一老妪夜哭。人问何哭,妪曰:"人杀吾子,故哭之。"人曰:"妪子何为见杀?"妪曰:"吾子,白帝子也⑧,化为蛇,当道,今为赤帝子斩之⑨,故哭。"人乃以妪为不诚,欲笞之,妪因忽不见。后人至,高祖觉。后人告高祖,高祖乃心独喜,自负⑩。诸从者日益畏之。

注释:

①徒:苦役犯。郦山:在今陕西临潼东南,其地为秦始皇的陵墓工地。

②亡:逃走。

③度:心想。比:及,等到。

④解纵:解开绳索,任其逃走。

⑤逝:潜逃。

⑥被酒:带着酒意。被,同"披"。

⑦径:原指小路,离开大路,走小路直穿,即所谓"斜过"也。

⑧白帝子:暗喻秦朝的后代。白帝为古代传说的五方上帝之一,于五行为金,居于西方,秦朝祭礼白帝,以为自己和天上的白帝相应。

⑨赤帝:古代传说的五方上帝之一,于五行为火,居于南方,汉代自称是赤帝的子孙。赤帝子斩白帝子,即意谓着刘邦将取代秦朝。

⑩自负:意即心中有了底,有了仗恃,知道自己是上应"天命"了。

译文:

　　高祖曾以亭长的身份为县里押送劳役去郦山,结果很多劳役在路上逃跑了。他估计等不得到郦山劳役们就会跑光，于是当他们走到丰邑西边的沼泽地带时，他让劳役们休息喝酒，到了夜里便把他们都放了，他说："各位都走吧，我也从此远走高飞了！"这时劳役中有十多个年轻小伙子愿意跟随着他。高祖带着醉意，趁夜直穿沼泽地，他让一人前面探路。那人回来报告说："前面有一条大蛇挡住了去路，我们往回走吧。"高祖醉醺醺地说："壮士走路，有什么可怕的！"走上前去，拔剑把大蛇斩作了两段，路让开了。他又往前走了几里，醉倒在地，睡着了。后面的人来到高祖斩蛇的地方，见有一个老妇人在那里哭泣。人们问她哭什么，老妇人说："有人杀了我的儿子，所以我在这里哭。"人们问她："你儿子为什么被人家杀了？"老妇人说："我的儿子是白帝子，他化为大蛇，挡在道上，结果被赤帝子杀了，所以我哭。"人们都以为这个老妇人说谎，刚想打她，而老妇人忽然不见了。当这几个人来到高祖睡觉的地方时，高祖已经酒醒。这几个人便把刚才碰上的情况告诉了高祖，高祖听了心里暗暗高兴，觉得自己大概真不是平凡人。而跟随他的那些人也从此一天比一天地更加惧怕他了。

　　秦始皇帝常曰"东南有天子气"，于是因东游以厌之①。高祖即自疑，亡匿，隐于芒、砀山泽岩石之间。吕后与人俱求，常得之。高祖怪问之。吕后曰："季所居上常有云气，故从往常得季②。"高祖心喜。沛中子弟或闻之，多欲附者矣。

注释:

① 厌:同"压"，迷信活动，即通过某种手段以压制某种征兆的

兴起。

②故从往常得季：这些大体皆为后人所捏造。

译文：

　　秦始皇常说"东南方上有一股天子气"，于是便向东巡游去压一压它。高祖怀疑与自己有关，便逃了出去，隐藏在芒山、砀山的岩洞里，吕后带着人去找他，一下子就找到了。高祖奇怪地问她缘故，吕后说："你躲藏的地方上空总有一股云气，我们奔着那股云气就能找到你。"高祖心里高兴。沛县的年轻人听说这些话后，想去投奔他的越来越多了。

　　秦二世元年秋①，陈胜等起蕲②，至陈而王③，号为"张楚"④。诸郡县皆多杀其长吏以应陈涉。沛令恐，欲以沛应涉。掾、主吏萧何、曹参乃曰⑤："君为秦吏，今欲背之，率沛子弟，恐不听。愿君召诸亡在外者，可得数百人，因劫众，众不敢不听。"乃令樊哙召刘季，刘季之众已数十百人矣⑥。

注释：

①秦二世元年：前209年。秦二世，名胡亥，秦始皇的第十八子。

②陈胜等起蕲(qí)：即陈胜、吴广等于蕲县之大泽乡起义。

③陈：秦县名，即今河南淮阳，当时也是陈郡的郡治所在地。

④张楚：取张大楚国之义。

⑤掾：县令的属吏，指曹参，当时曹参为狱掾。主吏：指萧何。

⑥"刘季"句：据此可知刘邦之"解纵"囚徒乃在不久之前。

译文：

　　秦二世元年秋天，陈胜等人在蕲县起兵反秦，占领陈县后自立为王，号称"张楚"。这时天下各郡县的人们都纷纷起来杀死自己郡县的官吏响应陈胜。沛县县令害怕了，想及早率领沛县百姓响应陈胜。县里的大吏萧何、曹参对他说："您是秦朝官吏，今天想背叛秦朝统领沛县子弟，恐怕大家不听您指挥。您可以把那些逃亡在外的人召回来，这样可以得到几百人，然后您再利用这些人去挟持民众，那时大家就不敢不听您的命令了。"于是县令便派樊哙去叫刘邦。这时刘邦部下已经聚积起百把人了。

　　于是樊哙从刘季来。沛令后悔，恐其有变，乃闭城城守，欲诛萧、曹。萧、曹恐，逾城保刘季①。刘季乃书帛射城上，谓沛父老曰："天下苦秦久矣。今父老虽为沛令守，诸侯并起，今屠沛②。沛今共诛令，择子弟可立者立之，以应诸侯，则家室完。不然，父子俱屠，无为也。"父老乃率子弟共杀沛令，开城门迎刘季，欲以为沛令。刘季曰："天下方扰，诸侯并起，今置将不善，一败涂地。吾非敢自爱，恐能薄，不能完父兄子弟。此大事，愿更相推择可者③。"萧、曹等皆文吏，自爱④，恐事不就，后秦种族其家，尽让刘季。诸父老皆曰："平生所闻刘季诸珍怪⑤，当贵，且卜筮之，莫如刘季最吉。"于是刘季数让，众莫敢为，乃立季为沛公⑥。祠黄帝⑦,祭蚩尤于沛庭⑧,而衅鼓旗⑨,帜皆赤。由所杀蛇白帝子,杀者赤帝子,故上赤。于是少年豪吏如萧、曹、樊哙等皆为收沛子弟二三千人,攻胡陵、方与,还守丰。

注释:

①保:投奔。

②今:即,行将。

③推择:推选。

④自爱:爱惜自身,此指不愿搭上自己的身家性命。

⑤平生:向来,素来。

⑥乃立季为沛公:事在二世元年九月,陈胜起义后的第三个月。

⑦黄帝:黄帝据说曾打败炎帝,擒杀蚩尤,是最早的军事统帅。

⑧蚩尤:相传蚩尤好五兵,制造剑戟,故被后世供为战神。

⑨衅鼓旗:古代的一种祭祀仪式,以人血或以动物之血涂在鼓上、旗上,以希冀其灵异,助己之战争取胜。

译文:

　　樊哙跟着刘邦来到了沛县,沛县县令又后悔了,他害怕刘邦有别的心,因而闭门守城,并想杀掉萧何、曹参。萧何、曹参害怕,跳城出去投奔了刘邦。刘邦用绸绢写了一封信射进城内,对沛县的父老们说:"天下人受秦朝暴政的苦已经很久了。今天父老们居然还替沛县县令卖命守城,现在各地诸侯都早已起兵反秦,沛县很快就要被屠灭了。你们应该赶紧杀掉沛县县令,另选一个你们信任的年轻人来主事,以响应各路诸侯，只有这样你们的家室才可以保全。否则全城老少就要都被人家杀光，那可不是闹着玩的。"城中父老们见信后就发动一批青年子弟起来杀掉了县令，打开城门迎接刘邦，并推选他为沛县县令。刘邦说："如今天下大乱，诸侯纷起，如果我们这里的领头人选得不当，就会一败涂地。我不是顾惜自己什么，实在是担心自己的本事不大，不能保全你们大家。这是一件大事，希望大家另推选更合适的人。"萧何、曹参等都是文官，多所顾忌，害怕大事不成，自己被秦朝诛灭九族，因而一致推选刘邦。父老们都说："我们早就听说你的许多奇闻异事，说你一定显贵，而且我们也进行了占卜，没有比你更吉利的人了。"刘邦再三推让，但是别人再也没有敢出头的，于是拥立刘邦做了沛公。他们就在沛县衙门里祭祀了黄帝和蚩尤，同时杀牲取血涂抹了战鼓和军旗，军旗都用红色。因为从前所杀的那条蛇是白帝子，而杀它的刘邦是赤帝子，所以刘邦崇尚红色。接着萧何、曹参、樊哙等一群豪吏在沛县聚集起了二三千人，领着他们去攻打胡陵、方与，而后又回到了丰邑。

闻项梁在薛，从骑百馀往见之。

译文：

刘邦听说项梁已经到了薛县，就带着一百多个随从去拜见他。

项梁再破秦军[1]，有骄色。宋义谏，不听。秦益章邯兵，夜衔枚击项梁[2]，大破之定陶，项梁死③。沛公与项羽方攻陈留,闻项梁死,引兵与吕将军俱东④。吕臣军彭城东,项羽军彭城西,沛公军砀。

注释:

①再破秦军:谓先破秦军于东阿,又破秦军于雍丘。再,两次。

②衔枚:枚者其状如箸,横衔之,以小绳结之于颈,用于奔袭时防止喧哗。

③项梁死:事在秦二世二年九月。

④俱东:一齐向东撤退。

译文:

　　项梁接连打败秦军,开始流露出骄傲的神色。宋义提醒他骄兵必败,项梁不听。这时秦朝派兵增援章邯,章邯趁黑夜率军衔枚袭击项梁,大败楚军于定陶,项梁战死。这时沛公和项羽正在围攻陈留,他们听到项梁战死的消息,就带领军队与吕将军一道往东撤退。吕臣军驻扎在彭城东面,项羽军驻扎在彭城西面,沛公军驻扎在砀县一带。

　　章邯已破项梁军,则以为楚地兵不足忧,乃渡河,北击赵,大破之。当是之时,赵歇为王,秦将王离围之钜鹿城,此所谓河北之军也。

译文:

　　章邯打败项梁的军队后,就以为楚地的局势不用担忧了,

于是便渡过黄河,北攻赵国,大破了赵国的军队。此时赵歇
为赵王,被秦将王离围在钜鹿城中,这就是当时人们所说的
河北军。

秦二世三年①,楚怀王见项梁军破②,恐,徙盱
眙都彭城③,并吕臣、项羽军自将之④。以沛公为
砀郡长,封为武安侯,将砀郡兵⑤。

注释:

①秦二世三年:前 207 年。

②楚怀王:此指项梁等所立之楚王熊心,号怀王是为了用以
唤起遗民思楚之心。

③徙盱眙都彭城:将都城更迁向西北前线,怀王盖非懦弱
之辈。

④"并吕臣"句:实际是剥夺了项羽的兵权,自此项羽与怀王
的矛盾日益尖锐。

⑤将砀郡兵:项羽的兵权被剥夺,而刘邦却独当一面,怀王之
偏袒刘邦,极其分明。

译文:

秦二世三年,楚怀王见项梁的军队被打垮了,十分恐慌,
就把都城从盱眙迁到了彭城,并把吕臣和项羽的军队合并一
起收归自己统领。他任命沛公为砀郡长,封为武安侯,让他
统领砀郡的军队。

赵数请救,怀王乃以宋义为上将军①,项羽为
次将,范增为末将,北救赵。令沛公西略地入关②。

与诸将约,先入定关中者王之③。

注释:

①上将军:当时最高的武官名。

②西略地:向西方扩展。入关:指攻入函谷关。

③"先入"句:打发项羽北上,指派刘邦西下,而约之曰"先入
定关中者王之",此怀王故意将关中王给予刘邦也。

译文:

  被围困的赵国连连向楚军求救,于是怀王就任命宋义为
上将军,项羽为次将,范增为末将,让他们北上救赵。同时命
令沛公向西攻城略地,直逼关中。楚怀王与各路将领们约
定,谁先占领关中谁就做关中王。

  当是时,秦兵强,常乘胜逐北,诸将莫利先入
关①。独项羽怨秦破项梁军,奋②,愿与沛公西入
关。怀王诸老将皆曰:"项羽为人僄悍猾贼③。项
羽尝攻襄城,襄城无遗类,皆阬之④,诸所过无不残
灭。且楚数进取⑤,前陈王、项梁皆败。不如更遣
长者扶义而西⑥,告谕秦父兄。秦父兄苦其主久
矣,今诚得长者往,毋侵暴,宜可下。今项羽僄悍,
今不可遣。独沛公素宽大长者,可遣。"卒不许项
羽,而遣沛公西略地,收陈王、项梁散卒。乃道砀
至成阳,与杠里秦军夹壁⑦,破秦二军。楚军出兵
击王离,大破之⑧。

注释：

①莫利：不以入关为利，是畏秦也。

②奋：愤激。

③慓(piào)悍猾贼：勇猛凶残。慓悍，迅疾勇猛。猾贼，狡猾
残忍。

④阬：通"坑"，活埋。

⑤进取：发动进攻。

⑥扶义：仗义，一切行事以仁义为本。

⑦夹壁：犹言"对垒"。

⑧"楚军"二句：此即钜鹿之战，事在秦二世三年十二月。

译文：

　　当时，秦军的势力还很大，常乘胜逐北，因此各路将领都
不愿意先往关中打。惟独项羽因为痛恨秦军打败项梁，所以
奋勇当先，希望能和沛公一道入关。而怀王的老将们都说：
"项羽慓悍狠毒。他曾攻过襄城，襄城攻克后，没留下一个
人，全部被他活埋了，凡是他所经过的地方，没有一个不被彻
底毁灭的。再说在此以前陈胜、项梁的几次西进全都失败
了，这次不如改派一个宽厚的长者以仁义之心率军西进，去
向秦国父老讲清道理。秦国父老们吃他们君主的苦头已经
很久了，今天如果真有个宽厚长者前去，不施行暴力，那么关
中是会攻下来的。项羽为人凶暴，不能派他去，只有沛公是
个宽大忠厚的长者，应该派他领兵西进。"怀王最后没有派项
羽，而是派沛公率兵西进，一路上收编陈胜、项梁的许多散
兵，经由砀县直达成阳，与驻扎杠里的秦军对垒，随后很快地
打败了秦朝的两支军队。这时北上救赵的楚军也已经出击
王离，将秦军打垮了。

沛公引兵西，西过高阳，郦食其为监门^①，曰：
"诸将过此者多，吾视沛公大人长者。"乃求见，说
沛公。沛公方踞床^②，使两女子洗足。郦生不拜，
长揖曰^③："足下必欲诛无道秦，不宜踞见长者^④。"
于是沛公起，摄衣谢之^⑤，延上坐^⑥。食其说沛公
袭陈留，得秦积粟。

注释：

①"郦食其（yìjī）"句：谓郦食其在高阳为闾里监门。监门，
　门卒。
②踞：坐。床：坐具，如今之板凳一类。
③长揖：深深地作了一个揖。
④踞：通"倨"，傲慢。
⑤摄衣：整理衣襟。谢：道歉。
⑥延上坐：可见郦生雄心，刘邦大度，英雄相惜。延，引，请。

译文：

　　沛公率军继续西进，西抵高阳，这时在高阳看城门的郦
食其说："各路将领路过这里的我见的不少了，我看只有沛公
是个气度宏大的仁厚长者。"于是去求见沛公劝说他。当时
沛公正坐在床上，让两个女人给他洗脚。郦生见了刘邦并不
下拜，只是深深地作了个揖，说道："您要是真想讨伐暴秦，就
不应该傲慢地接见长者。"沛公一听立即站了起来，整好衣服
向郦生道歉，请他坐在了上首。郦食其劝沛公袭击陈留，从
那里夺取秦军储备的大批粮食。

　　当是时，赵别将司马卬方欲渡河入关，沛公乃

北攻平阴,绝河津①。南,战雒阳东,军不利,还至阳城,收军中马骑②,与南阳守齮战犨东,破之。略南阳郡,南阳守齮走保城守宛③。沛公引兵过而西。张良谏曰:"沛公虽欲急入关,秦兵尚众,距险。今不下宛,宛从后击,强秦在前,此危道也。"于是沛公乃夜引兵从他道还,更旗帜④,黎明,围宛城三匝⑤。南阳守欲自刭,其舍人陈恢曰⑥:"死未晚也。"乃逾城见沛公,曰:"为足下计,莫若约降⑦,封其守,因使止守,引其甲卒与之西。诸城未下者,闻声争开门而待,足下通行无所累⑧。"沛公曰:"善。"乃以宛守为殷侯,封陈恢千户。引兵西,无不下者。

注释:

①绝河津:封锁黄河渡口。津,渡口。司马卬欲渡河入关,刘邦则绝河津以阻之,显然是想独自入关称王。

②收军中马骑:集中军中的马匹,组成一支强有力的骑兵。

③走保城守宛:走,退向。保,往依。城,筑城。守,防守。四个动词平列,共带一个宾语。

④更旗帜:为掩人耳目,不使南阳守军知刘邦之军复还也。

⑤三匝:三遭,三层。

⑥舍人:半宾客、半仆役的左右亲信人员。

⑦约降:共立盟约,许其投降。

⑧通行无所累:即通行无阻。累,牵扯,挂累。

译文:

这时,赵国的偏将司马卬正要渡过黄河西入函谷关,沛公为阻止他前进便北攻平阴，封锁了黄河渡口。接着沛公南下，与秦军会战于洛阳城东，结果没打胜，只好退到了阳城。沛公把军中的骑兵集中起来，与南阳郡守齮交战于犨县城东，秦军大败。随后沛公平定了南阳郡，这时南阳郡的郡守齮败退到了宛城在宛城坚守。沛公又想率军绕过宛城西进，张良劝他说："您希望入关的迫切心情是可以理解的，但目前秦朝还兵多势众，占据着许多险要的地方。现在我们如不攻下宛城，日后宛城守军就会从后面袭击我们，那时前面又有强大的秦军阻挡，我们不就危险了吗？"于是沛公便在夜里领兵从另一条道上折了回来，变换了旗帜，到天亮时，把宛城密密地围了三层。南阳郡守一看就想自杀，这时他的门客陈恢说："还不到寻死的时候！"于是他翻出城墙求见沛公说："我为您考虑，不如招纳宛城投降，您可以封南阳郡守为侯，还让他继续当南阳郡守，您可以带着宛城的军队一道西进。这样一来前面那些还没有攻下的城邑，就会闻风而动，争着打开城门迎接您了，那时您的西进就会畅通无阻。"沛公说："好。"于是便封南阳郡守为殷侯，封陈恢千户。从此刘邦西进，所过之处没有不望风而下的。

及赵高已杀二世①，使人来，欲约分王关中。沛公以为诈，乃用张良计②，使郦生、陆贾往说秦将③，啖以利④，因袭攻武关⑤，破之。又与秦军战于蓝田南⑥，益张疑兵旗帜⑦，诸所过毋得掠卤⑧，秦人熹⑨，秦军解⑩，因大破之。又战其北，大破之。乘胜，遂破之⑪。

注释：

①赵高已杀二世：事在秦二世三年八月。

②乃用张良计：据《留侯世家》，刘邦进入武关后，欲进兵击秦
峣下军，张良劝刘邦"使人先行，为五万人具食，益为张旗
帜诸山上，为疑兵"，而后派郦食其往说秦将投降。

③"使郦生"几句："陆贾"二字衍文。

④啖（dàn）以利：谓以利益吸引之。啖，以食物喂人。

⑤武关：是河南南部进入陕西的交通要道。

⑥蓝田：秦县名，县治在今陕西蓝田西南。

⑦益张疑兵旗帜：此即前述张良之计，不宜重书于此。

⑧掠卤：同"掠虏"，谓抢物抢人。

⑨熹：此处通"喜"。

⑩解：通"懈"。

⑪乘胜，遂破之：此事过程如下：刘邦以秦二世三年八月破武
关，九月，秦遣将拒峣关，张良说沛公张旗帜，为疑兵，使郦
生啖秦将以利。秦军懈，因引兵绕峣关，逾蒉山击破之蓝
田南。

译文：

    等到赵高杀掉秦二世，派人与沛公进行联络，想和沛公
在关中划分地盘共同为王时，沛公又怀疑其中有诈，于是便
采取了张良的计策，派郦生、陆贾前去说服秦将，以财宝引诱
他们，而后趁他们松懈的时候袭击了武关，把秦军打得大败。
接着又在蓝田县南与秦军会战，这时沛公派人多插旗帜，巧
布疑阵，又下令全军所到之处不准虏掠，因而使得秦国人非
常高兴，秦朝的军队也日益松懈，于是沛公又一次大破秦军。
随后在蓝田北大破秦军，接着刘邦乘胜追击，于是秦军就彻
底溃败了。

汉元年十月①，沛公兵遂先诸侯至霸上②。秦王子婴素车白马，系颈以组③，封皇帝玺符节④，降轵道旁。诸将或言诛秦王。沛公曰："始怀王遣我，固以能宽容；且人已服降，又杀之，不祥。"乃以秦王属吏⑤。遂西入咸阳，欲止宫休舍。樊哙、张良谏，乃封秦重宝财物府库，还军霸上⑥。召诸县父老豪桀曰："父老苦秦苛法久矣，诽谤者族，偶语者弃市⑦。吾与诸侯约，先入关者王之，吾当王关中。与父老约，法三章耳：杀人者死，伤人及盗抵罪⑧。馀悉除去秦法⑨。诸吏人皆案堵如故⑩。凡吾所以来，为父老除害，非有所侵暴，无恐！且吾所以还军霸上，待诸侯至而定约束耳。"乃使人与秦吏行县乡邑，告谕之。秦人大喜，争持牛羊酒食献飨军士⑪。沛公又让不受，曰："仓粟多，非乏，不欲费人。"人又益喜，唯恐沛公不为秦王⑫。

注释：

①汉元年：前 206 年，因刘邦于此年被项羽封为"汉王"，故称"汉元年"。

②霸上：地名，在今陕西西安东南，亦当时秦都咸阳之东南。为古代咸阳、长安附近的军事要地。

③秦王子婴：或说是始皇之孙，或说是始皇之弟。秦二世三年八月，赵高弑秦二世，改立子婴。子婴即位后，诛灭赵高。再过四十六日，刘邦军遂至霸上。素车白马，系颈以

组：这是古代帝王向人投降时自己表示认罪服罪的样子。
组，丝绦。

④玺：天子印。符：发兵符。节：使者所拥，以宣布皇帝赏罚号令。

⑤属：交付，委托。

⑥还军霸上：此举避免了部下入城虏掠，收买了秦人之心，又
成为后来向项羽辩解无争权意的理由，虽非刘邦初意，但
对于刘邦取得最后的成功很关键。

⑦偶语：相聚而语。偶，相对，相聚。弃市：指将罪犯处死于
街头。

⑧抵：当，判处。

⑨馀悉除去秦法：刘邦能始终得关中之力，约法三章起了很
大作用。

⑩案堵如故：犹言"各就各位，一切照常"。案堵，也作"安
堵"，不动。

⑪献飨：即今所谓"犒劳"。飨，以酒食招待人。

⑫"唯恐"句：刘邦已深得秦人之心，项羽强迁其入蜀，又立三
秦王以阻之，根本无益于事。所以刘邦还定三秦易如
反掌。

译文：

汉元年十月，沛公的军队率先来到了咸阳东南的霸上。
这时已经退去帝位，重称秦王的三世子婴，乘着白马素车，用
绳子系着脖子，捧着已经封好的皇帝印信，来到轵道亭的路
边向沛公投降。沛公的将领们有人提议杀死他，沛公说："当
初怀王之所以派我来，就是因为我待人宽厚；再说人家都已
经投降了，我们还杀人家，这不吉祥。"于是就把子婴交给专
人看管起来。于是带人进入了咸阳，沛公进宫后就想住在里
面不出来了，幸亏有樊哙、张良出来劝说，沛公才封起了秦宫

的仓库和各种珍宝，带着人马重又回到了霸上。沛公把关中
各县的父老乡绅们找来，对他们说："你们受秦朝酷法的罪时
间不短了，秦法规章，敢说朝廷坏话的灭族，敢相聚议论国事
的杀头。我们各路将领在东方出发前已经说好了，谁先打入
关内谁当关中王，根据这个规定，我是应该当关中王的。现
在我与诸位约法三条：杀人者偿命，伤人及偷人东西的各自
按情节定罪。秦法的条款一概废除。各级官吏都各回各位，
照常办公。我们到这里来是为父老们除害的，绝不会损害大
家，请大家不要怕。我之所以带领人马回到霸上，就是为了
等候其他各路将领到来，共同商定日后的办法。"随后他派人
跟着各地的官吏们到各县各乡各镇去向人们说明他的这番
意思。秦人听了都很高兴，大家纷纷地带牛羊酒饭来慰劳沛
公的军队。沛公推辞不要，说："仓库里有的是粮食，我们什
么都不缺，不能再让大家破费了。"于是人们更高兴了，惟恐
日后不让刘邦当关中王。

或说沛公曰："秦富十倍天下，地形强。今闻
章邯降项羽，项羽乃号为雍王，王关中①。今则
来②，沛公恐不得有此。可急使兵守函谷关，无内
诸侯军，稍征关中兵以自益，距之③。"沛公然其计，
从之。十一月中，项羽果率诸侯兵西，欲入关，关
门闭。闻沛公已定关中，大怒，使黥布等攻破函谷
关。十二月中，遂至戏④。亚父劝项羽击沛公⑤。
方飨士，旦日合战。是时项羽兵四十万，号百万。
沛公兵十万，号二十万，力不敌。会项伯欲活张

良⑥，夜往见良，因以文谕项羽⑦，项羽乃止。沛公从百馀骑，驱之鸿门⑧，见谢项羽。沛公以樊哙、张良故，得解归。

注释：

①"项羽"二句：秦二世三年七月，章邯降项羽，项羽遂划今陕西西部以封章邯为雍王，都废丘（今陕西兴平东南）。

②今则来：这句话的主语是"项羽"。则，若。

③距：通"拒"。

④遂至戏：遂前进至今陕西临潼东的戏水。其方位在今陕西西安东北，当时的咸阳城东。

⑤亚父：指范增。所谓"亚父"者，是说对其尊敬的礼数仅次于父。

⑥项伯欲活张良：项伯是项羽的族叔，曾因杀人逃亡，被张良掩护过。现张良在刘邦部下，面临毁灭，故项伯欲救之。

⑦因以文谕项羽：此句的主语为"刘邦"。

⑧鸿门：地名，在今陕西临潼东，今称项王营。

译文：

这时有人对沛公说："关中地区的富有，是其他地区总和的十倍，而且地势险要。听说秦将章邯已经率领军队投降了项羽，项羽封他为雍王，让他占有关中地区。他们马上就要来，到那时，恐怕您就不能拥有了。您应该赶紧派兵把守函谷关，不要再让其他各路人马进来，您再从关中地区征调一些人马加强自己的实力，挡住项羽他们。"沛公采纳了这个意见。十一月中旬，项羽果然率领着各路人马西进，当他们要进关时，发现函谷关已被人把守起来。听说沛公已经平定了关中，项羽大怒，下令让黥布等人攻打函谷关，函谷关很快被攻下了。十二月中旬，项羽来到了咸阳城东的戏亭。亚父范增怂恿项羽打沛公。项羽同意了，于是犒劳士兵，准备第二天与沛公开战。这时项羽有四十万人，号称百万。沛公有十万人，号称二十万，从兵力对比上看，沛公不是项羽的对手。正好这时项伯想救他的恩人张良，于是他趁着夜色到沛公的军营去，而沛公则借着这个机会给项羽写了一封信，使项羽改变了开战的意图。接着沛公又带着百十个随从来到鸿门，向项羽表示了歉意。沛公就在樊哙、张良等人的帮助下安全地回到了霸上。

项羽遂西，屠烧咸阳秦宫室，所过无不残破。秦人大失望，然恐，不敢不服耳①。

注释：

①不敢不服耳：叙项羽所为与刘邦相反，以见二人高下之分。

译文：

鸿门宴后，项羽带兵西入咸阳，大肆杀戮咸阳居民，焚烧秦朝宫殿，兵到哪里，哪里便成了一片废墟。秦地人大失所望，但由于怕他，所以不得不服从他。

项羽使人还报怀王。怀王曰："如约①。"项羽怨怀王不肯令与沛公俱西入关，而北救赵，后天下约。乃详尊怀王为义帝，实不用其命。

注释：

①如约：按照原来的约定办事，即"先入关者王之"。

译文：

　　项羽派人东归向楚怀王汇报。楚怀王坚持原来的说法："按着原来的约定办。"项羽早就恨楚怀王当初不让他和沛公一齐西进入关，而硬是让他北上救赵，所以才使得他进关晚了。于是他就假意地推尊楚怀王为"义帝"，实际上根本不理睬他。

　　正月①，项羽自立为西楚霸王，王梁、楚地九郡，都彭城。负约，更立沛公为汉王，王巴、蜀、汉中，都南郑。三分关中，立秦三将：章邯为雍王，都废丘；司马欣为塞王，都栎阳；董翳为翟王，都高奴。

注释：

①正月：当时仍用秦历，以"十月"为岁首，此月乃"汉元年"（前206年）的第四个月。

译文：

　　正月，项羽自封为西楚霸王，占有梁、楚一带的九个郡，建都彭城。改变旧约，封沛公为汉王，占有巴郡、蜀郡、汉中一带地区，建都南郑。把关中地区分成了三份，分给了投降他的三位将领：封章邯为雍王，建都废丘；封司马欣为塞王，建都栎阳；封董翳为翟王，建都高奴。

四月,兵罢戏下①,诸侯各就国。汉王之国,项王使卒三万人从②,楚与诸侯之慕从者数万人,从杜南入蚀中。去辄烧绝栈道③,以备诸侯盗兵袭之,亦示项羽无东意。至南郑,诸将及士卒多道亡归,士卒皆歌思东归。韩信说汉王曰:"项羽王诸将之有功者,而王独居南郑,是迁也④。军吏士卒皆山东之人也⑤,日夜跂而望归⑥。及其锋而用之,可以有大功;天下已定,人皆自宁,不可复用。不如决策东乡⑦,争权天下。"

注释:

①戏:戏水。

②"项王"句:刘邦居霸上时有卒十万,今使"三万人从",是项羽已夺去刘邦之兵。

③"去辄"句:此用张良计,目的是麻痹项羽,使其不再防备刘邦。栈道,也称"阁道",山间架木构成的空中通道。

④迁:贬官,下放。

⑤山东:崤山(今河南灵宝东南)以东。

⑥跂(qí):翘起脚跟,以形容思念心情之急切。

⑦东乡:向东方杀出。乡,通"向"。

译文:

　　四月,各路将领从项羽帐下解散,各自去自己的封地。汉王前往汉中时,项羽只让他带走了三万人,此外项羽与其他将领部下愿意跟随汉王入汉中的还有几万人。汉王从杜县城南进入蚀中山路,一路上每通过一段栈道就下令把它烧毁,其目的一方面是免得别人来打汉中,同时也是故意做出他没有回去和项羽争天下的意思。在汉王从咸阳到南郑的一路上,他手下的将领和士兵们纷纷开小差,即便那些留下的人们,唱歌说话也总是带着浓重的思乡情绪。这时韩信对汉王说:"项羽分封有功的将领,而把您放到南郑来,这简直是一种发配。您部下的官兵们都是东方人,他们日夜盼着回家,如能趁着他们当前的这股劲头打回去,肯定可以成大功;如果现在不动,等到日后天下太平,人人贪求安乐,那就没有办法了。不如下定决心现在就打回去,和项羽争天下。"

八月,汉王用韩信之计,从故道还①,袭雍王章邯。邯迎击汉陈仓,雍兵败,还走,止战好畤;又复败,走废丘,汉王遂定雍地。东至咸阳,引兵围雍王废丘②。而遣诸将略定陇西、北地、上郡③。令将军薛欧、王吸出武关,因王陵兵南阳④,以迎太公、吕后于沛。楚闻之,发兵距之阳夏,不得前。

注释:

①故道:即陈仓道,自汉中入褒谷,而北出陈仓(今陕西宝鸡东),是旧有秦蜀通道。

②"引兵"句:围废丘的是樊哙。秦民怨秦已久,又爱刘邦,项羽使秦将王秦而拒刘邦,势必不能,所以章邯虽善战仍屡败。

③"而遣"句:三地皆秦郡名,在甘肃陕北一带,是秦汉时期的西北边境。刘邦尚未出关先定边境稳固根基,很有战略眼光。

④因王陵兵南阳：王陵在南阳以西的丹水归附刘邦后，仍在
当地据守，未随刘邦入武关。

译文：

　　八月，汉王采用韩信的计策，率军从陈仓小道偷偷出来，
袭击雍王章邯。章邯率军与汉王战于陈仓，章邯兵败。章邯
且战且退，退到好畤时，整兵又战，又被打败了，章邯只好逃
回了自己的都城废丘。汉王很快平定了章邯管辖的地面，东
路的前锋已经抵达咸阳。这时汉王一方面派人包围章邯的
都城废丘，一方面又派人西出、北上平定了陇西、北地、上郡。
而后他派薛欧、王吸，率军从南路出武关，与活动在南阳一带
的王陵会师，而后东向沛郡以迎自己的父亲太公和妻子吕
后。楚方闻讯后，派兵到阳夏挡住了薛欧、王陵的军队。

　　二年，汉王东略地①，塞王欣、翟王翳、河南王
申阳皆降②。

注释：

①二年：刘邦为汉王的第二年，前205年。
②"塞王欣"句：塞、翟之降在元年八月，在雍王之败后望风
　而降。

译文：

　　汉二年，汉王率军正面向东进军，这时塞王司马欣、翟王
董翳，以及河南王申阳都望风而降。

　　二月，令除秦社稷，更立汉社稷①。

注释:

①"令除秦"二句:更立社稷表示一个新王朝的开始。可见刘邦规模宏远。

译文:

二月,汉王下令拆掉了咸阳秦朝的社稷坛,而另建立了一个汉王朝的社稷坛。

三月,新城三老董公遮说汉王以义帝死故①。汉王闻之,袒而大哭②。遂为义帝发丧,临三日③。发使者告诸侯曰:"天下共立义帝,北面事之。今项羽放杀义帝于江南④,大逆无道。寡人亲为发丧,诸侯皆缟素⑤。悉发关内兵,收三河士⑥,南浮江、汉以下⑦,愿从诸侯王击楚之杀义帝者⑧。"

注释:

①三老:乡官名,掌教化。遮说汉王以义帝死故:董公劝刘邦打出讨伐项羽杀义帝的旗号东征。遮说,拦路劝说。

②袒:脱掉衣袖。

③临:哭吊。这只是刘邦的一种姿态,借此激怒天下,不是真哀痛之。

④放杀:放逐,杀害。

⑤缟(gǎo)素:这里指孝服。

⑥三河士:指河东、河内、河南的三郡之众,当时此三郡已皆为刘邦占领。

⑦南浮江、汉以下:此处似有脱略,其意盖谓关中军与三河士

大举东下,此北路之军;而南路军则自江、汉顺水东下。

⑧"愿从"句:说"从诸侯王""击楚之杀义帝者",见刘邦辞令
得体。

译文:

　　三月,新城县的三老董公拦着马头告诉汉王义帝已被项
羽杀害了。汉王一听,立刻袒露臂膀大哭起来,他为义帝设
祭哭吊了三天,而后派使者四出通告各路诸侯,说:"义帝是
我们共同拥立的,我们都是他的臣子。现在项羽居然把义帝
流放到了江南又把他杀掉,真是大逆不道。我已经亲自为义
帝发丧设祭,诸侯们也都披麻戴孝了。现在我要调动关中的
全部军队,再收集河南、河东、河内的士兵,沿着汉水、长江顺
流而下,跟着你们各路诸侯去共同讨伐那个杀害义帝的
家伙。"

　　是时项王北击齐,虽闻汉东,既已连齐兵①,欲
遂破之而击汉。汉王以故得劫五诸侯兵②,遂入彭
城。项羽闻之,乃引兵去齐,从鲁出胡陵,至萧,与
汉大战彭城灵壁东睢水上,大破汉军,多杀士卒,
睢水为之不流。乃取汉王父母妻子于沛,置之军
中以为质。当是时,诸侯见楚强汉败,还皆去汉复
为楚。

注释:

①连齐兵:与齐交战。

②劫五诸侯兵:即统率天下军队。劫,控制,统领。

译文：

　　这时项羽正率兵在北面与齐国作战，已经听到汉王向东方杀来的消息，但既然这里已经与齐国开战，就想先把齐国灭掉再去对付汉王。而汉王则正好趁着这个机会，挟持着其他各地的诸侯一举攻入了彭城。项羽听说彭城失守，立即率兵离开齐国，经由曲阜、胡陵，到达萧县，与汉王大战于彭城灵壁以东的睢水上，汉王大败，尸横遍野，以致把睢水堵塞得都不流了。而且项羽还把汉王的父亲与妻子吕后从沛县逮了来，带在军中当作人质。这时候，许多诸侯一见楚强汉败，遂又纷纷离开了汉王投奔项羽。

　　吕后兄周吕侯为汉将兵，居下邑①，汉王从之。稍收士卒，军砀②。汉王乃西过梁地，至虞③，使谒者随何之九江王布所④，曰："公能令布举兵叛楚，项羽必留击之。得留数月，吾取天下必矣。"随何往说九江王布，布果背楚⑤。

注释：

①"吕后"二句：周吕侯，名泽，吕后之兄，以佐刘邦开国功，后被刘邦封为周吕侯。下邑：秦县名，在彭城的正西偏北，今安徽砀山东。

②砀(dàng)：砀县，县治在今河南夏邑东南。

③虞：秦县名，县治在今河南虞城北。

④谒者：官名，帝王身边主管赞礼与收发传达的官员。

⑤布果背楚：黥布叛楚归汉使项羽失去侧翼援助，对汉大为有利。

译文：

　　这时吕后的哥哥吕泽正为汉王率兵驻扎在下邑县。汉王到他那里后，又逐渐地收起一些散兵，领着他们驻扎在砀县。接着汉王经由梁地西行，到了虞县。他打发谒者随何去六县游说九江王英布说："你要能说动英布叛变项羽，项羽必然就得留下来对付英布。只要能拖住他几个月，我就能趁此夺得天下。"于是随何到六县一鼓动，英布果然背叛了项羽。

　　汉王军荥阳南，筑甬道属之河①，以取敖仓②。与项羽相距岁馀③。项羽数侵夺汉甬道，汉军乏食，遂围汉王。汉王请和，割荥阳以西者为汉。项王不听。汉王患之，乃用陈平之计，予陈平金四万斤，以间疏楚君臣。于是项羽乃疑亚父。亚父是时劝项羽遂下荥阳④，及其见疑，乃怒，辞老⑤，愿赐骸骨归卒伍⑥，未至彭城而死。

注释：

①甬道：两侧筑有防御工事的通道，以防止敌方攻击抄掠也。属(zhǔ)：连接。

②敖仓：秦朝在荥阳西北敖山上所筑的大粮仓。

③相距岁馀：刘邦自二年五月彭城溃退后坚守荥阳一线，至此三年四月被项羽围困于荥阳，正好一年。距，通"拒"。

④遂下荥阳：趁热打铁地一举攻下荥阳。

⑤辞老：以自己年老无用为辞。或曰，即"告老归田"。老，也称"致仕"。

⑥赐骸骨：请求解职归田的宛转说法。归卒伍：即回家为民。
卒伍，古代乡里的基层编制。

译文：

　　汉王带领军队驻扎在荥阳城南，他们修筑了一条甬道一直通到黄河边上，以取用敖仓里的粮食，就这样和项羽对峙了一年多。后来项羽多次地攻断甬道，汉军粮草供应不上了，接着他们又陷入包围。汉王无奈只好向项羽求和，其条件是让他享有荥阳以西的地盘。项羽不答应。汉王很着急，就采用了陈平的计策，给了陈平四万斤金，让他去离间项羽与其部下的关系。结果很快地项羽就对范增起了疑心。这时范增正劝项羽赶紧拿下荥阳，当他发现项羽已经对他生疑时，就生气地以年老为名请求解职归田，结果还没有走到彭城就病死了。

　　汉军绝食，乃夜出女子东门二千馀人，被甲①，楚因四面击之。将军纪信乃乘王驾，诈为汉王诳楚②，楚皆呼万岁，之城东观，以故汉王得与数十骑出西门遁。

注释：

①"乃夜出"二句：使出城女子化装为士兵，以吸引楚军往攻，此陈平之计。

②诈为汉王诳(kuáng)楚：纪信装作刘邦出荥阳东门出降项羽，以掩护刘邦从西门逃跑，自己被项羽所杀。诳，欺骗。

译文：

　　这时被包围在荥阳的汉军已经断粮，于是汉王抓来两千妇人让他们穿上士兵的铠甲,把她们推出了东门,楚兵一见,立即把她们包围起来,四面攻杀。与此同时将军纪信坐着帝王的车子冒充汉王去向项羽投降,楚兵一见都高兴地大呼万岁,拥到东门观看,而汉王则趁着这个机会带着几十个随从开西门逃跑了。

项羽闻汉王在宛,果引兵南。汉王坚壁不与战。是时彭越渡睢水①,与项声、薛公战下邳①,彭越大破楚军。项羽乃引兵东击彭越,汉王亦引兵北军成皋。项羽已破走彭越,闻汉王复军成皋,乃复引兵西,拔荥阳,遂围成皋。

注释:

①渡睢水:谓渡睢水而东。

译文:

　　项羽听说汉王到了宛城,果然引兵南下。而汉王却坚壁清野不和他开战。这时彭越渡过睢水,与项声、薛公战于下邳,大破楚军。项羽闻讯后只好率军东下讨伐彭越,汉王则趁机率兵北上回到了成皋。待至项羽打败赶走了彭越后,听说汉王已经回到了成皋,便又引兵西下,先攻克了荥阳,接着进兵包围了成皋。

汉王跳①,独与滕公共车出成皋玉门,北渡河,驰宿脩武②。自称使者,晨驰入张耳、韩信壁③,而夺之军。汉王得韩信军,则复振。

注释：

①跳：凡轻装减从而疾走。

②脩武：秦县名，即今河南获嘉，韩信、张耳破赵后驻兵于此。

③壁：军营。

译文：

　　汉王独自一人，让滕公给他赶着车子逃出了成皋北面的玉门，向北渡过了黄河，来到了脩武住宿下来。第二天一早他假称是汉王派来的使者闯进了张耳、韩信的军营，夺取了他们的军队。汉王夺取了韩信、张耳的军队后，又振作起来。

　　楚、汉久相持未决①，丁壮苦军旅，老弱罢转饷②。汉王项羽相与临广武之间而语③。项羽欲与汉王独身挑战。汉王数项羽，项羽大怒，伏弩射中汉王。汉王伤匈，乃扪足曰："虏中吾指！"④汉王病创卧，张良强请汉王起行劳军，以安士卒，毋令楚乘胜于汉。汉王出行军⑤，病甚，因驰入成皋。

注释：

①楚、汉久相持：楚、汉自汉二年五月相持于荥阳一带，至此已一年零五个月。

②罢转饷：疲敝于运送粮饷。罢，通"疲"。

③广武之间：即广武涧。

④"汉王"三句：刘邦怕军心动摇，所以谎称伤足，应变之快非常人所及。匈，通"胸"。指，通"趾"。

⑤行军:视察、检阅军队。行,巡视。

译文:

　　这时中路战场楚、汉双方已经相持几年了,当时青壮年男人被迫当兵打仗,老弱也都被拉去送运粮草,吃尽了战乱的苦头。有一天项羽和汉王隔着广武涧对话,项羽提出要和汉王单打独斗决一生死。汉王数落项羽的罪行,项羽大怒,他让预先埋伏的弓弩手开弓,一箭射中了汉王的胸膛,汉王中箭后机灵地弯腰下去抚摸着脚说:"这个奴才射中我的脚!"汉王中箭后躺在床上不能动,张良过来一定要他出去劳军,目的是让士兵们安心,同时也是向楚军显示汉王无恙,免得他们乘胜发动进攻。汉王出来在军前走了一趟,实在坚持不住了,便乘车进入了成皋。

　　项羽数击彭越等,齐王信又进击楚。项羽恐,乃与汉王约,中分天下,割鸿沟而西者为汉,鸿沟而东者为楚。项王归汉王父母妻子,军中皆呼万岁①,乃归而别去②。

注释:

①军中皆呼万岁:此军应指刘邦之军;然指项羽之军亦可,指刘、项双方之军亦可。

②乃归而别去:意思含浑,可指"汉王父母妻子",亦可指刘、项结约之双方。按:刘、项订鸿沟之约,在汉四年八月;楚归汉王父母妻子,在汉四年九月。

译文:

　　项羽本来早就为了打彭越而多次东归,现在韩信又南下逼近楚境。项羽害怕了，于是与汉王订立条约，把天下一分为二，划鸿沟以西归汉王，鸿沟以东归项羽。项羽把汉王的父亲和妻子放了回去，汉王军中一见都欢呼万岁，于是楚、汉双方分别撤军而归。

项羽解而东归。汉王欲引而西归，用留侯、陈平计①，乃进兵追项羽，至阳夏南止军，与齐王信、建成侯彭越期会而击楚军②。至固陵③，不会。楚击汉军，大破之。汉王复入壁，深堑而守之。用张良计④，于是韩信、彭越皆往。及刘贾入楚地，围寿春，汉王败固陵，乃使使者召大司马周殷举九江兵而迎武王⑤，行屠城父，随刘贾、齐梁诸侯皆大会垓下⑥。

注释：

①用留侯、陈平计：张良、陈平劝刘邦趁项羽衰败、无备之机，进兵一举消灭之。

②期会：约期会师。

③固陵：秦县名，在当时的阳夏县（今河南太康）南。项羽自荥阳撤兵回彭城本来不须经过固陵，但因为彭越已占领梁地，故项羽不得不绕道而行。

④张良计：即给韩信、彭越等预划地盘，令其各为自战。

⑤"汉王"二句：此句不顺，"败固陵"三字疑是衍文。周殷，原是项羽的部将，官任大司马，在被刘贾围困于寿春的时候被刘邦派人招降。迎武王，即迎回黥布。

⑥大会垓下：从止军阳夏南至此都是汉五年冬之事，此误书
于四年。垓下，古邑名，在今安徽灵璧东的沱河北岸。

译文：

项羽撤兵东归，汉王也想撤兵西回，后来采纳了张良、陈
平的计谋，进兵追击项羽，一直追到阳夏南才停下来。汉王
本来是和齐王韩信、建成侯彭越等一起约定好共同进击项羽
的，结果等汉王到达固陵时，韩信、彭越等各路兵马都未到。
项羽回头迎击汉王，汉王又被打得大败。汉王失败后躲进营
盘，深沟高垒坚守不出。采用了张良的计策，才把韩信、彭越
等都叫了过来。在此以前刘贾已经率军进入楚地，包围了寿
春，汉王在固陵失败后，派人去游说项羽的大司马周殷，让他
带着九江的兵力去迎接淮南王英布。他们中途屠灭了城父
县，而后跟着刘贾和齐梁地的诸侯们一起会师于垓下。

五年①，高祖与诸侯兵共击楚军，与项羽决胜
垓下。淮阴侯将三十万自当之，孔将军居左，费
将军居右②，皇帝在后，绛侯、柴将军在皇帝后③。
项羽之卒可十万。淮阴先合④，不利，却⑤；孔将
军、费将军纵⑥，楚兵不利。淮阴侯复乘之⑦，大
败垓下⑧。项羽卒闻汉军之楚歌，以为汉尽得楚
地，项羽乃败而走，是以兵大败。使骑将灌婴追
杀项羽东城⑨，斩首八万，遂略定楚地。鲁为楚坚
守不下⑩，汉王引诸侯兵北，示鲁父老项羽头，鲁
乃降。

注释：

①五年：前202年。前文所述韩信、彭越、刘贾、黥布诸军之会垓下，皆汉五年十月、十一月事。

②费将军：陈贺，韩信的部将，后封费侯。

③绛侯：周勃，刘邦的开国元勋。

④合：交锋。

⑤不利，却：假装失败，后撤。

⑥纵：出击。

⑦乘：加，陵。

⑧大败垓下：此刘邦、项羽间的最后关键一战。

⑨东城：秦县名，在今安徽定远东南。

⑩鲁为楚坚守不下：因项羽曾被楚怀王封为鲁公，故鲁县（即今山东曲阜）为之坚守。

译文：

汉五年，高祖与各路诸侯的大军共同与项羽决战于垓下。韩信率领着三十万人马正面对着项羽，孔将军在左翼，费将军在右翼。皇帝在韩信的后面，周勃、柴武在皇帝的后面。这时项羽的军队大约有十万人。韩信在正面先对项羽开战，但很快做出不敌的样子，向后撤退；而孔将军、费将军在两翼向前进兵，项羽的形势不利了。韩信又回头从正面压了过来，大破楚军于垓下。这时项羽的士兵夜间听到汉军唱的都是楚地歌谣，以为楚地都被汉军占领了，所以项羽溃败逃走，楚兵不可收拾。高祖派骑将灌婴紧紧追赶，击杀项羽于东城，整个战役杀死楚兵八万人，楚地遂告平定。这时只有曲阜还在为项羽坚守，高祖带着各路大军北归到达曲阜，拿着项羽的人头给曲阜坚守的人们看，人们这才投降了高祖。

正月,诸侯及将相相与共请尊汉王为皇帝。汉王三让,不得已,曰:"诸君必以为便,便国家。"甲午①,乃即皇帝位氾水之阳②。

注释:
①甲午:汉五年(前 202 年)的阴历二月初三。
②氾水之阳:这里是指定陶县(今山东定陶西北)城北的氾水
　北岸。
译文:
　　这年的正月,各路诸侯与汉王部下的将相们一同请汉王
即位为皇帝。汉王推让了好几回,实在推辞不掉了才说:"既
然你们认为我做皇帝对国家有好处,那我就服从吧。"于是在
甲午那一天,汉王正式即位于氾水之北。

高祖置酒雒阳南宫。高祖曰:"列侯诸将无敢隐朕,皆言其情。吾所以有天下者何?项氏之所以失天下者何?"高起、王陵对曰:"陛下慢而侮人,项羽仁而爱人。然陛下使人攻城略地,所降下者因以予之,与天下同利也。项羽妒贤嫉能,有功者害之①,贤者疑之;战胜而不予人功,得地而不予人利,此所以失天下也。"高祖曰:"公知其一,未知其二。夫运筹策帷帐之中②,决胜于千里之外,吾不如子房;镇国家,抚百姓,给馈饷③,不绝粮道,吾不如萧何;连百万之军,战必胜,攻必取,吾不如韩

信。此三者，皆人杰也，吾能用之，此吾所以取天下也。项羽有一范增而不能用，此其所以为我擒也④。"

注释：

①害：嫉恨。

②筹策：古代计算数目时所用的筹码，后用为"谋划"之义。

③给馈饷：供应前方粮食。

④"此其"句：这是对楚汉战争成败原因的一个总结，也可见刘邦自负其胆略。

译文：

高祖在洛阳南宫大宴群臣，在宴会上说："你们各位诸侯将领，都对我说真话。你们说我为什么能取得天下，项羽为什么丢了天下？"高起、王陵回答说："虽然您傲慢爱侮辱人，项羽为人宽厚，但您派人出去攻城占地时，谁获得了什么，您就顺势赏给他，这叫'与天下同利'。而项羽则妒贤嫉能，谁有功他嫉恨谁，谁有本事他怀疑谁；打了胜仗的他不奖励，得了土地的他不赏赐，这就是他丢失天下的原因。"高祖说："你们只知其一，不知其二。要讲运筹帷幄，决胜千里，我不如张良。要讲镇守后方，安抚百姓，给前方运粮草，保证供应不断，我不如萧何。要讲统兵百万，战必胜，攻必取，我不如韩信。这三个都是人中的豪杰，我能够重用他们，这才是我所以得天下的原因。而项羽只有一个范增他还不能用，所以他最后被我所收拾。"

高祖欲长都雒阳，齐人刘敬说①，及留侯劝上

入都关中,高祖是日驾,入都关中②。六月,大赦
天下。

注释:

①刘敬:本姓"娄",原是一个服徭役的人,因劝说刘邦迁都关
　中而得到刘邦赞赏,于是被赐姓"刘"。

②"高祖"二句:刘敬始劝刘邦,刘邦未予注意;张良趁势再
　劝,刘邦遂采纳二人建议,当日迁往关中。刘邦迁其政权
　机构于关中后,开始都于栎阳(今陕西渭南西北),未央宫
　建成后始迁入长安。

译文:

　　高祖本想永远地建都洛阳,后来齐人刘敬劝他入都关
中,再加上张良也是这么说,于是高祖很快地就迁到关中去
了。这年六月,刘邦宣布实行大赦。

(十一年)春,淮阴侯韩信谋反关中①,夷三族。

注释:

①"淮阴侯"句:韩信被刘邦袭捕于陈郡后,免去楚王,赦为淮
　阴侯,在长安闲居,至今五年。陈豨反汉于代时,据说韩信
　欲乘机为乱于长安,被吕后等骗进宫中杀害。

译文:

　　高祖十一年春天,淮阴侯韩信在关中谋反,被诛灭三族。

夏,梁王彭越谋反,废迁蜀;复欲反,遂夷三

族^①。立子恢为梁王，子友为淮阳王^②。

注释：

①遂夷三族：刘邦北讨陈豨，征彭越同往，彭越称病，被刘邦袭捕，流放蜀郡，中途被吕后带回杀害。

②"立子恢"二句：刘邦立国后杀了大部分异姓诸侯王，分立自己子侄为王。

译文：

这年夏天，梁王彭越谋反，被废除王位流放蜀地；他又想谋反，于是被诛灭三族。高祖立儿子刘恢为梁王，刘友为淮阳王。

秋七月，淮南王黥布反^①，高祖自往击之，立子长为淮南王。

注释：

①淮南王黥布反：刘邦杀死彭越后，将其剁为肉酱，分送给诸侯们吃，黥布见此疑惧，遂举兵反。

译文：

这年的秋天七月，淮南王黥布造反，高祖闻讯后亲自率军征讨，同时宣布封自己的儿子刘长为淮南王。

高祖还归，过沛，留。置酒沛宫^①，悉召故人父老子弟纵酒。发沛中儿得百二十人，教之歌。酒酣，高祖击筑，自为歌诗曰："大风起兮云飞扬，威加海内兮归故乡,安得猛士兮守四方②!"令儿皆和习之。高祖乃起舞,慷慨伤怀,泣数行下。谓沛父兄曰:"游子悲故乡,吾虽都关中,万岁后吾魂魄犹乐思沛③。且朕自沛公以诛暴逆,遂有天下,其以沛为朕汤沐邑,复其民④,世世无有所与。"沛父兄诸母故人日乐饮极欢,道旧故为笑乐。十馀日,高祖欲去,沛父兄固请留高祖。高祖曰:"吾人众多,父兄不能给。"乃去。沛中空县皆之邑西献⑤。高祖复留止,张饮三日⑥。沛父兄皆顿首曰:"沛幸得复,丰未复⑦,唯陛下哀怜之。"高祖曰:"丰吾所生长,极不忘耳,吾特为其以雍齿故反我为魏⑧。"沛父兄固请,乃并复丰,比沛。于是拜沛侯刘濞为吴王。

注释:

①沛宫:在沛县为刘邦建造的行宫。

②安得猛士兮守四方:自汉灭楚后,韩信、彭越、黥布及诸将诛死殆尽,刘邦四顾寂寥,此歌语壮而意悲。

③乐思沛:"乐"、"思"二动词叠用,谓思念、爱恋故乡。

④复其民:免除该地居民的一切赋税、劳役。

⑤献:谓献牛酒。

⑥张饮:搭设帐篷,相聚而饮。张,同"帐"。

⑦"沛幸"二句:秦时的"丰邑"是沛县境内的一个乡镇,至刘邦建国后,将"丰邑"上升为县,故此处遂与"沛"对称。

⑧"吾特为"句:雍齿原是刘邦的部将,为刘邦守丰,结果雍齿

降魏，并据丰以反刘邦。特，只不过。

译文：

　　高祖移驾北归，路过沛县时，他停下来。他在自己的老宅子里摆酒，招待昔日的亲朋故旧。他从沛县城里找来一百二十个青少年，教给他们唱歌。等大家喝到兴高采烈时，高祖一边击筑，一边自己作歌道："大风起兮云飞扬，威加海内兮归故乡，安得猛士兮守四方！"他让那一百二十名青少年都跟着唱。接着高祖又起来跳了一回舞，他伤心慷慨，泪珠滚滚而下。他对沛县的父老们说："游子思故乡。我今天虽然建都于关中，但我死后魂灵还是想念沛县的。再说我是以沛县县令身份起家讨伐暴逆，夺得天下的，我要以沛县作为我的汤沐邑，免除这个县里人们的劳役税，并且让他们以后世世代代都不纳税。"沛县的父老亲朋故旧们一起和高祖欢欢喜喜地谈笑了十来天。高祖告辞要走，大家执意请他再住几天。高祖说："我部下的人多，你们供应不起。"于是起驾上路。沛县的父老们倾城出动，大家都拿着东西到城西向高祖进献。高祖见此情景，便又停下来一起畅饮了三天。沛县的父老们说："沛县的税是免了，但丰邑还没有豁免，请您可怜他们，把他们的税也免了吧。"高祖说："丰邑本是我出生的地方，我绝忘不了它，我所恨的是当年他们居然跟着雍齿投靠魏人而反我。"沛县的父老们再三请求，于是高祖便把丰邑的劳役税也豁免了，让他们和沛县享受同样的待遇。也就在这个时候，高祖封他的侄子沛侯刘濞做了吴王。

　　汉将别击布军洮水南北[①]，皆大破之，追得斩布鄱阳[②]。

注释:

①洮水:当是沘水。沘水今作"淠水",源于大别山,经霍山、
　六安入淮河。
②斩布鄱阳:黥布战败后逃走江南,被长沙王吴臣所骗,杀黥
　布于鄱阳。

译文:

　　高祖派去追击英布的将领们追到洮水两岸,大破英布军,接着追到鄱阳县斩杀了英布。

　　高祖击布时,为流矢所中,行道病。病甚,吕后迎良医,医入见。高祖问医,医曰:"病可治①。"于是高祖嫚骂之曰:"吾以布衣提三尺剑取天下,此非天命乎?命乃在天,虽扁鹊何益!"遂不使治病,赐金五十斤罢之。已而吕后问:"陛下百岁后,萧相国即死,令谁代之?"上曰:"曹参可。"问其次,上曰:"王陵可。然陵少戆②,陈平可以助之。陈平智有馀,然难以独任。周勃重厚少文③,然安刘氏者必勃也,可令为太尉④。"吕后复问其次,上曰:"此后亦非而所知也。"

注释:

①病可治:婉词,实即不能治了。
②少戆(zhuàng):稍有点粗直,认死理。戆,憨厚刚直。
③重厚少文:沉着厚道,而不善花言巧语。
④太尉:秦汉时的"三公"之一,掌全国军事。

译文：

　　高祖讨伐英布时，曾被流矢射中，回来的时候，半道上就顶不住了。后来越发厉害，吕后请来名医为他治疗。医生看过之后，高祖问病情如何，医生说："还可以治好。"高祖一听谩骂起来："我以一个平民的身份，提三尺剑打出了天下，这不都是天命吗？命由天定，即使是神医扁鹊，对我又能起什么作用！"于是就不让医生再治，而给了他五十斤金，把他打发走了。过了一会儿，吕后问高祖："你百年之后，如果萧何死了，让谁接续当宰相呢？"高祖说："可以用曹参。"吕后又问："曹参以后呢？"高祖说："可以用王陵。但王陵有些鲁莽，可以让陈平帮他。陈平智谋不少，但难以独当大任。而周勃虽然学问不足，但日后能捍卫刘氏政权的必定是他。"吕后还要再问以后的事情，高祖说："再往后也不是你能知道的了。"

四月甲辰①，高祖崩长乐宫。

注释：

①四月甲辰：汉之十二年，阴历四月二十五。

译文：

　　这年四月的甲辰日，高祖病逝于长乐宫。

世　家

孔子世家

　　《孔子世家》记述了孔子一生所从事的种种活动，介绍并高度评价了他的思想学说，对其坎坷周流、困顿不遇的一生，寄寓了极大的惋惜和同情。司马迁对孔子顽强刻苦、虚心好学的精神和他那种渊博的知识学问，以及他为研究整理古代文献所付出的巨大努力与他所取得的丰富成果，表现了极大的敬仰与赞佩之情。司马迁认为孔子是我国古代足以称为"周公第二"的大圣人、大学者，并立志以孔子为楷模，要写"第二部《春秋》"，要做"孔子第二"。孔子有宏伟的政治理想，并有将这种理想付诸实践的政治才干，作品中对此有充分表现，但客观形势总是对孔子不利，以至于使他到处碰壁，司马迁对此表现了无比的愤慨与同情。《孔子世家》的悲剧气氛与整个《史记》的悲剧气氛相一致。孔子那种百折不挠、锲而不舍，宁知其不可为而为之，以及他那种不改变信念，不降低目标，绝不与恶势力同流合污的奋斗精神，使司马迁极为赞赏。在这篇作品里，司马迁塑造了一个他心目中所理想的古代士人的悲剧形象。

　　《孔子世家》是司马迁根据《论语》、《左传》、《孟子》、《礼记》等书中旧有的资料加以排比、谱列而成的。这项谱列工作在很大的程度上是出于司马迁的独创，因为迄今为止，我们还没有发现先秦的古籍中有过孔子的传记或是年谱一类的东西，因此《孔子世家》就成了远从汉代以来研究孔子思想生平的最重要的依据之一，在我国学术史上有着极其重要的地位。

孔子生鲁昌平乡陬邑①。其先宋人也②，曰孔
防叔。防叔生伯夏，伯夏生叔梁纥。纥与颜氏女
野合而生孔子③，祷于尼丘得孔子④。鲁襄公二十
二年而孔子生⑤。生而首上圩顶⑥，故因名曰"丘"
云。字仲尼，姓孔氏。

注释：

①陬（zōu）邑：古邑名，即今山东曲阜东南之陬村。

②宋：西周初期建立的诸侯国名，始封之君为殷纣王之庶兄
　　微子启。

③颜氏女：据《孔子家语》此女名"徵在"。野合：未经婚嫁而
　　交合。

④祷：谓祭祀祈祷以求子也。尼丘：即曲阜东南的尾山。

⑤鲁襄公二十二年：前551年。孔子生：还有一种说法说孔
　　子生于鲁襄公二十一年。

⑥圩（yú）顶：头顶凹陷。

译文：

　　孔子生在鲁国昌平乡的陬邑。他的祖先是宋国人，叫孔
防叔。孔防叔生了伯夏，伯夏生了叔梁纥。叔梁纥与颜家的
一个女子私通生了孔子。据说是祈祷于尼丘山而得孔子的。
鲁襄公二十二年孔子降生，脑袋长得中间凹四面高，因此他
的母亲给他取名叫丘，字仲尼，姓孔。

　　丘生而叔梁纥死①，葬于防山②。防山在鲁
东，由是孔子疑其父墓处，母讳之也③。孔子为儿

嬉戏,常陈俎豆④,设礼容⑤。孔子母死,乃殡五父之衢⑥,盖其慎也。陬人挽父之母诲孔子父墓⑦,然后往合葬于防焉。

注释:

① 丘生而叔梁纥（hé）死:有日孔子生三岁而梁纥死。

② 防山:又名笔架山,在今山东曲阜东。

③ 讳:不愿说。可能是徵在以野合生子为耻而不愿说。

④ 俎（zǔ）:形如几案,用以盛放祭祀用的牛羊豕。豆:形如镫,用以装带汁的祭品。

⑤ 设礼容:此言孔子自幼时即与他儿不同,天生好礼。

⑥ 殡:停柩。这里指临时埋葬。五父之衢:当时曲阜城里的街道名。

⑦ 诲:教导,告知。

译文:

孔丘降生不久叔梁纥就死了,埋在防山。防山在鲁国东部,但是孔子始终不知道父亲埋在什么地方,因为他的母亲故意不告诉他。孔子小时候做游戏,常常摆放各种祭器,模仿大人祭祀的礼仪。孔子的母亲死后,孔子就把她的灵柩停放在五父之衢,是因为还没有找到父亲的墓地而谨慎等待的缘故吧。后来陬邑人挽父的母亲告诉了孔子他父亲坟地的地点,孔子才把母亲的灵柩送到防山与父亲合葬在一起。

孔子年十七①,鲁大夫孟釐子病且死,诫其嗣懿子曰:"孔丘,圣人之后②,灭于宋③。其祖弗父何始有宋而嗣让厉公④。及正考父佐戴、武、宣公,三命

兹益恭⑤,故鼎铭云:'一命而偻⑥,再命而伛⑦,三命
而俯,循墙而走⑧,亦莫敢余侮。饘于是⑨,粥于是,
以糊余口。'其恭如是。吾闻圣人之后,虽不当世⑩,
必有达者。今孔丘年少好礼,其达者欤?吾即没,
若必师之。"及釐子卒,懿子与鲁人南宫敬叔往学礼
焉⑪。是岁⑫,季武子卒,平子代立⑬。

注释:

①孔子年十七:时当鲁昭公七年,前535年。

②圣人:"圣人"指正考父。正考父所以能称"圣人",即因有
　下面所述之名言。

③灭于宋:指孔子六世祖孔父嘉为华督所杀,其子奔鲁。

④弗父何始有宋而嗣让厉公:弗父何是西周时人,宋湣公之
　嫡子,宋厉公之兄,让国于厉公。此与《宋世家》讲湣公卒,
　其子鲋祀(即厉公)弑炀公自立不同。

⑤三命:一命为士,再命为大夫,三命为卿。兹益:越发。兹,
　通"滋",更加。

⑥偻:躬身弯腰。

⑦伛:与下文的"俯"都是弯腰的意思,其程度依次较"偻"
　更深。

⑧循墙而走:言不敢安然行于路中,盖谨慎之极也。

⑨饘(zhān):稠粥。这里用如动词,意即煮稠粥。

⑩当世:当政,治国。

⑪"懿子"句:这是后来的事,大约在昭公二十四年(前518
　年),孔子时为三十四岁。南宫敬叔,孟釐子之子,懿子弟。

⑫是岁:指孔子十七岁这一年,昭公七年,前535年。

⑬平子代立：此事及懿子与南宫敬叔学礼事均在昭公二十四
年（前 518 年），时孔子三十四岁，司马迁误认为二事与孟
釐子死都是孔子十七岁时事。

译文：

孔子十七岁的时候，鲁国大夫孟釐子病重，临终告诫他
的儿子孟懿子说："孔丘是圣人的后代，他的先祖在宋国灭
败。孔子的九世祖弗父何本来应该享有宋国却让给了宋厉
公。弗父何的曾孙正考父先后辅佐过宋戴公、宋武公、宋宣
公三代，曾受过三次晋封的任命，而他的表现却是地位越高
为人越谦逊。因此他家一个鼎上刻的铭文说：'第一次听到
任命我鞠躬而受，第二次听到任命我弯腰而受，第三次听到
任命我俯首而受。顺着墙根走，别说这么无用，到头来也没
有人给我气受。我每天一碗稀饭一碗粥，就靠着这个糊
口。'他谦恭得就是这个样子。我听说凡是圣人的后代，即
便不能为政治国，也一定会才德显达。现在孔丘从小就喜
好礼仪，难道他不是才德显达的人吗？我就要死了，你一定
要去拜他为师。"孟釐子死后，孟懿子和鲁国人南宫敬叔便
前往孔子处学礼。也就在这一年，季武子死了，季平子代立
为卿。

其后定公以孔子为中都宰①，一年，四方皆则
之。由中都宰为司空，由司空为大司寇②。

注释：

①中都宰：中都地方的行政官。中都，鲁邑名，在今山东汶
上西。

②大司寇：掌管诉讼司法的最高长官。

译文：

　　鲁定公叫孔子做了中都的地方官，一年之间大见成效，周围的地方官们都以他为榜样。很快地孔子也就由中都宰被提升到鲁国朝廷做了司空，又由司空晋升为大司寇。

　　定公十年春①，及齐平②。夏，齐大夫黎锄言于景公曰："鲁用孔丘，其势危齐。"乃使使告鲁为好会，会于夹谷③。鲁定公且以乘车好往④。孔子摄相事⑤，曰："臣闻有文事者必有武备，有武事者必有文备。古者诸侯出疆，必具官以从，请具左右司马⑥。"定公曰："诺。"具左右司马。会齐侯夹谷，为坛位，土阶三等⑦，以会遇之礼相见⑧，揖让而登。献酬之礼毕⑨，齐有司趋而进曰："请奏四方之乐⑩。"景公曰："诺。"于是旍旄羽袚矛戟剑拨鼓噪而至⑪。孔子趋而进，历阶而登⑫，不尽一等⑬，举袂而言曰⑭："吾两君为好会，夷狄之乐何为于此！请命有司！"有司却之⑮，不去，则左右视晏子与景公⑯。景公心怍⑰，麾而去之。有顷，齐有司趋而进曰："请奏宫中之乐。"景公曰："诺。"优倡侏儒为戏而前⑱。孔子趋而进，历阶而登，不尽一等，曰："匹夫而营惑诸侯者罪当诛⑲！请命有司！"有司加法焉，手足异处⑳。景公惧而动，知义不若，归而大恐，告其群臣曰："鲁以君子之道辅其君，而子独以夷狄之道教寡人，使得罪于鲁君，为之奈何？"有司进对曰："君子有过则谢以质㉑，小人有过则谢以文㉒。君若悼之㉓，则谢以质。"于是齐侯乃归所侵鲁之郓、汶阳、龟阴之田以谢过㉔。

注释：

①定公十年：前500年，是年孔子五十二岁。

②平：也叫"成"，指国与国间为结束敌对状态，恢复和平友好而订立盟约。

③夹谷：地名，有说即今山东莱芜南的夹谷峪。

④乘车：日用的一般车驾，与"兵车"相对而言。好：指无敌意，无戒备。

⑤摄相事：史公之意谓孔子遂由大司寇代行宰相职务。这是史公对孔子当时在鲁国地位的理解。至于事实是否如此，说法不同，多数人认为此"相"是相礼之"傧相"，而非宰相。

⑥具左右司马：即指带领一定数量的武装保卫人员。司马，武官名。然鲁从没有左右司马之官，这也是史公附会。

⑦土阶三等：夯土为阶，坛高三级，极言其简。

⑧会遇之礼：两国国君平等相会的礼节。这是比较简略的礼节。

⑨献酬：献、酬都是"敬酒"的意思。

⑩四方之乐：四境少数民族的舞蹈音乐。

⑪旌（jīng）旄羽袚（fú）矛戟剑拨（fá）：皆武舞中所用的道具。旌，同"旍"，旗类。旄，幢也，其形如宝盖。羽、袚，皆编羽而成，舞者所执。拨，大盾。鼓噪而至：欲劫执鲁君。

⑫历阶:一步一级。古礼登阶应每登一阶并一下脚,此时因事态紧急,没有并脚。

⑬不尽一等:还有一层台阶没有上完,(就开口说话了,)极言其情势之紧急。

⑭举袂(mèi)而言:见其急迫之态。

⑮却:使之离去。

⑯"则左右"句:主语是孔子。又,此处不应述及晏子。晏子代父桓子为大夫,在鲁襄公十七年,是时孔子尚未生。而会于夹谷时,孔子已五十有二,晏子恐未必尚在。《左氏》记晏子事极详,但自鲁昭公二十六年以后,竟无一言一事见于《内》《外》传,其人当在昭公、定公之间已经去世。

⑰怍(zuò):惭愧。

⑱优倡侏儒:古代统治者身边供其玩笑取乐的歌舞、杂戏、滑稽、诙谐等各种人员。侏儒,矮人,古代常使之充当滑稽脚色,供人笑乐。

⑲匹夫:指小人,下等人。营惑:通"荧惑",迷惑,乱人视听。

⑳手足异处:指杀死。

㉑谢:道歉。质:实,实在的东西。

㉒文:指花言巧语,没用的东西,与"实"相反。

㉓悼:痛心,愧悔。

㉔乃归所侵鲁之郓、汶阳、龟阴之田:《左传》于此会还记有孔子拒绝不合理条约之事。若无夸饰,孔子于此会之表现堪称大智大勇。

译文:

鲁定公十年春,鲁国同齐国和解。同年夏天,齐国的大夫黎锄对齐景公说:"鲁国重用孔丘,势必危及齐国。"于是派人去邀请鲁定公来齐国的夹谷进行友好会见。鲁定公准备好车辆随从。孔子这时被任为代理宰相,说:"俗话说办文事也得有武力做后盾,办武事也得有文备。自古以来凡是诸侯离开自己的国家,必须带齐必要的文武官员,请您安排左、右司马一起去。"鲁定公说:"好。"于是让左、右司马跟着一道出发了。到达夹谷与齐侯相会,那里已经修起了台子,台子的边上有三磴土台阶。鲁定公与齐景公按着应有的礼节见面后,彼此推让着登上了台子。互相敬过了酒,齐国有关官员过来请示说:"请允许演奏四方的乐舞。"齐景公说:"好。"于是一群武士举着旗帜,拿着弓弩、矛戟、宝剑等各种武器,大呼小叫地一齐拥到了台下。孔子立刻小步急速地走到了台前,又一步一磴地登台,站上了倒数第二磴台阶,他一挥袖子对着下面喝道:"现在是两国的君主在进行友好会见,这些夷狄的乐舞来干吗!管事的赶快把他们轰出去!"齐国的有关官员示意叫他们退下,可是那些人不退。于是孔子就转过头来左右扫视晏子和齐景公,齐景公自己也觉得理亏,于是就挥手让那些人退了出去。过了一会儿,齐国的有关官员又过来请示说:"请允许演奏宫中的乐舞。"齐景公说:"好。"于是一群歌舞艺人和身材矮小的侏儒立刻拥上前来。孔子一见马上又跑上前去,一步一磴地登台,站上了倒数第二磴台阶说:"匹夫小人凡是胆敢惑乱诸侯视听的,论罪当杀,请有关官员迅速执法!"于是齐国的有关官员只好过去把他们全部腰斩,让他们手足异处。齐景公一看,大为震恐,知道自己的道义敌不住孔子。回去后他害怕地对群臣们说:"鲁国的孔子是用君子之礼来辅佐他们的国君,而你们却用夷狄的那一套,来给我帮倒忙,结果让我得罪了鲁君,我这以后该怎么办?"齐国的有关官员上前说:"君子有了过错就用实际行动来表示悔改;小人有了过错就用粉饰来谢罪。您如果心里真过意不去,那就用具体行动来表示道歉吧。"于是齐景公立即下令把从前侵占的鲁国的郓、汶阳、龟阴等地还给了鲁国以表示认错。

定公十四年①,孔子年五十六,由大司寇行摄相事②,有喜色。门人曰:"闻君子祸至不惧,福至不喜。"孔子曰:"有是言也,不曰'乐其以贵下人'乎③?"于是诛鲁大夫乱政者少正卯④。与闻国政三月,粥羔豚者弗饰贾⑤,男女行者别于涂⑥,涂不拾遗。四方之客至乎邑者不求有司,皆予之以归。

注释:

①定公十四年:前496年。

②"由大司寇"句:"摄"、"行"二字皆谓代理,权任。又,前文已云"摄相事",今又云"行摄相事",前后重复,且鲁之相一直由季氏担任,孔子不可能代理。

③乐其以贵下人:孔子此语答非所问,近于巧辩。

④诛鲁大夫乱政者少正卯:"少正"是官名,其人名"卯"。关于孔子诛少正卯的事情,最早见于《荀子·宥坐》,但后人多疑孔子无此事。

⑤粥:通"鬻"(yù),卖。羔豚:羊、猪。饰:虚增。贾:通"价"。

⑥别于涂:分路行走,各走一边。涂,同"途"。

译文:

鲁定公十四年,孔子五十六岁,这时他又从大司寇被任命为代理宰相,脸上流露出很高兴的神色。他的学生们对他说:"人们常说,君子在大祸临头的时候面无惧色,在福禄降临的时候也面无喜色。"孔子说:"的确有这么一说。不是还有一种说法'君子有了高位能以礼贤下士为乐'吗?"于是孔子掌权后诛杀了扰乱鲁国政局的大夫少正卯。孔子参与鲁国政权仅仅三个月,鲁国那些贩卖羊羔猪仔的人们不再以次充好漫天要价,男女在路上行走时也自觉地分开来各走一边,丢在路上的东西也都没有人拾取。四面八方来到鲁国的客人,用不着到主管官员那里去求告,谁见了都能给他们安排很好的住处。

齐人闻而惧,曰:"孔子为政必霸,霸则吾地近焉,我之为先并矣,盍致地焉①?"黎鉏曰:"请先尝沮之②,沮之而不可则致地,庸迟乎!"于是选齐国中女子好者八十人,皆衣文衣而舞《康乐》③,文马三十驷④,遗鲁君。陈女乐文马于鲁城南高门外⑤。季桓子微服往观再三,将受,乃语鲁君为周道游⑥,往观终日,怠于政事⑦。子路曰:"夫子可以行矣。"孔子曰:"鲁今且郊⑧,如致膰乎大夫⑨,则吾犹可以止。"桓子卒受齐女乐,三日不听政;郊,又不致膰俎于大夫,孔子遂行,宿乎屯⑩。而师己送,曰:"夫子则非罪。"孔子曰:"吾歌可夫?"歌曰:"彼妇之口,可以出走;彼妇之谒⑪,可以死败。盖优哉游哉,维以卒岁!"师己反,桓子曰:"孔子亦何言?"师己以实告。桓子喟然叹曰:"夫子罪我以群婢故也夫!"

注释:

①盍致地焉:此事不见于史书,司马迁在此将孔子的作用夸得过神。

②尝:试。沮:以言语破坏。

③文衣:彩衣。《康乐》:舞曲名。

④文马:带有文采装饰的马。驷:古代称一车四马为"驷"。三十驷即一百二十四。

⑤高门:鲁都曲阜的南门。

⑥周道游:季氏与鲁君因不好明言去城南看齐国女乐,故而说是"到各处走走"。

⑦往观终日,怠于政事:这是因《论语》之言而附会,且与秦穆公离间由馀的计策相似,真实性是很值得怀疑的。

⑧郊:郊祀,在城外举行的祭天活动。

⑨致膰(fán)乎大夫:按照礼节规定,天子或诸侯的祭祀过后,要把祭肉分发给大臣,以表示对这些大臣的尊重。膰,祭肉。

⑩宿乎屯:孔子去鲁在定公十二年,不在此年。屯,鲁邑名,在今山东曲阜之南。

⑪谒:进,进言。

译文:

　　齐国听说了很害怕,说:"鲁国要是真让孔子当了政就一定会称霸;鲁国一旦称了霸,离它最近的是我们齐国,那我们就势必要被他们吞并了。我们何不先割给他一些土地呢?"他的大夫黎鉏说:"我们先想办法阻止,如果阻止不成再给他们割地，这难道还算迟吗！"于是他就在齐国挑选了八十个漂亮女子，穿上华丽的衣服，教会她们跳《康乐》舞；又挑了带斑纹的骏马一百二十匹，一齐给鲁君送了去。到鲁国后他们把这些舞女和骏马先安置在鲁都城南的高门外。季桓子穿着便衣溜到那里去看了好几遍，打算接受下来。就跟鲁君说外出周游视察，却整天在那里观看，无心再想政事了。子路对孔子说："先生可以离开这个国家了。"孔子说："鲁国很快就该到郊外去祭天了，如果祭祀后还能把祭肉分送给大夫们，那我们就还可以留下来。"季桓子终于接受了齐国送来的女乐，并一连三日不过问国家大事，等到郊外祭天的仪式结束后，又不把祭肉分送给大夫们。于是孔子只好离开鲁国，当晚他们寄宿在鲁城南面的屯邑。鲁国的师己为他送行，师己对孔子说："您可没有任何过错呀。"孔子说："我唱首歌给你听听？"于是他就唱道："妇人搬弄口舌，可以害得你四处奔波；妇人在君前告状，可以叫你不死则亡。悠闲啊悠闲，我只有这样安度岁月！"师己回朝后，季桓子问他："孔子临走时说了些什么？"师己如实相告。季桓子叹了一口气说："他是怪我接受了那群女乐啦！"

　　将适陈①，过匡②，颜刻为仆③，以其策指之曰："昔吾入此，由彼缺也。"匡人闻之，以为鲁之阳虎。阳虎尝暴匡人④，匡人于是遂止孔子。孔子状类阳虎，拘焉五日。颜渊后⑤，子曰："吾以汝为死矣。"颜渊曰："子在，回何敢死！"匡人拘孔子益急，弟子惧。孔子曰："文王既没，文不在兹乎？天之将丧斯文也，后死者不得与于斯文也⑥；天之未丧斯文也,匡人其如予何!"孔子使从者为宁武子臣于卫⑦,然后得去⑧。

注释:

①陈:诸侯国名,都城即今河南淮阳。

②匡:卫国邑名,在今河南长垣西。

③颜刻:孔子弟子,或曰当是颜高。

④阳虎尝暴匡人:事在鲁定公六年。时匡为郑邑,鲁侵郑,匡邑城墙有缺口,阳虎从此破墙入城。暴,施暴,肆虐。

⑤颜渊:名回,字渊,孔子最欣赏的学生。后:同行而落在后面,此指随后赶了上来。

⑥后死者:孔子指称自己,与"既没"的文王相对而言。与:参与,掌握。

⑦宁武子:名俞,卫国大夫,颇受孔子敬重。但在宁武子时,孔子未生;在孔子畏匡时,宁氏则族灭已久。或曰此宁武子是孔文子之误。

⑧然后得去:此处记孔子畏于匡事与《论语》所记不太一样。孔子得以脱困,据《庄子》是匡人认识到弄错了人而放了他,《孔子家语》记为弦歌解围,还有谓孔子靠自己辩说得以解围者。

译文:

  孔子准备到陈国去,中途经过卫国的匡邑,颜刻这时给他赶车,颜刻用马鞭子指着城墙说:"我过去曾进过匡邑,就是从那个缺口进去的。"匡人听他这么一说,误认为是鲁国的阳虎又来了,阳虎曾经劫掠过匡邑人,于是匡人就把孔子围困起来。孔子的相貌很像阳虎。一连围困了五天,五天后颜渊赶到,孔子说:"我以为你已经死了。"颜渊说:"您还活着,我怎么能死?"匡人围攻孔子越来越急,弟子们都很害怕。孔子说:"文王死了之后,周代的礼乐不就在我们这里吗? 老天爷要是真想叫周代的礼乐毁坏,那它就不会让我再学;老天爷要是不想叫周代的礼乐毁坏,那匡人又能把我怎么样呢?"后来孔子打发了他的一个学生去给卫国的宁武子做家臣,孔子才得以离开。

灵公夫人有南子者①,使人谓孔子曰:"四方之君子不辱欲与寡君为兄弟者②,必见寡小君③。寡小君愿见。"孔子辞谢,不得已而见之。夫人在绨帷中④,孔子入门,北面稽首⑤。夫人自帷中再拜,环佩玉声璆然⑥。孔子曰:"吾乡为弗见⑦,见之礼答焉。"子路不说,孔子矢之曰⑧:"予所不者⑨,天厌之! 天厌之!"居卫月馀,灵公与夫人同车,宦者雍渠参乘⑩,出,使孔子为次乘⑪,招摇市过之⑫。孔子曰:"吾未见好德如好色者也⑬。"于是丑之,去卫,过曹⑭。是岁,鲁定公卒⑮。

注释:

①南子:据说此女美而淫,偏受灵公之宠。
②不辱:不以为辱,谦词。寡君:对别国人说话时,自称本国的国君曰"寡君"。
③寡小君:称本国的国君夫人曰"寡小君"。
④绨(chī):葛草织品之精者。
⑤稽首:最重的拜见之礼。

⑥环佩玉声璆(qiú)然:隔帷拜答之事不合礼,司马迁此记也
无根据。璆然,佩玉相击声。

⑦乡:通"向",前者。为:将。

⑧矢:起誓。

⑨不:通"否"。

⑩参乘:原指在车上立于国君之旁,为国君担任警卫,这里即
指同车陪侍。

⑪次乘:第二辆车。

⑫招摇:故意显示、卖弄的样子。

⑬"吾未见"句:南子是卫灵公宠幸的女人,雍渠是卫灵公的
男宠,都是"以色待人"者,故孔子有这样的慨叹。

⑭曹:西周初年建立的诸侯国名,都于陶丘,即今山东省定陶
西南。

⑮鲁定公卒:前495年,是年孔子五十七岁。

译文:

卫灵公叫南子的夫人,派人来对孔子说:"各国的君子凡
是来到卫国想跟我们国君建立像兄弟一样的情谊的,一定会
来见见我们的南子夫人。现在我们的南子夫人也想见见
您。"孔子开始时推辞不见,后来不得已只得去了。南子夫人
坐在一层薄薄的纱幕后面。孔子进门后,向着北面叩头,南
子夫人也在纱幕后拜了两拜,她身上的各种佩饰发出叮当的
声响。孔子回来对他的弟子们说:"我本来是不愿意见她的,
后来既已见了,也就只好以礼相答。"子路很不高兴,孔子就
发誓说:"如果我说的不是真心话,那就让老天爷厌弃我,让
老天爷厌弃我!"过了一个来月,卫灵公外出,他和南子夫人
同坐一辆车,让宦官雍渠同车侍候,而让孔子坐在第二辆车
子上,从集市上招摇而过。孔子说:"我还真没见过谁能爱好

道德像爱好女色一样。"于是他感到羞耻，就离开了卫国，到曹国去了。也就在这一年，鲁定公去世了。

孔子去曹适宋①，与弟子习礼大树下。宋司马桓魋欲杀孔子②，拔其树，孔子去③。弟子曰："可以速矣。"孔子曰："天生德于予，桓魋其如予何！"

注释：

①孔子去曹适宋：孔子过宋在鲁哀公三年，应书于后文"吴败越王勾践会稽"之后，不应书于哀公元年之事前。

②司马：主管全国兵事。桓魋（tuí）：宋国的权臣。

③"拔其树"二句："拔其树，孔子去'是'孔子去，拔其树'的倒文。桓魋想杀孔子，赶到后，孔子已去，因此拔掉这棵树表示怨恨。

译文：

后来孔子又离开曹国到了宋国，和弟子们在一棵大树下演习礼仪。宋国的司马桓魋想杀孔子，就派人把那棵大树拔掉了。孔子无法只好领着弟子们又离开了宋国。弟子们催促说："我们还是走快点吧。"孔子说："老天爷已经把品格、责任赋予了我，桓魋又能把我怎么样呢？"

孔子适郑①，与弟子相失，孔子独立郭东门。郑人或谓子贡曰②："东门有人，其颡似尧③，其项类皋陶，其肩类子产④，然自要以下不及禹三寸，累累若丧家之狗⑤。"子贡以实告孔子。孔子欣然笑曰："形状，末也⑥；而谓似丧家之狗，然哉⑦！
然哉！"

注释：

①郑：西周后期建立的诸侯国，始都于棫林，即今陕西华县。
西周灭，东迁，都于新郑，即今河南新郑。

②子贡：姓端木名赐，字子贡，孔子的学生。

③颡(sǎng)：上额。

④子产：即公孙侨，春秋后期郑国的名臣。

⑤累累：垂头丧气的样子。

⑥末：末节，不重要。有的版本作"未"，未必，意佳。

⑦然哉：有人认为适郑被嘲之事不过是传闻，不是事实。

译文：

　　孔子到达郑国时，和弟子们走散了，一个人孤伶伶地站
在外城的东门。有个郑国人对子贡说："东门外有个人，他的
前额有点像唐尧，他的脖子有点像皋陶，他的肩膀有点像子
产，他的下半身比大禹矮三寸，他那萎靡不振的样子活像一
只丧家狗。"子贡找到孔子后就把那个人的话如实地对孔子
说了。孔子一听反而开心地笑起来，说："他所美言我的那种
相貌，我可真是不敢当。但他说我像只丧家狗，那可真对极
了！对极了！"

　　秋，季桓子病，辇而见鲁城①，喟然叹曰："昔此
国几兴矣，以吾获罪于孔子②，故不兴也③。"顾谓
其嗣康子曰："我即死，若必相鲁；相鲁，必召仲
尼。"后数日，桓子卒，康子代立。已葬，欲召仲尼。

公之鱼曰④:"昔吾先君用之不终,终为诸侯笑。今又用之,不能终,是再为诸侯笑。"康子曰:"则谁召而可?"曰:"必召冉求⑤。"于是使使召冉求。冉求将行,孔子曰:"鲁人召求,非小用之,将大用之也。"是日,孔子曰:"归乎归乎!吾党之小子狂简,斐然成章⑥,吾不知所以裁之⑦。"子赣知孔子思归⑧,送冉求,因诫曰"即用,以孔子为招"云。

注释:

①辇(niǎn):人抬的轿子,或人挽的车子。见:巡视。

②获罪:"得罪"的客气说法,指季桓子当年接受齐国女乐,致使孔子离开鲁国事。

③故不兴也:让季桓子将孔子作用估计得如此之高,也可见司马迁的感情态度。

④公之鱼:季氏的主要家臣。

⑤冉求:字子有,孔子的学生,以长于政事闻名。

⑥斐然:文采繁盛的样子。

⑦裁:一说意为裁制,一说即剪裁之裁,意即继续陪养辅助之。

⑧子赣:即子贡。

译文:

这年秋天,鲁国的季桓子病重,乘着辇车巡视鲁都的城墙,非常感慨地说:"过去这个国家曾一度要兴旺起来了,就是因为我,闹得让孔子离开了这个国家,所以鲁国就没有能振兴起来。"他回头看着他的继承人季康子说:"我死了以后,你一定会接替我做鲁国的宰相,你做了宰相之后,一定要去把孔子叫回来。"几天后,季桓子去世了,季康子接着当了鲁国的宰相,他安葬完了季桓子,就准备派人去请回孔子。公之鱼拦阻说:"当初我们的老宰相就因为对待孔子没能善始善终,所以才遭到了诸侯们的耻笑。今天我们又要用他,要是再不能善始善终,那就又要惹得诸侯们耻笑了。"季康子说:"那我们叫谁来好呢?"公之鱼说:"可以叫孔子的弟子冉求。"于是季康子就派了人去叫冉求。冉求准备动身前,孔子对他说:"鲁国派人来叫你回去,一定不会小用你,他们一定会大用你的。"也就在同一天,孔子感叹地说:"回去吧,回去吧!我家乡的那些弟子们志大才疏,他们下笔成章而又文情并茂,我都不知道该怎么引导他们才好。"子贡心里明白这是孔子也想回鲁国。于是他送冉求时,叮嘱过冉求"你回去一旦主了事,可一定要想办法把咱们先生接回去"的话。

孔子迁于蔡三岁①,吴伐陈。楚救陈,军于城父②。闻孔子在陈、蔡之间,楚使人聘孔子③。孔子将往拜礼④,陈、蔡大夫谋曰:"孔子贤者,所刺讥皆中诸侯之疾。今者久留陈、蔡之间,诸大夫所设行皆非仲尼之意⑤。今楚,大国也,来聘孔子。孔子用于楚,则陈、蔡用事大夫危矣。"于是乃相与发徒役围孔子于野⑥。不得行,绝粮。从者病,莫能兴⑦。孔子讲诵弦歌不衰。子路愠见曰⑧:"君子亦有穷乎?"孔子曰:"君子固穷,小人穷斯滥矣⑨。"

注释：

①孔子迁于蔡三岁：即哀公六年，前489年，是年孔子六十三岁。

②城父：陈邑名，在今河南宝丰东，平顶山西北。

③聘：以财物迎请。

④拜礼：接受聘礼，前往拜谢。

⑤设行：施行，实行的章程、制度。

⑥"于是"句：楚欲用孔子而陈、蔡围之于野事不可能。当时陈事楚，蔡事吴，是敌国，二国之大夫不可能合谋。且此年吴志在灭陈，陈仗楚救之，岂敢围楚欲用之人。徒役，这里指士兵。

⑦兴：起，立。

⑧愠（yùn）：恼怒。

⑨斯：则。滥：不能克制自己。

译文：

　　孔子迁居到蔡国的第三年，吴国出兵伐陈。楚国派兵救陈，驻兵于城父，楚王听说孔子这时就在陈、蔡两国之间，于是就派人去请孔子。孔子准备前去拜见。陈、蔡两国的大夫们听到这个消息立刻商量："孔子可是个有才德的贤人，他对哪个国家所作的批评都能切中哪个国家的要害。如今住在我们陈、蔡两国之间，我们这些人的所作所为都不合乎孔子的思想。现在楚国这个大国来请孔子了。如果孔子在楚国被重用，那我们陈、蔡两国这些主事人可就危险了。"于是他们就串通起来发兵把孔子一行围困在野外，使得他们想走走不了，带的干粮也都吃完了，饿得那些随从的弟子们一个个都躺在地上，站不起来。而孔子却还在那里讲诗书，读文章，弹琴唱歌不停。子路恼怒地过来对孔子说："君子难道也有走投无路的时候吗?"孔子说:"君子到了穷困的时候能够坚守节操,而小人到了穷困的时候就会不择手段地乱来了。"

子贡色作。孔子曰:"赐,尔以予为多学而识之者与^①?"曰:"然。非与?"孔子曰:"非也,予一以贯之^②。"

注释:

①识:通"志",记忆。

②一以贯之:据《论语·里仁》:"子曰:'参乎,吾道一以贯之。'曾子曰:'夫子之道,忠恕而已矣。'"则此文之所谓"一"者,"忠恕"也。以上孔子对子路、子贡所说的"君子固穷"与"一以贯之"两条,皆见于《论语·卫灵公》,但两条之间没有关系;而史公乃于第二条之开头加了"子贡色作"四字,而与子路之"愠"连在一起,合为一事,殊为不伦。

译文:

子贡的脸色变了。孔子说:"赐啊,你认为我是学了很多的东西能牢记不忘的人吗?"子贡说:"是的。难道您不是这样吗?"孔子说:"不是的,我是能用一个基本的思想把所学的东西贯串起来。"

孔子知弟子有愠心,乃召子路而问曰:"《诗》云'匪兕匪虎,率彼旷野'^①。吾道非邪?吾何为于此?子路曰:"意者吾未仁邪^②?人之不我信也。意者吾未知邪^③?人之不我行也。"孔子曰:"有是乎！由，譬使仁者而必信④，安有伯夷、叔齐？使知者而必行，安有王子比干？"

注释：

①"匪兕"二句：见《诗经·小雅·何草不黄》。匪，同"非"。兕(sì)，野牛。率，循，沿着。

②意者：莫非是，推测之辞。

③未知：智慧不足。知，同"智"。

④信：理解。

译文：

　　孔子知道弟子们都有怨气，于是把子路叫来问道："《诗经·何草不黄》里说'既不是犀牛，又不是老虎，可是却在原野上东奔西跑'，是我追求的理想不对吗？我为什么落到了这步田地呢？"子路说："也许是我们还没有达到'仁人'的标准，所以人们对我们还不够信任。也许是我们的聪明智慧还有欠缺，所以人们才处处同我们为难。"孔子说："有你说的这种道理吗？由啊，要是凡够'仁人'标准的人就能让别人相信，那伯夷、叔齐还会饿死在首阳山吗？要是聪明智慧无欠缺的人就一定能通行无阻，那王子比干还会被挖了心吗？"

　　子路出，子贡入见。孔子曰："赐，《诗》云'匪兕匪虎，率彼旷野'。吾道非邪？吾何为于此？"子贡曰："夫子之道至大也，故天下莫能容夫子。夫子盖少贬焉①？"孔子曰："赐，良农能稼而不能为穑②，良工能巧而不能为顺③。君子能修其道，纲而纪之，统而理之，而不能为容④。今尔不修尔道而求为容，赐，而志不远矣！"

注释：

①盖少贬焉：何不自己稍微降低一点呢？盖，同"盍"，何不。

②稼：种。穑：收获。

③巧：工艺精巧。顺：符合别人的心意。

④容：接受，容纳。

译文：

  子路出去后，子贡进来了。孔子说："赐啊，《诗经·何草不黄》里说'既不是犀牛，又不是老虎，可是却在原野里东奔西跑'，是我追求的理想不对吗？我为什么落到这步田地呢？"子贡说："这是由于先生您的理想太高尚太伟大了，因此普天下才无法容纳您。先生您难道就不能把标准降低点吗？"孔子说："赐，最好的农民能保证把地种好，但不能保证就一定能获得丰收；最好的能工巧匠能保证把东西做得巧夺天工，但不能保证买东西的人一定满意；君子能够尽力使自己的理想趋于完善，能让它有条有理，一以贯之，但不能保证一定能让世人接受。现在你不是去修养自己而是只想去取得世人的接纳，你的志向可不够远大！"

  子贡出，颜回入见。孔子曰："回，《诗》云'匪兕匪虎，率彼旷野'。吾道非邪？吾何为于此？"颜回曰："夫子之道至大，故天下莫能容。虽然，夫子推而行之。不容何病①，不容然后见君子！夫道之不修也，是吾丑也。夫道既已大修而不用，是有国

者之丑也。不容何病，不容然后见君子!"孔子欣
然而笑曰:"有是哉颜氏之子^②! 使尔多财，吾为
尔宰^③。"

注释:

①病:损害，害处。

②有是哉:犹今之所谓"真有你的"，惊喜敬佩之词。

③宰:主管，即前"阳虎为季氏宰"之"宰"。

译文:

　　子贡出去后，颜回进来了。孔子说:"颜回，《诗经·何草
不黄》里说'既不是犀牛，又不是老虎，可是却在原野里东奔
西跑'，是我的理想不对吗? 我为什么落到了这步田地呢?"
颜回说:"先生的理想太伟大了，因此才使得天下哪里也无法
容纳。尽管如此，先生您还是坚持不懈地在推行它，不被容
纳又有什么关系呢，不被容纳才更显示出您作为君子的伟
大! 一个人的理想学说不完美，那是自己的耻辱;如果理想
学说完美无缺而只是不能被人容纳，那就是当权者们的羞耻
了。不被容纳有什么关系，不被容纳才显示出您作为君子的
伟大!"孔子一听称心地笑着说:"颜家的小子，可真有你的!
假如你是个大富翁，我情愿去给你当管家。"

　　于是使子贡至楚。楚昭王兴师迎孔子^①，然后
得免。

注释:

①"楚昭王"句:昭王没有招孔子的事。

译文：

　　后来孔子派子贡去向楚王报告了情况，楚昭王派兵来迎接孔子，孔子师徒才摆脱了困境。

　　其明年①，冉有为季氏将师，与齐战于郎，克之。季康子曰："子之于军旅，学之乎？性之乎②？"冉有曰："学之于孔子。"季康子曰："孔子何如人哉③？"对曰："用之有名；播之百姓，质诸鬼神而无憾④。求之至于此道⑤，虽累千社⑥，夫子不利也。"康子曰："我欲召之，可乎？"对曰："欲召之，则毋以小人固之⑦，则可矣。"而卫孔文子将攻太叔，问策于仲尼。仲尼辞不知，退而命载而行⑧，曰："鸟能择木，木岂能择鸟乎！"文子固止。会季康子逐公华、公宾、公林，以币迎孔子⑨，孔子归鲁。

注释：

①其明年：当作后四年，哀公十一年（前 484 年），距吴会缯已四年，时孔子年六十八。

②性：生。

③孔子何如人哉：季孙肥这里主要是问孔子的军事才能。

④质：询问。无憾：无不满，无意见。

⑤求之至于此道：此句上下不连贯，上下疑有脱文。

⑥累：几个。千社：两万五千户人家，古代二十五家为一社。

⑦固：拘泥，限制。

⑧命载：犹言"命驾"，打发人备车。见孔子对卫国之污浊极其厌恶。

⑨币：贽也，聘迎之礼品。

译文：

　　第二年，冉有为季孙氏统领部队，在鲁国的郎亭与齐国作战，获得了胜利。季康子问冉有说："您这份指挥作战的才能，是学来的呢？还是天生的呢？"冉有说："是跟着孔子学的。"季康子说："孔子是一个什么样的人呢？"冉有说："孔子办什么事情都要求名正言顺。他的所作所为都可以讲给百姓们听，都可以摆给鬼神们看，而保险不会有任何欠缺。像我现在所做的这些事情，我想您即使拿两万五千家的封地去吸引他，他也不会为了这点利益来做的。"季康子说："我想把他请回鲁国来，行吗？"冉有说："您要是想请他回来，那就决不能把他当成小人对待。这样也许还可以。"当时，卫国的孔文子准备攻击太叔，孔文子跑去向孔子讨教。孔子婉转地推说自己不懂这方面的事情，说罢立即叫人收拾行装离开了卫国，他说："只能够由鸟来选择树木，难道还能由树木来选择鸟吗！"孔文子听说后，坚决请他留下来。这时正赶上季康子派了公华、公宾、公林几个人带着礼物来卫国迎孔子，于是孔子便返回了鲁国。

孔子之去鲁凡十四岁而反乎鲁①。

注释：

①去鲁凡十四岁而反乎鲁：孔子去鲁在定公十三年，去鲁实十四年也。

译文：

　　孔子离开鲁国一共十四年后才又回到鲁国。

孔子之时，周室微而礼乐废，《诗》、《书》缺。追迹三代之礼①，序《书传》②，上纪唐虞之际③，下至秦缪④，编次其事。故《书传》、《礼记》自孔氏⑤。

注释：

①追迹：追索，考察。三代：指夏、商、周三朝。

②序《书传》：意即编订《尚书》。也有人以为是编订《尚书》并给《尚书》的各篇作序。序，编次。

③上纪唐虞之际：《尚书》中所记的最早的事情是关于尧、舜的，见《尧典》。

④下至秦缪（mù）：《尚书》中所记的最晚的事情是关于秦穆公的，即《秦誓》。缪，通"穆"。

⑤《礼记》：孔子所见的讲述上古礼仪的书，而绝非指今所传之《礼记》。

译文：

在孔子生活的那个年代，周王室已经衰微，礼崩乐坏，《诗》、《书》也都残缺不全。于是孔子就一方面考查夏、商、周三代的礼乐制度，一方面整理《书传》的编次，他把上起唐尧、虞舜，下至秦穆公的所有的篇章，都编排了起来。所以后人诵读的《书传》和《礼记》都是经孔子整理编定的。

孔子语鲁大师①："乐其可知也。始作翕如②，纵之纯如③，皦如④，绎如也⑤，以成。""吾自卫反鲁，然后乐正，《雅》、《颂》各得其所⑥。"

注释：

①鲁大师：鲁国的乐官。大，同"太"。

②翕如：翕翕然，妥贴的样子。

③纯如：和谐貌。

④皦如：清晰貌。

⑤绎如：连续不绝貌。

⑥《雅》、《颂》各得其所：《雅》、《颂》既是《诗经》内容的分类，也是乐曲的分类。此篇以为主要是正其篇章，即只调整《诗经》篇章的次序。

译文：

孔子对鲁国乐官太师说："音乐的演奏规律是可以掌握的，开始时各种音响要平和，随着音调的展开声音要和谐悦耳，要顿挫鲜明，要悠扬回荡，一直到结束。"又说："我从卫国返回鲁国，就开始对乐曲进行审定；使《雅》、《颂》都各自发挥了它们应发挥的作用。"

古者《诗》三千馀篇，及至孔子，去其重，取可施于礼义①，上采契、后稷②，中述殷、周之盛③，至幽、厉之缺④，始于衽席⑤，故曰"《关雎》之乱以为《风》始⑥，《鹿鸣》为《小雅》始⑦，《文王》为《大雅》始⑧，《清庙》为《颂》始⑨"。三百五篇孔子皆弦歌之⑩，以求合《韶》、《武》、《雅》、《颂》之音⑪。礼乐自此可得而述，以备王道⑫，成六艺⑬。

注释：

①"去其重"二句：此即通常所说的"孔子删《诗》"，今之学者

已大多不取此说,认为孔子只是对基本定型的《诗经》进行
过某些整理、编订,而没有将三千篇删为三百篇之事。礼
义,即礼仪,指典礼礼仪式等。

②上采契、后稷:《诗经·商颂·玄鸟》叙商朝祖先契生人之
异也;《诗经·大雅·生民》则叙述了周代祖先后稷的初生
与其生后的种种灵异。

③中述殷、周之盛:《诗经》中有《长发》、《清庙》以及《大明》等
叙述殷代开国帝王汤和周代开国帝王文王、武王功业的
作品。

④至幽、厉之缺:《诗经》中有许多反映周幽王、周厉王时代政
治黑暗的作品,如《正月》、《十月之交》等。幽,指周幽王,
西周末期的昏君,宠褒姒,被戎族所杀。厉,指周厉王,西
周后期的暴君,被人民暴动所驱逐,逃死于外。

⑤衽(rèn)席:即床席,代指夫妻家庭生活。

⑥《关雎》之乱以为《风》始:"之乱"二字当削。乱,乐曲末后之
总章。《关雎》是《诗经·国风》中的第一篇,内容是描写青
年男女求爱结婚的,与上文"始于衽席"正相应。风,是《诗
经》中的门类之一,其中所收为从全国各地采集来的歌谣。

⑦《鹿鸣》为《小雅》始:《鹿鸣》是《诗经·小雅》的第一篇,内
容是宴乐群臣,歌颂明主喜得嘉宾。小雅,《诗经》中的门
类之一。

⑧《文王》为《大雅》始:《文王》是《诗经·大雅》中的第一篇,
内容是歌颂文王姬昌发展周国的功德。

⑨《清庙》为《颂》始:《清庙》是《诗经·周颂》中的第一篇,是
周王朝的子孙祭祀文王时所唱的赞歌。颂,《诗经》中的门
类之一,其中所收都是祭祀宗庙时所唱的歌。

⑩三百五篇:《诗经》作品的总数。

⑪《韶》：相传为虞舜时代的乐曲。《武》：相传是武王所作的乐曲。《雅》、《颂》：这里也应该是指旧有的乐曲,《雅》是用于朝会宴享的,《颂》是用于祭祀的。

⑫备王道：使王道政治的旧观重新展现出来。儒家讲究"礼乐治世",故把治礼作乐视为"王道"完成的一种表现。

⑬成六艺：把《诗》与《乐》都列入儒家"六艺"。"六艺"指《诗》、《书》、《易》、《礼》、《乐》、《春秋》。

译文:

　　古代流传下来的诗大约有三千多篇,到孔子时,他删掉了那些重复的,选出了那些可以用来对人们进行礼仪教育的,最早的是歌颂殷契、后稷的诗篇,其次是称述殷、周两代繁荣兴盛的诗篇,接着还有批评周厉王、周幽王道德衰败的诗篇,而编排的顺序又首先是从夫妻之间的关系开始的。所以说"《关雎》是《国风》的开篇,《鹿鸣》是《小雅》的开篇,《文王》是《大雅》的开篇,《清庙》是《颂》的开篇"。孔子给选出来的这三百零五篇古诗都一一地配上了乐谱,让它们和《韶》、《武》、《雅》、《颂》的音调相一致。礼乐才得以恢复旧观而被称述,王道完备,孔子也完成了"六礼"的编修。

　　孔子晚而喜《易》①,序《彖》、《系》、《象》、《说卦》、《文言》②。读《易》,韦编三绝③。曰:"假我数年,若是,我于《易》则彬彬矣④。"

注释:

①《易》：原是远古流传下来的一种占卜书,经过孔子的提倡,被儒家视为孔门经典之一。

②序《彖》(tuàn)、《系》、《象》、《说卦》、《文言》：司马迁认为这
  些都是孔子所作，后人则多认为不是，而是成于不同时代。
  《彖辞》、《系辞》、《象辞》、《说卦》、《文言》，是《易经》的五种
  注释书。
③韦编：穿联简册的皮条。
④彬彬：有修养、有学问的样子。这里指对文章理解的深透。

译文：

　　孔子晚年特别喜欢《周易》，他为《周易》写了《象辞》、《系
辞》、《说卦》、《文言》等著作。由于他不停地翻读《周易》，以
至于把那些串竹简的皮条都弄断了多次。他说："要是能够
再多给我几年时间，我对于《周易》也就能领会得更透彻、更
深入了。"

　　孔子以《诗》、《书》、《礼》、《乐》教，弟子盖三千
焉①，身通六艺者七十有二人。如颜浊邹之徒，颇
受业者甚众。

注释：

①三千：盖极言弟子之多，非必为三千人。

译文：

　　孔子把《诗》、《书》、《礼》、《乐》作为教育弟子的主要内
容，受过孔子教育的弟子大概有三千人，其中对于"六艺"精
通的有七十二个。像颜浊邹那样，受过孔子教诲而不算正式
弟子的人就更多了。

　　鲁哀公十四年春①，狩大野②。叔孙氏车子鉏

商获兽③,以为不祥。仲尼视之,曰:"麟也。"取之。曰:"河不出图,雒不出书,吾已矣夫④!"颜渊死,孔子曰:"天丧予⑤!"及西狩见麟,曰:"吾道穷矣!"

注释:

①鲁哀公十四年:前481年,是年孔子七十一岁。

②狩:冬猎。大野:后称钜野,薮泽名,在今山东钜野北。

③车子:犹言"车士",乘车的武士。

④河不出图,雒(luò)不出书,吾已矣夫:据说伏牺氏的时代曾有龙马背着图出于黄河,伏牺氏就是根据此图画了八卦。又说大禹时代曾有灵龟背着书出于雒水,禹就是根据此书作了《九畴》。后世遂常以"河出图,洛出书"来称说时代清平、国有圣王。

⑤天丧予:颜渊去世是十一年前的事,史公为突出孔子晚年的悲剧性,故依《公羊传》将其彼时之叹也集中到了这里。

译文:

鲁哀公十四年春天,哀公带着人在大野泽打猎,给叔孙氏赶车的钼商捕获了一只奇怪的野兽,人们都认为是不祥之兆。孔子看了后说:"这是一只麒麟啊。"于是就把它要了回来。孔子早就说过:"黄河里没再出现八卦图,洛水里也没再出现龟兽的文书,看来我这辈子大概是没什么希望了!"后来颜渊一死,孔子更伤感地说:"老天爷这下子可真要了我的命了!"等到他这回再见到这只被捉的麒麟,就绝望地说:"这回我的确再无路可走了!"

子曰:"弗乎弗乎,君子病没世而名不称焉①。

吾道不行矣，吾何以自见于后世哉②？"乃因史记作春秋③，上至隐公④，下讫哀公十四年⑤，十二公。据鲁⑥，亲周⑦，故殷⑧，运之三代⑨。约其文辞而指博⑩。故吴、楚之君自称王，而《春秋》贬之曰"子"⑪；践土之会实召周天子，而《春秋》讳之曰"天王狩于河阳"⑫：推此类以绳当世⑬，贬损之义，后有王者举而开之⑭。《春秋》之义行，则天下乱臣贼子惧焉⑮。

注释：

①病：用如动词，害怕，不愿意。

②"吾何以"句：意即只有写出著作让后人认识、了解自己。这是司马迁自己的思想，不一定是孔子的想法。

③史记：此泛指旧有的历史书。

④上至隐公：《春秋》起自隐公元年。至，应作"自"。

⑤讫：止，结束。

⑥据鲁：以鲁国为中心、为纲领。

⑦亲周：尊周，尊崇周天子。

⑧故殷：以殷事为借鉴。故，旧事，引申为规鉴。

⑨运：贯通。

⑩约：简明。指：同"旨"，文章的思想。

⑪而《春秋》贬之曰"子"：西周建国以来，唯周天子称"王"，但是楚国和吴国不遵从这一规定而称王。但孔子不管他们自称什么，写《春秋》时乃称他们为"子"。

⑫"而《春秋》"句：僖公二十八年（前 632 年），晋文公破楚师于城濮，而后在践土（今河南原阳西南）与诸侯举行盟会，

并邀请周天子也来参加。孔子认为这是以臣召君，故讳之。河阳，晋邑，在今河南孟县西，离践土不远。

⑬绳：标准，尺度。这里用为动词。

⑭举：出现。开：宣示申发。

⑮"则天下"句：此史公用《孟子》文以褒扬孔子之《春秋》，兼述自己之作史思想。

译文：

孔子说："不行呀，不行呀，君子最担忧的是死了之后名不传于后世呀。我的主张不能推行，那我还能靠着什么扬名后世呢？"于是他就依据鲁国的史书作了《春秋》。这部书上起鲁隐公元年，下至鲁哀公十四年，一共记载了鲁国十二代君侯间的天下大事。这部书以鲁国历史为依据，以赞美周朝为宗旨，以殷朝的旧闻为借鉴，贯通夏商周三代的历史变化。它的文辞简洁，而旨意广博。吴国、楚国的国君自称为王的，而孔子在《春秋》里却把他们贬称为"子"；践土会盟，事实上是晋文公命令周天子去的，而孔子在《春秋》里却粉饰周天子，说是"同天子巡狩到河阳"，孔子就是运用这样的写法，使《春秋》成为一种批评、褒贬当时政治的准绳，等待日后有圣王出现能把《春秋》的宗旨张大开来。《春秋》的思想如果能够得到推行，那么普天下的乱臣贼子就要害怕了。

孔子在位听讼①，文辞有可与人共者，弗独有也。至于为《春秋》，笔则笔②，削则削，子夏之徒不能赞一辞③。弟子受《春秋》④，孔子曰："后世知丘者以《春秋》，而罪丘者亦以《春秋》。"

①在位听讼：在法官之位，听取诉讼者的口供，盖指为司寇时
　事也。

②笔：写。

③子夏：姓卜名商，孔子的学生，以长于文学著称。不能赞一
　辞：不能改动一个字。赞，助，加。

④受《春秋》：听孔子讲《春秋》。受，受教、受业。

译文：

　　孔子在鲁国任司寇断案时，书写判辞时凡是应该与人商
量的地方，个人从不专断。至于写《春秋》，凡是他认为该写
的就一定写，该删的就一定删，即使像子夏等这些以文章善
长的学生也不能随便给他改动一个字。弟子们学《春秋》，他
说："后代赏识我的人将是根据这部《春秋》，批评我的人也将
是根据这部《春秋》。"

　　明岁①，子路死于卫②。孔子病，子贡请见。
孔子方负杖逍遥于门③，曰："赐，汝来何其晚也？"
孔子因叹，歌曰："太山坏乎④！梁柱摧乎！哲人萎
乎⑤！"因以涕下。谓子贡曰："天下无道久矣，莫能
宗予⑥。夏人殡于东阶⑦，周人于西阶，殷人两柱
间。昨暮予梦坐奠两柱之间，予始殷人也。"后七
日卒。

注释：

①明岁：鲁哀公十五年，前480年，是年孔子七十二岁。

②子路死于卫：死于卫太子蒯聩叛乱夺权，推翻其子出公辄之役。

③负杖：拄着拐杖。逍遥：这里指"散心"，徘徊周览以解闷。

④太山：即泰山。

⑤哲人：明智的人，指自己。

⑥莫能宗予：见孔子至死而不忘用世之志，有无限凄怆悲惋之态。这是史公为孔子悲哀，亦是为自己悲哀。宗，尊，以之为本，以之为师。

⑦东阶：古代贵族厅堂的台阶分三道，西阶供客人行走，东阶供主人行走。

译文：

　　第二年，子路死在卫国。当时孔子也正有病，子贡来看孔子。孔子正拄着拐杖在门外散心，他一见子贡就说："赐啊，你来得为什么这么晚啊？"随即他感慨地唱道："泰山崩塌了！梁柱折断了！哲人枯萎了！"随着歌声他的眼泪也往下流。接着他又对子贡说："天下无道已经很久了，没有一个人尊重我的主张。夏人死了，灵柩是停在东面的台阶上；周人死了，灵柩是停在西面的台阶上；殷人死了，灵柩是停在两根柱子的中间。昨天晚上我梦见自己坐在两根柱子的中间享受祭奠，我原本就是殷商人啊。"七天以后孔子就死了。

　　孔子年七十三，以鲁哀公十六年四月己丑卒①。

注释：

①鲁哀公十六年：前479年。四月己丑卒：史公此说依《春秋》、

《左传》。而《春秋》之所谓"四月"乃指周历,合夏历之二月,夏历的"二月己丑"即二月初十。

译文:

　　孔子是在鲁哀公十六年四月己丑日死的,终年七十三岁。

　　孔子葬鲁城北泗上,弟子及鲁人往从冢而家者百有馀室,因命曰孔里①。鲁世世相传以岁时奉祠孔子冢②,而诸儒亦讲礼乡饮、大射于孔子冢③。孔子冢大一顷④,故所居堂、弟子内⑤,后世因庙,藏孔子衣冠琴车书⑥,至于汉二百馀年不绝。高皇帝过鲁⑦,以太牢祠焉。诸侯卿相至⑧,常先谒然后从政。

注释:

①孔里:即今之"孔林",为孔子及其后代子孙之墓地。

②岁:年关。时:四时,四季。

③讲礼乡饮、大射:即讲习乡饮、大射之礼。讲,讲习,演练。乡饮,乡官为送本乡贤士入京应试而举行的宴饮。大射,诸侯于祭祀前和臣下举行的射箭仪式,射中者参加祭祀,不中者不得参加。冢:应作"家"。

④孔子冢大一顷:此句"冢"字亦应作"家",孔子家即今所谓"孔府"。

⑤内:内室,卧室。

⑥"后世"二句:据今日曲阜古迹的格局,乃"孔庙"在前(南),"孔府"在后,并非将"孔府"当作"孔庙"。

⑦高皇帝：指汉高祖刘邦。

⑧诸侯卿相：指凡是被封在鲁地的王侯或是来鲁上任的行政
　官员。

译文：

　　孔子死后埋在了鲁国都城北面的泗水旁边，孔子的弟子
和其他鲁国人，自愿搬到孔子的坟墓旁边去住的有一百多
家，于是人们就称这片地方叫孔里。这个地区的人们世代相
传每逢过年过节总要到孔子的墓前去进行祭扫，儒生们也常
到孔子的故居来举行乡饮、乡射一类的礼仪。孔子的墓地有
一顷多地。孔子的故居以及他的弟子们住过的房子，后代就
把它改做了庙，里面收藏着孔子的衣帽、琴书、车仗；到汉朝
建国，孔子已经死去二百多年了，而人们的祭祀一直不绝；汉
高祖在经过鲁国的时候，也用了太牢的祭品去祭祀孔子。受
封到这个地区来上任的诸侯卿相们，一下车总是先要来拜谒
孔子的祠庙，而后再履行政务。

　　太史公曰：《诗》有之："高山仰止，景行行
止①。"虽不能至，然心乡往之。余读孔氏书，想见
其为人。适鲁，观仲尼庙堂车服礼器，诸生以时习
礼其家，余祗回留之不能去云②。天下君王至于贤
人众矣，当时则荣，没则已焉。孔子布衣，传十馀
世，学者宗之。自天子王侯，中国言六艺者折中于
夫子③，可谓至圣矣！

注释：

①景行：大道。止：通"只"，语气词。

②祗回:有作"低回"。祗,敬也。

③折中:取正,判断。

译文:

　　太史公说:《诗经》里说过:"高山哪,让人仰望。大路啊,让人遵循。"尽管我达不到那样的境界,但是心里却向往着他。每当我读孔子的书时,可以想见到他的为人。我曾经到过鲁国,参观过孔子的庙堂、车子、衣帽、礼器等,那里的儒生定时到孔子的故居去演习礼仪。我也不由地为之流连徘徊久久地舍不得离去。自古以来出色的君主贤人也多的是,但他们大多数都是活着的时候非常显赫,而死后也就什么都没有了。唯有孔子,活着的时候是一个平民百姓;死去又已经十几代了,而学者们至今把他奉为祖师。现在上起天子王侯,所有中国讲"六经"的人都把孔子的言论作为衡量一切的标准,真可以算得上是至高无上的圣人了!

陈涉世家

　　《陈涉世家》是司马迁为陈涉所领导的整支农民反秦起义军所立的传记,系统、全面地描写了这支起义军由发动起义、蓬勃发展、战绩辉煌到最后失败的全过程,是我国第一场伟大农民战争的忠实记录,诸如起义的原因,反秦的声势,以及早期农民战争的种种弱点,和它失败的历史教训,无不包涵其中。在这里我们主要选了"大泽乡起义"与"陈涉败亡"两段。

　　在"大泽乡起义"一节里,司马迁热情地歌颂了陈涉的果敢精神。陈涉的生死观、陈涉的才智、以及陈涉所发动的这场起义的深刻影响,都使司马迁感佩不已。他在《太史公自序》中说:"桀纣失其道而汤武作,周失其道而《春秋》作,秦失其道而陈涉发迹。"竟把陈涉比作商汤、周武王、孔子这种古代的大圣人,其评价之高可谓空前绝后。

　　陈涉失败的教训可以总结很多,但司马迁只具体写了陈涉的骄奢蜕化与脱离群众两条,但这两条却在陈涉之后两千多年中的历次农民起义中反复出现,说明这两条也的确是非常重要的。

陈胜者,阳城人也,字涉。吴广者,阳夏人也,字叔。陈涉少时,尝与人佣耕①,辍耕之垄上②,怅恨久之,曰:"苟富贵,无相忘。"庸者笑而应曰③:"若为庸耕④,何富贵也?"陈涉太息曰:"嗟乎,燕雀安知鸿鹄之志哉⑤!"

注释:

①佣耕:被雇佣从事耕作。
②辍(chuò)耕:停止耕作。这里指中间休息。
③庸者:与陈涉一起受雇佣的人。庸,同"佣"。
④若:尔,你。
⑤鸿鹄:天鹅。

译文:

陈胜是阳城人,字涉。吴广是阳夏人,字叔。陈涉年轻时,曾经与人一起被雇佣耕地,陈涉停止了耕作,到田垄上休息,怅恨不平了很久,说:"如果将来谁富贵了,不要彼此相忘呀。"同伴们都笑话他:"你受雇佣给人家耕地,怎么可能富贵呢?"陈涉长叹一声:"唉!燕雀哪能知道鸿鹄的凌云志向啊!"

二世元年七月①,发闾左適戍渔阳②,九百人屯大泽乡③。陈胜、吴广皆次当行④,为屯长⑤。会天大雨⑥,道不通,度已失期⑦。失期,法皆斩。陈胜、吴广乃谋曰:"今亡亦死,举大计亦死,等死,死国可乎⑧?"陈胜曰:"天下苦秦久矣⑨。吾闻二世少子也⑩,不当立,当立者乃公子扶苏⑪。扶苏以数谏故,上使外将兵⑫。今或闻无罪,二世杀之⑬。百姓多闻其贤,未知其死也。项燕为楚将⑭,数有功,爱士卒,楚人怜之。或以为死,或以为亡。今诚以吾众诈自称公子扶苏、项燕,为天下唱⑮,宜多应者。"吴广以为然,乃行卜。卜者知其指意⑯,曰:"足下事皆成,有功。然足下卜之鬼乎⑰!"陈胜、吴广喜,念鬼⑱,曰:"此教我先威众耳。"乃丹书帛曰"陈胜王",置人所罾鱼腹中⑲。卒买鱼烹食,得鱼腹中书,固以怪之矣⑳;又间令吴广之次所旁丛祠中㉑,夜篝火,狐鸣呼曰"大楚兴,陈胜王。"卒皆夜惊恐。旦日㉒,卒中往往语,皆指目陈胜㉔。

注释:

① 二世元年:公元前 209 年。

② "发闾左"句:征调住在里巷左侧的居民到渔阳服役。闾左,住在里门左侧的。其他如曰"平民居闾左"、"穷者居闾左"云云,皆不可信。適(zhé)戍,发配戍守。適,同"谪"。渔阳,秦县名,县治在今北京密云西南。

③ 屯:停驻。大泽乡:在今安徽宿县东南,当时上属蕲县。

④ 皆次当行:都按次序应该前去服役。

⑤ 屯长:下级军吏,大约相当于后世的连排长。

⑥ 会:值,正赶上。

⑦ 度已失期:估计着肯定要迟到。

⑧ "今亡"四句:亡,潜逃。举大计,行大谋,指造反。死国,为建立自己的王朝豁出命去干。按:此处见陈涉的决心、气

势,这是生死关头的严峻抉择。《廉颇蔺相如列传》有云:
"知死必勇,非死者难也,处死者难。"陈涉这种选择"举大
事"的气概,最为史公所敬佩。

⑨苦秦:以受秦的统治为苦。

⑩二世少子:《索隐》引姚氏按:"隐士谓章邯书云'李斯为二
世废十七兄而立今王',则二世是始皇第十八子也。"

⑪公子扶苏:秦始皇的长子。

⑫"扶苏"二句:扶苏因焚书坑儒事向始皇提过意见,始皇发
怒,令其北出监蒙恬军于上郡。

⑬二世杀之:始皇死前遗诏传位于扶苏;始皇死后,赵高、李
斯窜改诏书立二世,并将扶苏赐死,过程详见《秦始皇本
纪》《李斯列传》。

⑭项燕:项羽之祖父,战国末期楚国的将领,被秦将王翦所
杀,事见《楚世家》与《白起王翦列传》。

⑮诈自称公子扶苏、项燕,为天下唱:唱,引头,发端。按:扶
苏、项燕是一对矛盾体,只能择取其一而举以为号,不可能
同时并举。

⑯指意:心思。指,同"旨"。

⑰然足下卜之鬼乎:"卜"上应增"何不"二字,意谓"您为何不
到鬼神那里去占卜一下",实际是暗示让他假借鬼神以号
召群众。

⑱念鬼:心里寻思卜者所说的"卜之鬼"是什么意思。

⑲罾(zēng):渔网。这里用如动词,即"捕捞"之意。

⑳以:同"已"。

㉑间:私下,暗中。之:往。次所:戍卒所驻之处。丛祠:一说
谓草树荫蔽中的野庙。一说谓"丛祠"即指社树。

㉒篝火:举火,点火。

㉓旦日:天亮之后。

㉔指目:指指点点私下里注视他。按:"指目"二字最见戍卒对陈涉的怪异、敬畏之神情。

译文:

秦二世元年七月,遣送住在里巷左边的壮丁到渔阳去守边。同行者九百人,中途驻扎在大泽乡。陈胜、吴广都在这一行人里,还充当小头目。凑巧天降大雨,道路不通,他们估算着肯定不能按时赶到渔阳了。误期,按照秦法,都要被杀头。陈胜、吴广一起商量说:"现在我们如果逃跑,被抓回来肯定是死;我们如果造反,失败了,也就是个死。都是死,为国事而死不好吗?"陈胜说:"老百姓受秦朝暴政的苦时间不短了。我听说秦二世是秦始皇的小儿子,不该由他当皇帝,应该立为皇帝的是长子扶苏。扶苏由于多次劝说始皇,始皇讨厌他,派他带兵到外头去守边。我听说他已经无辜被秦二世杀害了。老百姓们都只知道扶苏贤明,很多人还不知道他已经被杀。项燕是楚国的名将,曾多次立过战功,而且关心士卒,楚国人都很爱戴他。现在有人认为他死了,有人认为他还活着,只是不知道他躲在什么地方。现在我们真要是冒充公子扶苏和项燕,带头造反,响应我们的人应该会很多。"吴广觉得有理。两人便去找人占卜。占卜的猜出了他们的心思,就说:"你们的事情都能办成,而且一定会有大功效。但是你们为什么不再去找鬼神算一卦呢?"陈胜、吴广听着心里高兴,又暗自琢磨"找鬼神"是什么意思,后来他们恍然大悟:"这是教我们用装神弄鬼的办法来提高威信。"于是他们在一条白绸带上写了"陈胜王"三个红字,偷偷塞进捕鱼人逮上来的一条鱼的肚子里。戍卒们买鱼做来吃,发现了鱼肚子里的红字条,人们觉得很奇怪;陈胜又让吴广夜里偷偷地到营房附近林中的破庙里，点起火，学狐狸似的嗥叫："大楚兴，陈胜王。"戍卒们都被吓得一夜没有睡好觉。第二天早晨，戍卒们三三两两交头接耳地开始议论，同时还指指点点地斜着眼睛看陈胜。

吴广素爱人，士卒多为用者。将尉醉①，广故数言欲亡②，忿恚尉③，令辱之，以激怒其众④。尉果笞广⑤，尉剑挺⑥，广起，夺而杀尉。陈胜佐之，并杀两尉。召令徒属曰："公等遇雨，皆已失期，失期当斩。藉弟令毋斩⑦，而戍死者固十六七⑧。且壮士不死即已⑨，死即举大名耳⑩，王侯将相宁有种乎！"徒属皆曰："敬受命。"乃诈称公子扶苏、项燕，从民欲也⑪。祖右⑫，称大楚，为坛而盟，祭以尉首⑬。陈胜自立为将军，吴广为都尉⑭。攻大泽乡，收而攻蕲⑮。蕲下，乃令符离人葛婴将兵徇蕲以东⑯。攻铚、酂、苦、柘、谯⑰，皆下之。行收兵⑱，比至陈⑲，车六七百乘，骑千余，卒数万人。攻陈，陈守令皆不在⑳，独守丞与战谯门中㉑。弗胜，守丞死，乃入据陈。数日，号令召三老、豪杰与皆来会计事㉒。三老、豪杰皆曰："将军身被坚执锐㉓，伐无道，诛暴秦，复立楚国之社稷㉔，功宜为王。"陈涉乃立为王，号为张楚㉕。

注释：

①将尉：统领戍卒的县尉。将，统领，率领。

②故数言欲亡：故意地在将尉面前扬言自己想要开小差。

③忿恚(huì)尉：激怒将尉。忿恚，恼怒。这里是使动用法，激之使怒。

④"令辱之"二句：故意想激怒将尉，使将尉打自己，借以激起众人对将尉的不满。

⑤笞(chī)：用鞭或用棍棒、竹板打人。

⑥尉剑挺：将尉在打人时，其佩剑由鞘中甩脱出来。一说谓"挺"即"拔"，剑挺，即拔剑出鞘。疑前说是。

⑦藉弟令毋斩：即使暂时不被杀。藉弟令，即便，即使。弟，同"第"。"藉"、"假"一声之转，"第"、"但"一声之转。"藉"、"假"、"第"、"但"四字于此同义。

⑧戍死：为守边、修城而累死。十六七：十分之六、七。

⑨即：同"则"。

⑩大名：即谓"侯"、"王"之类。

⑪"乃诈称"二句：按，此云陈涉诈称扶苏、项燕以从民欲，而后面竟无具体事实，似有漏洞。

⑫袒右：脱右肩之衣，表示与一般人不同。按：此乃宣誓结盟时的一种状态。

⑬祭以尉首：起兵者要祭战神，刘邦起兵于沛，亦"祠黄帝，祭蚩尤于沛庭"也。

⑭都尉：军官名，级别低于将军，略当于校尉。

⑮蕲(qí)：秦县名，县治在今安徽宿州南。

⑯符离：秦县名，县治在今安徽宿州东北。徇：巡行宣令使之听己。

⑰铚(zhì)、酇(cuó)、苦(hù)、柘(zhè)、谯：皆秦县名。铚，县治

在今安徽宿州西南；鄼，县治在今河南永城西；苦，县治即今河南鹿邑；柘，县治在今河南柘城西北；谯，县治即今安徽亳县。

⑱ 行收兵：一面前进，一面招募、收编部队。

⑲ 比：及，至。陈：秦县名，县治即今河南淮阳，当时也是陈郡的郡治所在地。

⑳ 陈守令：陈郡的郡守和陈县县令。

㉑ 守丞：留守的郡丞。郡丞是郡守的副官，秩六百石。谯门：上有望楼的城门。

㉒ "号令"句：三老，乡官，职掌教化。豪杰，当地有名望、有势力的人物。按："与"字疑衍文。

㉓ 被坚执锐：披坚甲，执利兵，极言其勇敢辛劳。被，同"披"。

㉔ 复立楚国之社稷：意即重建了楚国。社稷，社稷坛，帝王祭祀土神与农神的地方，历来被用以代指王朝政权。

㉕ "陈涉"二句：事在秦二世元年（前 209 年）七月。张楚，国号。一说即"张大楚国"意。按：此说勉强。张楚，即大楚也。张，大也。

译文：

吴广向来爱护士卒，因此戍卒们都愿意为他效力。一天，押送戍卒的两个尉官喝醉了，吴广就当着他们的面一再扬言要逃跑，故意激怒尉官，让他们责辱自己，以便激起戍卒们的义愤。尉官果然鞭打吴广，腰间的佩剑甩脱出来，吴广一跃而起，抓过宝剑，杀死了那个尉官。陈胜在一旁帮忙，把另一个尉官也杀掉了。紧接着他们把戍卒们召集起来说："各位在这里遇上大雨，无论如何也不能按时赶到渔阳了。而不能按时到达，按法是要杀头的。即使不杀头，为守边而死的人，十个里头也有六七个。大丈夫如果豁不出命去也就罢了，如果敢于豁出命去那就要干出点大名堂。那些当王侯将相的难道都是天生的贵种吗!"戍卒们异口同声地说:"愿意听从您的指挥。"于是他们就冒充公子扶苏、项燕，来顺从百姓的心愿。他们露出右臂做标志，自己号称"大楚"，又搭起台子结盟誓师，用那两个尉官的头祭祀天地。陈胜自己做将军，吴广做都尉。先攻下了大泽乡，紧接着又带领大泽乡的人去攻蕲县。蕲县攻下之后，就派符离人葛婴带兵去夺取蕲县以东的地方。而他自己和吴广则率军西进攻打铚、酂、苦、柘、谯，都攻了下来。他们一路上扩充军队，等到了陈郡城郊时，兵车已经有了六七百辆，骑兵有一千多，步兵也有好几万人了。于是他们开始进攻陈郡，当时郡守和县令都不在城中，只有郡丞在城门下应战。义军一时不能战胜，不久郡丞被人杀死，才占据了陈郡。过了几天，陈胜下令召集郡中各县的三老、豪杰都来集会议事。这些三老、豪杰们都说:"将军您身披铠甲，手执利刃，为民众讨伐无道的秦王，进攻残暴的秦朝，重新建立了楚国的政权，论功应当称王。"于是陈胜就自立为王，国号"张楚"。

当此时，诸郡县苦秦吏者，皆刑其长吏，杀之以应陈涉。乃以吴叔为假王[1]，监诸将以西击荥阳[2]。令陈人武臣、张耳、陈馀徇赵地[3]，令汝阴人邓宗徇九江郡[4]。当此时，楚兵数千人为聚者，不可胜数。

注释:

[1]假王:非实授，而暂行王者之事。犹后世之"代理"、"权署"。

②荥(xíng)阳：秦县名，县治在今河南荥阳东北。

③赵地：战国时赵国的地盘，相当今河北南部一带地区。

④汝阴：秦县名，县治即今安徽阜阳。九江郡：秦郡名，郡治寿春(今安徽寿县)。

译文：

  在这个时候，天下各郡县痛恨秦朝官吏的百姓们，都纷纷起来杀掉他们的长官响应陈涉。于是陈王就派吴广代行王事，以自己的名义节制将领们西攻荥阳。派陈郡人武臣、张耳、陈馀等人到赵国一带扩充地盘；派汝阴人邓宗南下开辟九江郡。当时楚地几千人成伙的起义军多得不可指数。

  陈胜王凡六月①，已为王，王陈②。其故人尝与庸耕者闻之，之陈③，扣宫门曰："吾欲见涉。"宫门令欲缚之④，自辩数⑤，乃置⑥，不肯为通⑦。陈王出，遮道而呼涉⑧。陈王闻之，乃召见，载与俱归。入宫，见殿屋帷帐，客曰："夥颐⑨！涉之为王沉沉者⑩！"楚人谓多为夥，故天下传之"夥涉为王"，由陈涉始⑪。客出入愈益发舒⑫，言陈王故情。或说陈王曰："客愚无知，颛妄言⑬，轻威。"陈王斩之。诸陈王故人皆自引去⑭，由是无亲陈王者。陈王以朱房为中正⑮，胡武为司过⑯，主司群臣⑰。诸将徇地至⑱，令之不是者⑲，系而罪之，以苛察为忠。其所不善者⑳，弗下吏㉑，辄自治之㉒，陈王信用之。诸将以其故不亲附，此其所以败也。

注释：

① 凡六月：总共六个月。凡，总计。

② 王陈：在陈县称王，即以陈县为其都城。

③ 之陈：前往陈县。之，往。

④ 官门令：守卫宫门的长官。

⑤ 辩数：分辩诉说，力言自己不是坏人。数，一条一条地说。

⑥ 乃置：放过不管。

⑦ 不肯为通：不给向里禀告。按：史公于此写尽世态人情，《红楼梦》写刘姥姥进荣国府盖亦如此。

⑧ 遮道：拦路。遮，拦截。

⑨ 夥（huǒ）颐：惊讶诧异某种器物、景象之多与美时的一种叹词，今河北、天津、北京等地区犹有这种口语。

⑩ 沉沉者：富丽深邃的样子。

⑪ "夥涉为王"，由陈涉始："夥涉"即被人呼过"夥颐"的陈涉，"夥"字遂成为外号，冠在了名字的前面。可以用以指称这种类似的草头王之多；但也可以理解为极言其变得快。

⑫ 发舒：放纵。

⑬ 颛：同"专"，专门，一味地。

⑭ "诸陈王"句：《索隐》引《孔丛子》云："陈胜为王，妻之父兄往焉，胜以众宾（一般宾客）待之。妻父怒曰：'怙强而傲长者，不能久焉！'不辞而去。"盖其一例。

⑮ 中正：官名，主管考核官吏，确定官吏的升降。

⑯ 司过：官名，犹如异时之监察御史，职掌纠弹。

⑰ 司：读为"伺"，暗中监视、查访。

⑱ 诸将徇地至：诸将外出作战回来。

⑲ 令之不是者：不服从朱房、胡武命令的人。

⑳ 其所不善者：凡是被朱房、胡武看着不顺眼的人。

㉑弗下吏：不交由主管官吏处置。

㉒辄自治之：经常由他们自己审理。

译文：

　　陈胜称王前后总共六个月，他刚刚称王时建都陈郡，一位旧日一起受雇耕地的同伴听说了，来到陈郡，扣着宫门说："我要见陈涉！"守门令要把他绑起来，这个人费了许多口舌说明自己是陈涉的老朋友，守门令才饶了他，但不给他向里通报。这时正好陈王出来，于是这个人就过去拦着车子大声呼叫陈涉。陈王听见呼声，停车叫他过来相见，叫他上车，一同回到宫里。一看宫里的殿堂陈设，这个人就惊讶地大嚷道："夥颐！陈涉你这个王当的可真阔啊！"楚国方言称"多"叫"夥"，后来人们之所以把那些草头王们称之为"夥涉为王"，就是从陈涉开始的。这个人在宫里宫外说话越来越随便，有时还讲一些陈王旧日的不体面事，于是有人劝陈王说："您的那位客人愚昧无知，专门胡说八道，降低您的威信。"陈王于是下令把他杀掉了。陈王的其他老熟人们也都悄悄地离去，从此没有再来亲近陈王的。陈王用朱房做中正官，用胡武为司过官，专管探听臣僚们的过失。将领们出去开疆辟地回来，谁要是不听从朱房、胡武的命令，朱房、胡武就把谁关起来治罪，他们以对别人的吹毛求疵来向陈王表示忠心。凡是他们不喜欢的人，他们根本不通过司法官吏，而是自己随意治他们的罪，陈王偏偏就信用这种人。各位将领们也与陈王越来越疏远，这就是陈王所以失败的原因。

　　陈胜虽已死，其所置遣侯王将相竟亡秦，由涉首事也。高祖时为陈涉置守冢三十家砀，至今血食①。

注释：

①血食：指享受祭祀，因为祭祀时要杀牛、羊、豕作为供品，故云。

译文：

　　陈王虽然已经死了，但是由他分封、派遣出去的侯王将相，最终灭掉了秦朝，而陈涉是首先发难者。汉高祖即位后，专门派了三十户人家在砀地为陈涉守墓，一直到今天祭祀不断。

列 传

孙子吴起列传

　　《孙子吴起列传》是孙武、孙膑、吴起三个兵家人物的合传。由于吴起不仅具有军事才能,而且更有政治才干,人物思想、性格、经历都最为丰富,所以我们在这里选取的是关于吴起的部分。

　　吴起是战国初期的军事家与政治改革家,其在鲁、在魏都有突出的军事业绩。但吴起是一个很倒霉的人,他有才干,到哪里都能立功,但立功后马上就是受诽谤、受排挤。吴起最后到了楚国,为楚悼王实行变法,卓有成效,使楚国一度大为富强。但因此而遭到了国内外反对势力的共同仇恨,楚悼王一死,吴起就被杀害了。吴起的变法比商鞅变法还早数十年,如果吴起在楚国的变法得以胜利,那战国的历史也许就是另一个写法了。吴起是一个悲剧人物,理应受到人们的同情,但司马迁出于自身的痛苦经历,在描写吴起时总是流露出一种厌恶的情绪,这是不公平的。

吴起者,卫人也,好用兵①。尝学于曾子,事鲁君。齐人攻鲁,鲁欲将吴起,吴起取齐女为妻,而鲁疑之。吴起于是欲就名,遂杀其妻,以明不与齐也②。鲁卒以为将。将而攻齐,大破之③。

注释：

①好用兵：意即长于用兵。

②"遂杀"二句：吴起杀妻事,他书不载。不与齐：不助齐,不倾向于齐。

⑦"将而"二句：历史不载,或妄传也。鲁当时已形同附庸,不可能大破齐军。

译文：

吴起是卫国人,自幼喜欢兵法。曾跟着曾子求学,后来又在鲁国事奉鲁君。有一次,齐国进攻鲁国,鲁君想让吴起为将,但由于吴起的妻子是齐国人,所以鲁君又对他有疑心。吴起为了追求功名,于是就把妻子杀了,以此来表明自己与齐国毫不相干。鲁君终于让他当了大将。派他率兵迎战齐国,把齐军打得大败。

鲁人或恶吴起曰①："起之为人,猜忍人也②。其少时,家累千金,游仕不遂,遂破其家。乡党笑之,吴起杀其谤己者三十馀人③,而东出卫郭门,与其母诀,啮臂而盟曰④：'起不为卿相,不复入卫。'遂事曾子。居顷之,其母死,起终不归。曾子薄之,而与起绝。起乃之鲁,学兵法以事鲁君。鲁君疑之,起杀妻以求将。夫鲁小国,而有战胜之名,则诸侯图鲁矣。且鲁、卫、兄弟之国也⑤,而君用起,则是弃卫⑥。"鲁君疑之,谢吴起。

注释:

①恶(wù):说人坏话。

②猜忍:残忍。

③"吴起"句:此大约亦恶起者所夸张捏造,不足取信。

④啮(niè)臂:古人发誓时所做出的一种姿态。

⑤"鲁、卫"二句:鲁国与卫国都是姬姓诸侯国,所以称鲁、卫是兄弟之国。

⑥弃卫:吴起曾杀卫之"谤己者三十馀人",于卫为有罪,今鲁用之,是得罪卫国,有损于两国的友好关系。

译文:

鲁国有人诋毁吴起说:"吴起为人猜疑残忍。他年轻时家里蓄有千金,到处奔走求官没有结果,竟把全部的家产都折腾光了。同乡邻里有人笑他,他竟为此杀了三十多人。当他离开卫国国都,在东郭门与他的母亲告别时,他咬破了手臂发誓说:"我吴起当不上卿相,就决不再回卫国!"于是他就去跟着曾子求学。不久,他母亲死了,吴起最终也没回家给母亲办丧事。曾子为此很看不起他,和他断绝了关系。吴起就到了鲁国,学了些兵法来事奉鲁君。当鲁国被攻,鲁君怀疑他跟齐国有干系时,他竟杀了自己的妻子表明心迹,来谋求将军的职位。鲁国是个小国,有了个打败大国的虚名,就会引起其他国家的图谋。何况鲁、卫又是兄弟之国,吴起在卫国犯了罪,而我们国君却重用他,这就是抛弃了卫国。"鲁君听了这些话,也怀疑吴起,不久就把他辞退了。

　　吴起于是闻魏文侯贤,欲事之。文侯问李克曰①:"吴起何如人哉?"李克曰:"起贪而好色②,然用兵司马穰苴不能过也③。"于是魏文侯以为将,击秦,拔五城。

注释:
①李克:即李悝(kuī),魏国名臣,协助魏文侯实行了许多新经济政策,使魏国得以富强。
②贪:此处指贪于荣名,若谓其贪于财货,则与后文之"廉平""节廉"矛盾。
③司马穰苴(ránɡjū):春秋后期齐国的名将,景公时人。

译文:
　　吴起听说魏文侯是个贤明的国君,于是来到了魏国,想去事奉他。魏文侯问李克:"吴起这人怎么样?"李克说:"吴起贪名而好女色,但要说到用兵打仗,就是司马穰苴也比不过他。"于是魏文侯就任用吴起为将,带兵攻秦,一连夺取了秦国的五座城池。

　　起之为将,与士卒最下者同衣食。卧不设席,行不骑乘,亲裹赢粮①,与士卒分劳苦。卒有病疽者,起为吮之。卒母闻而哭之。人曰:"子卒也,而将军自吮其疽,何哭为?"母曰:"非然也,往年吴公吮其父,其父战不旋踵②,遂死于敌。吴公今又吮其子，妾不知其死所矣，是以哭之。”

注释：

①亲裹赢粮：亲自包裹，亲自背粮。赢，背负。

②不旋踵：犹言“不回身”，谓一直向前。踵，脚跟。

译文：

　　吴起当将军时，和最下等的士兵穿一样的衣裳，吃一样的饭。睡觉不铺垫褥，行军不骑马坐车，而且还亲自背粮食，与士兵同甘共苦。有个士兵长了痈疮，吴起替他吮吸疮脓。这个士兵的母亲听说后，不由得哭了起来。旁人问她：“你的儿子是个无名小卒，人家将军亲自为他吸脓，你哭什么呢？”这位母亲说：“你不知道，以前吴将军也这样替孩子他爹吸过疮脓，孩子他爹就感动得勇往直前，连头都不回地战死在沙场上。如今吴将军又替我的孩子吸疮脓了，我不知道这孩子将来又会战死在什么地方，所以我才哭泣。”

　　文侯以吴起善用兵，廉平，尽能得士心，乃以为西河守，以拒秦、韩。

译文：

　　魏文侯因为吴起善用兵，而且又不爱钱财，待人公平，能够得到士兵的真心拥戴，于是就任命他为西河地区的长官，以防备秦、韩两国的入侵。

　　魏文侯既卒，起事其子武侯。武侯浮西河而

下①,中流,顾而谓吴起曰:"美哉乎山河之固,此魏国之宝也!"起对曰:"在德不在险。昔三苗氏左洞庭,右彭蠡②,德义不修,禹灭之。夏桀之居③,左河、济④,右泰华⑤,伊阙在其南⑥,羊肠在其北⑦,修政不仁,汤放之。殷纣之国,左孟门,右太行⑧,常山在其北⑨,大河经其南⑩,修政不德,武王杀之。由此观之,在德不在险。若君不修德,舟中之人尽为敌国也。"武侯曰:"善。"

注释:

①西河:此称今山西与陕西交界的那段黄河。

②"昔三苗氏"二句:古人通常称西边为右,东边为左,此以人之南向而言。今三苗北向以抗舜、禹,故称三苗"左(西)洞庭,右(东)彭蠡"。三苗氏,古代传说中的南方部族。洞庭,指洞庭湖,在今湖南北部。彭蠡,彭蠡泽,即今江西北部的鄱阳湖。

③夏桀之居:夏桀是夏朝的末代帝王,都于原,今河南济源西北。

④河、济:黄河、济水,此指今河南温县东,其地为黄河与济水的分流处。

⑤泰华:即华山,在今陕西华阴南。

⑥伊阙(què):山名,又名龙门山,在今河南洛阳南。

⑦羊肠:指羊肠坂,太行山上的通道,以其萦曲如羊肠,故名。在今山西晋城南。

⑧左孟门,右太行:孟门、太行皆在朝歌之西(右),强言"左"、"右"者,为对举整齐,于实际不合。孟门,山名,在今河南

辉县西。太行,山名,盘踞于今山西东南部与河南、河北交
界处。

⑨常山:即恒山,在今河北曲阳西北与山西接壤处。

⑩大河:即黄河。

译文:

　　魏文侯死后,吴起又奉事他的儿子魏武侯。魏武侯沿着
黄河顺水漂流而下,中途,魏武侯环顾着四周对吴起说:“多
么壮丽险要的山川形势啊!这可是我们魏国的宝物。”吴起
对魏武侯说:“国家的强固是在于实行德政,而不在于地势的
险要。昔日三苗氏,左倚洞庭湖,右靠鄱阳湖;可是由于他们
不修德义,结果大禹灭了它。夏桀的都城,左有黄河、济水,
右有华山,南有伊阙山,北有太行山的羊肠坂,但是由于他为
政不仁,结果商汤流放了他。商纣王的国都,左有孟门山,右
有太行山,北有恒山,南有黄河,可是由于他不实行德政,最
后还是被周武王给杀了。由此看来,国家的巩固,是在于德
政而不在于天险。如果您要是不实行德政,这船上坐的都将
变成您的敌人。”魏武侯敬佩地说:“好!”

　　田文既死,公叔为相①,尚魏公主,而害吴
起②。公叔之仆曰:“起易去也。”公叔曰:“奈何?”
其仆曰:“吴起为人节廉而自喜名也。君因先与武
侯言:‘夫吴起贤人也,而侯之国小,又与强秦壤
界③,臣窃恐起之无留心也。’武侯即曰:‘奈何?’君
因谓武侯曰:‘试延以公主,起有留心则必受之;无
留心则必辞矣。’以此卜之。君因召吴起而与归,
即令公主怒而轻君。吴起见公主之贱君也,则必

辞。"于是吴起见公主之贱魏相,果辞魏武侯^④,武侯疑之而弗信也。吴起惧得罪,遂去,即之楚。

注释:

①公叔:韩国贵族,时居魏为相。

②害:忌恨,以其存在为己之病。

③"而侯之国"二句:当时秦未变法,国力未强;而魏国之文侯、武侯时代,国力为天下第一,今乃谓其"国小",皆与实情不合,显为后人编造。壤界,犹言"接壤",谓国土相连。

④果辞魏武侯:以上公叔设陷阱以倾害吴起事,见《吕氏春秋·先见》,然害吴起者为"王错",非"公叔"。

译文:

　　田文死后,公叔接任为相,公叔娶了魏国的公主,一向畏忌吴起。公叔的仆从说:"要想撵走吴起是很容易的。"公叔问:"怎么办?"仆从说:"吴起是个有气性、有棱角、爱名声的人。您可以先去对武侯说:'吴起是一个能人,而您的国家比较小,又与强大的秦国接壤,我私下里担心吴起没有长久留在魏国的打算。'这时武侯如果问您:'那怎么办呢?'您就对武侯说:'可以用把公主嫁他的办法试试他,他要是想长期留在魏国,就会接受这门亲事;要是他不打算长期留下去,就一定会推辞,这样您就可以试探出他的想法了。'您跟武侯这样说过后,立刻就请吴起到您家里做客,您要让你们家的公主当着吴起的面对您发脾气,藐视您。吴起一见公主看不起您,他就必然会拒绝武侯的提亲。"果然,吴起一见公主蔑视公叔,就谢绝了魏武侯的招亲。魏武侯从此也对吴起有了疑心,不再信任他了。吴起害怕这样下去要倒霉,于是就离开魏国到楚国去了。

楚悼王素闻起贤，至则相楚。明法审令^①，捐不急之官^②，废公族疏远者^③，以抚养战斗之士。要在强兵，破驰说之言从横者^④。于是南平百越^⑤，北并陈、蔡^⑥，却三晋^⑦，西伐秦^⑧。诸侯患楚之强，故楚之贵戚尽欲害吴起^⑨。及悼王死，宗室大臣作乱攻吴起，吴起走之王尸而伏之。击起之徒因射刺吴起，并中悼王。悼王既葬，太子立^⑩，乃使令尹尽诛射吴起而并中王尸者^⑪，坐射起而夷宗死者七十馀家^⑫。

注释：

① 审：确也，必也。

② 捐：撤除。不急：不急需的，没有用的。

③ 公族：国君的同族。

④ 驰说：到处奔走游说。从横：同"纵横"。吴起相楚先于苏秦说赵五十年，距秦孝公用商鞅变法尚早，不应有纵横家。

⑤ 百越：也作"百粤"，统称当时居住在今福建、广东、广西一带的少数民族，因其种族繁多，故称"百越"。

⑥ 陈、蔡：西周以来的诸侯国名。陈国公元前478年被楚所灭。蔡国公元前477年被楚所灭。

⑦ 却：打退，打败。三晋：指韩、赵、魏三国，因为它们都是分晋建立的国家。这里实指韩、魏，因为赵国居北，不与楚国为邻。

⑧ 西伐秦：吴起在楚时的秦国诸侯为秦献公，国都栎阳（今陕西临潼东北）。按：以上吴起佐悼王强楚诸事多与事实不

合，梁玉绳曰："陈灭于楚惠王十一年（前478年），蔡灭于惠王四十二年（前477年），何待悼王时始并之？此与《蔡泽传》同妄，实误仍（沿袭）《秦策》也。"

⑨"故楚"句：因吴起"捐不急之官，废公族疏远者"，触及此等利益故也。害：嫉恨。

⑩太子：名臧，即楚肃王。

⑪令尹：楚官名，职同北方诸国之丞相。

⑫坐：因，因事遭罪。夷宗：灭族。按：以上吴起变法强楚及其死于楚事，见《韩非子·和氏》与《战国策·秦策三》之蔡泽语。吴起临死设谋为自己复仇事，《战国策》不载，《韩非子》但谓吴起被"枝解"，而略见于《吕氏春秋·贵卒》。梁玉绳曰："《吕氏春秋》言'起拔矢而走，伏尸插矢'，谓拔人所射之矢插王尸也。与此小异。"郭嵩焘曰："如此则亦楚大变矣，《楚世家》顾不一载，何也？"按：史公每写及复仇事，必感情饱满，绘形绘声。此吴起临死设谋为自己复仇事，与苏秦临死之为自己设谋复仇思路相同。

译文：

楚悼王早就知道吴起的才干，吴起一到，就让他当了楚国的丞相。吴起执政后，制订了明确的法令，而且切实地付诸实行，他裁减了所有无关紧要的官员，废除了那些与王室疏远的家族特权，把节省下来的钱财用于提高士兵的生活待遇。他的主要宗旨是在于加强军事实力，而坚决排斥那些到处奔走游说，大讲合纵连横的人。于是楚国向南平定了百越，向北兼并了陈、蔡，打退了韩、魏等国的侵扰，还几次出兵西进伐秦。各国都对楚国的强大感到不安，而楚国的旧贵族们都想谋害吴起。等到楚悼王一死，王室大臣作乱，追杀吴起，吴起逃到了楚悼王停尸的地方，趴伏在楚悼王的尸体上。

追杀吴起的人在刺射吴起的时候，也一并射中了楚悼王的尸体。等到安葬完楚悼王，太子立为新君后，就让令尹把射杀吴起时连带射中悼王尸体的人一齐斩首，前后被灭族的计有七十多家。

商君列传

　　《商君列传》记叙了商鞅佐秦孝公实行变法，使秦国空前富强的丰功伟绩，和后来秦国发生政变，商鞅惨遭杀害的全过程。商鞅可以说是我国古代第一个"舍身求法"的悲剧英雄，但司马迁出于个人的惨痛经历，对于商鞅这个法家人物从态度上是反感的，这与他对待吴起、晁错一样，是同一种性质的偏颇。可是司马迁又不因商鞅活着被反对派所憎恨，死后被反对派所诋毁，第一个把商鞅从千口一词的辱骂中提出来为其立传，异常科学准确地记述了商鞅变法的功效，记述了秦国由于变法而导致富强，并为日后的统一六国奠定了基础，可见他没有因个人感情的爱憎而缩小、降低商鞅的政治成就，这是司马迁进步历史观与其求实精神的体现。

商君者，卫之诸庶孽公子也①，名鞅，姓公孙氏，其祖本姬姓也。鞅少好刑名之学②，事魏相公叔座为中庶子③。公叔座知其贤，未及进。会座病，魏惠王亲往问病，曰："公叔病，有如不可讳④，将奈社稷何？"公叔曰："座之中庶子公孙鞅，年虽少，有奇才，愿王举国而听之。"王嘿然⑤。王且去，座屏人言曰⑥："王即不听用鞅，必杀之，无令出境。"王许诺而去。公叔座召鞅谢曰："今者王问可以为相者，我言若，王色不许我。我方先君后臣，因谓王'即弗用鞅，当杀之'。王许我。汝可疾去矣，且见禽⑦。"鞅曰："彼王不能用君之言任臣，又安能用君之言杀臣乎？"卒不去。惠王既去，而谓左右曰："公叔病甚，悲乎，欲令寡人以国听公孙鞅也，岂不悖哉⑧！"

注释：

① 庶孽：古代用以指非正妻所生的孩子。公子：古代诸侯除嫡长子之外的儿子。或曰"公"字乃后人所加。

② 刑名之学：即法家学说，因法家主张"循名责实"，以刑法治国，故云。

③ 中庶子：官名，战国时诸侯、太子、宰相身边的近侍之臣。

④ 不可讳：指死。讳，忌讳，避免。

⑤ 嘿：同"默"。

⑥ 屏：同"摒"（bǐng），斥退，支开。

⑦禽：同"擒"。

⑧悖（bèi）：乖背，荒谬。

译文：

　　商君是卫国国君姬妾生的公子，名鞅，姓公孙氏，他的祖先本姓姬。公孙鞅年轻时喜好刑名之学，在魏相公叔座手下当侍从官中庶子。公叔座知道他有本事，但还没有来得及向国王推荐，就病倒了。公叔座生病，魏惠王亲自前往探问病情，问道："您万一有个三长两短，那国家社稷该怎么办？"公叔座说："我的侍从公孙鞅虽然年轻，但有奇才，大王可将国家大事托付给他。"魏惠王听了没有说话。等到魏惠王要走了，公叔座支开周围的人对魏惠王说："大王如果不愿听我的推荐任用公孙鞅，那就请您把他杀掉，不能让他到别的国家去。"魏惠王答应了。魏惠王走后，公叔座派人把公孙鞅找来，告诉他说："今天大王向我问起以后谁能做魏相，我推举了你。但我看大王的意思是不想听我的话。我办事的原则是先忠于国君，而后才是忠于朋友，所以我当时又对大王说'如果您不用公孙鞅，那就立即把他杀掉'。大王已经答应了我。你应该马上离开魏国，不然就要被他们杀掉了。"公孙鞅说："既然大王不能听您的话重用我，又怎么能听您的话杀我呢？"于是他哪里也没去。魏惠王离开公叔座家，就对左右说："公叔座真是病得糊涂了，叫人伤心！他竟然想让我把国家大事都托付给公孙鞅，这不是荒唐透顶吗？"

　　公叔既死，公孙鞅闻秦孝公下令国中求贤者，将修缪公之业①，东复侵地②。乃遂西入秦，因孝公宠臣景监以求见孝公。孝公既见卫鞅，语事良久,孝公时时睡,弗听。罢而孝公怒景监曰:"子之客妄人耳③,安足用邪!"景监以让卫鞅。卫鞅曰:"吾说公以帝道④,其志不开悟矣。后五日,复求见鞅⑤。"鞅复见孝公,益愈⑥,然而未中旨。罢而孝公复让景监,景监亦让鞅。鞅曰:"吾说公以王道而未入也⑦,请复见鞅。"鞅复见孝公,孝公善之而未用也。罢而去,孝公谓景监曰:"汝客善,可与语矣。"鞅曰:"吾说公以霸道⑧,其意欲用之矣。诚复见我,我知之矣。"卫鞅复见孝公。公与语,不自知膝之前于席也。语数日不厌。景监曰:"子何以中吾君?吾君之欢甚也。"鞅曰:"吾说君以帝王之道比三代,而君曰:'久远,吾不能待。且贤君者,各及其身显名天下,安能邑邑待数十百年以成帝王乎⑨?'故吾以强国之术说君,君大说之耳;然亦难以比德于殷周矣⑩。"

注释:

①缪公:也作"穆公",名任好,春秋前期秦国的国君,在位时政治修明,曾称霸西戎,为春秋"五霸"之一。

②东复侵地:缪公时,秦国曾几次打败晋国,把国境向东推进到了今陕西、山西交界的黄河边上。战国初期以来,秦国中落,黄河以西的陕西地区又被魏国占领。

③妄人:徒作大言而不近实际的人。妄,虚妄,狂妄。

④帝道:五帝治国的办法策略。五帝是儒家推崇的古代圣王。

⑤"后五日"二句:注此文者例将此七字置于引号外,而此实
乃商鞅对景监之祈请语,应接连上文一气读下。

⑥益愈:稍好了一点,言其效果已不似上次之使孝公"时时
睡,弗听"了。

⑦王道:三王的治国之道,三王也是儒家推崇的古代圣王,不
过比起五帝来要低一筹。"三王"是夏禹、商汤、周文王和
周武王(武王继承父业,故与文王合称一王)。

⑧霸道:五霸的治国之道。五霸在儒家心目中是不被特别推
崇的。

⑨邑邑:同"悒悒"(yì),苦闷不安的样子。

⑩"难以"句:儒家鼓吹王、霸之别,又宣扬一代不如一代,司
马迁对于商鞅见秦孝公的这段描写,显然是表现了儒家的
守旧思想。

译文:

公叔座死后,公孙鞅听说秦孝公在国内下了命令招贤纳
士,准备重新光大秦缪公的事业,向东方收复被侵占的土地,
于是他就西行来到了秦国,通过秦孝公的宠臣景监求见秦孝
公。秦孝公召见公孙鞅后,他对秦孝公谈了好久,秦孝公直
打瞌睡,一点也听不进去。待公孙鞅走后,秦孝公生气地斥
责景监说:"你介绍来的客人是个说话不着边际的人,这种人
怎么能用呢?"景监出来就用秦孝公的话责备公孙鞅。公孙
鞅说:"我当时是拿了帝道来开导他的,看来他对这个还不能
领悟。希望你在五天之后,再向孝公引见我。"公孙鞅第二次
见到秦孝公后,情况比上次略好了一点,但还是不能让秦孝
公满意。事情过后秦孝公又斥责景监,景监又去责备公孙
鞅。公孙鞅说:"这次我是拿了王道来开导他的,他还是听不
进去,请你再引见我。"于是公孙鞅第三次见到了秦孝公,这

次交谈之后，秦孝公对他的言论已经有所肯定，只是还没有充分听取。这次过后，秦孝公对景监说："你这位客人不错，我跟他还谈得来。"公孙鞅说："这回我是拿了霸道来开导他的，看他的意思是想采用了。如果他能够再接见我，我知道该进一步和他说什么了。"于是公孙鞅第四次见到了秦孝公。这一次秦孝公和公孙鞅谈话，不知不觉地他的膝盖总是向着公孙鞅的座位凑拢，一连听他说了几天都没有听够。景监问公孙鞅说："你是拿什么说中了我们国君的心意？我们的国君高兴极了。"公孙鞅说："我先是拿五帝三王治国的办法开导他，希望他能把秦国治理得可以和夏商周三代相比，可是你们的国君说：'用这种办法太慢了，我等不了。况且作为一个贤君，都希望在位时就能扬名于天下，我怎么能慢慢腾腾地到几十年以至上百年后再成就帝王大业呢？'所以我后来只用富国强兵的办法来劝说大王，结果这些使他非常喜欢。但是这样做，秦国也就不可能再达到殷朝、周朝那样的仁德水平了。"

孝公既用卫鞅，鞅欲变法，恐天下议己。卫鞅曰："疑行无名①，疑事无功。且夫有高人之行者，固见非于世；有独知之虑者②，必见敖于民③。愚者闇于成事④，知者见于未萌⑤。民不可与虑始，而可与乐成。论至德者不和于俗⑥，成大功者不谋于众。是以圣人苟可以强国，不法其故；苟可以利民，不循其礼。"孝公曰："善。"甘龙曰："不然。圣人不易民而教⑦，知者不变法而治。因民而教⑧，不劳而成功;缘法而治者^⑨,吏习而民安之。"卫鞅曰:"龙之所言,世俗之言也。常人安于故俗,学者溺于所闻^⑩。以此两者居官守法可也,非所与论于法之外也^⑪。三代不同礼而王,五伯不同法而霸。智者作法,愚者制焉;贤者更礼,不肖者拘焉。"杜挚曰:"利不百,不变法;功不十,不易器。法古无过,循礼无邪。"卫鞅曰:"治世不一道,便国不法古。故汤武不循古而王,夏殷不易礼而亡^⑫。反古者不可非,而循礼者不足多。"孝公曰:"善。"以卫鞅为左庶长^⑬,卒定变法之令^⑭。

注释:

①疑:犹豫,不自信。

②独知:知人所不知。

③敖:同"謷"(áo),诋毁。

④闇:同"暗"。

⑤知:同"智"。萌:萌芽,发生。

⑥论:讲究。

⑦易民:指改变人们旧有的风俗习惯。易,改换。

⑧因:顺着,按着。

⑨缘:沿袭。

⑩溺(nì):沉醉,拘泥。

⑪法之外:旧法以外的事情,指变法而言。

⑫夏殷:指夏、殷的末代帝王桀、纣而言。

⑬以卫鞅为左庶长:据《秦本纪》,商鞅为左庶长是在变法后,

不是在此时。左庶长，秦爵位名，为第十等。

⑭卒定变法之令：据《秦本纪》，商鞅说孝公变法在孝公三年
（前359年）。

译文：

秦孝公任用公孙鞅后，公孙鞅想要在秦国实行变法，但秦孝公害怕天下人议论自己。公孙鞅说："修养操行如果犹豫不定就不能成名，做事如果犹豫不定就不能成功。一个人的操行如果出类拔萃，就肯定要遭到世人的攻击；一个人的见解如果特别独到，就必然要受到一般人的诋毁。愚昧的人当别人把事情都办成了，他还在那里迷惑不解；而智慧的人则不用等问题发生，早就已经预见到了。对于老百姓，不论做什么事，在开头的时候不能和他们商量，而只能在办成以后和他们共享成果。讲究最高道德的和一般世俗的人是不能合群的，要干大事业的人不能去征求那些芸芸众生的意见。圣人只要是能使国家富强，就不必去效法古代的典章；只要是能使百姓得利，就不必遵循旧时的礼教。"秦孝公说："讲得好。"甘龙说："不对。圣人在教育人的时候从不改变人们旧有的风俗习惯，智慧的人在治理国家的时候从不改变国家原有的法度。按照人们旧有的习俗来进行教育，就能不费劲地获得成功；遵照原有的制度来治理国家，就不仅能让官吏们顺手，而且百姓们也能够相安无事。"公孙鞅说："甘龙所说的，都是些最世俗的话。普通人们总是安于一套已有的习俗，书呆子们总是迷信书本的条文。按照甘龙所说的那两条奉公守法地维持旧有秩序是可以的，但不可能和他讨论法制以外的事情。夏、商、周三代都称王，但他们奉行的礼教是不同的；五伯都是霸主，但执行的法度也不完全相同。法度是聪明人制订的，而愚蠢的人只知道遵行；礼教是有才干的人

改立的，而一些无能的人则只能接受约束。"杜挚说："见不到百倍的好处，不能变法；看不准十倍的功效，不能更换旧的器物。按古代的章程做，就绝不会错；按旧的礼法走，就绝不会邪。"公孙鞅说："治理天下的办法是不一样的，我们要的是方便有利，而不是为了仿效古人。商汤和周武王都没有遵循古法而成就了王业，夏桀和殷纣倒是没有改变旧礼而亡了国。可见改变古法的人不能否定，而遵循旧礼的人不值得赞扬。"秦孝公说："讲得好。"于是任命公孙鞅为左庶长，并很快地确定了变法的条令。

令民为什伍，而相牧司连坐^①。不告奸者腰斩，告奸者与斩敌首同赏，匿奸者与降敌同罚。民有二男以上不分异者^②，倍其赋。有军功者，各以率受上爵^③；为私斗者，各以轻重被刑大小。僇力本业^④，耕织致粟帛多者复其身^⑤。事末利及怠而贫者^⑥，举以为收孥^⑦。宗室非有军功论^⑧，不得为属籍^⑨。明尊卑爵秩等级^⑩，各以差次名田宅^⑪，臣妾衣服以家次^⑫。有功者显荣，无功者虽富无所芬华^⑬。

注释：

①牧司：相互监督、窥伺。连坐：一家犯罪，同什伍的其他各家如不告发，就与犯罪者一同受罚。

②"民有"句：此规定的宗旨在于鼓励发展生产和增加人口。男，丁男，成年男子。分异，指分家。

③率(lǜ)：标准，规定。

④僇力：并力，尽力。僇，同"戮"。本业：指农业。

⑤复其身：免除其自身的劳役负担。复，免除。

⑥事末利：指经营工商以求利。末，指工商业，与农业对举而言。

⑦举：尽，全部。收孥：收为奴隶。孥，此处同"奴"。

⑧论：论叙，铨评。

⑨属籍：享受特权的亲属名册。

⑩爵秩：爵禄的等级。

⑪差次：差别次序，即指等级。名：以自己名义占有。

⑫家次：家族的等级。

⑬芬华：荣华，贵盛显耀。

译文：

　　新法把居民十家编为一"什"，五家编为一"伍"；让他们互相监督，否则一家出事，其他各家都要受牵连。知道谁是坏人而不告发的要被腰斩；而告发坏人的与斩获一个敌人首级的奖赏相同。一家有两个以上的成年男人而不分开过的，要加倍地交纳赋税。享有军功的人，可以根据规定加官进爵；为私仇而打架斗殴的，要根据情节轻重给以惩罚。新法鼓励农民好好发展农业，对于那些在耕田织布方面作出了成绩的，可以免除他们的劳役。对于从事经商或由于懒惰而变穷的，一律把他们降为奴隶。国君的宗族凡是没有军功可以论叙的，一律把他们从贵族谱牒上开除出去。要严格地按照爵位的尊卑划分等级，让人们按照等级的高低来占有不同的田宅。私家的奴婢穿什么样的衣服都要随着主人的地位而定。有军功的人才能显贵荣华，没有军功的人即使有钱，也没有社会地位。

令既具,未布,恐民之不信己,乃立三丈之木于国都市南门,募民有能徙置北门者予十金。民怪之,莫敢徙。复曰:"能徙者予五十金。"有一人徙之,辄予五十金,以明不欺。卒下令。

译文:

　　新法已经制定好,还没有公布,公孙鞅担心百姓们怀疑政府说话是否算数,于是就在国都市场的南门立了一根三丈长的杆子,招募百姓有谁能把它扛到市场的北门,就赏给他十锭金子。百姓们觉得奇怪,没人敢动。于是公孙鞅又说:"谁能把它扛到北门,赏给他五十锭金子。"这时出来一个人把它扛到了北门,公孙鞅立即赏给了他五十锭金子,以表明政府决不欺骗。接着就颁布了新法。

令行于民期年,秦民之国都言初令之不便者以千数①。于是太子犯法②,卫鞅曰:"法之不行,自上犯之。"将法太子。太子,君嗣也③,不可施刑,刑其傅公子虔,黥其师公孙贾。明日,秦人皆趋令④。行之十年⑤,秦民大说,道不拾遗,山无盗贼,家给人足。民勇于公战,怯于私斗,乡邑大治。秦民初言令不便者有来言令便者,卫鞅曰:"此皆乱化之民也⑥。"尽迁之于边城。其后民莫敢议令。

注释:

①初令:指商鞅新定不久的法令。

②太子犯法：秦孝公即位年二十一岁，秦孝公六年才二十七
岁，所生太子不过是个幼童，说太子这年犯法的事不可信。
太子犯法当在秦孝公十六年。孝公去世前五月，赵良见商
君说"公子虔杜门不出，已八年矣"，由此上推八年，也正是
秦孝公十六年。

③君嗣：国君的继承者。

④趋：归依。这里即指服从。

⑤行之十年："十年"当作"七年"，孝公十年，以商鞅为大良造
时变法施行了七年。

⑥化：风俗，风气。这里即秩序、治安的意思。

译文：

　　推行新法的第一年，秦国有上千的人到都城来反映新法
不好。这时秦孝公的太子犯了法。公孙鞅说："法令之所以
行不通，关键就在于上头有人破坏。"于是他准备依法处置太
子。但太子是国君的继嗣，不能对他施刑，于是就处罚了太
子的太傅公子虔，将他的太师公孙贾处以墨刑。结果第二
天，秦国人就都按着新法办了。到新法推行第十年后，秦国
的百姓们就变得十分喜欢新法了，这时道上掉了东西没人
捡，山里头没有盗贼，家家户户都过得很富裕。人们都勇于
为国从军，而不敢为私仇殴斗，乡村城镇到处是一片太平，过
去那些曾经说过新法不好的人，现在又反过来说新法好了。
公孙鞅说："这些都是扰乱国家秩序的刁民。"于是把他们一
律都迁到了边境上。从此百姓们谁也不敢再随便议论新
法了。

　　于是以鞅为大良造①，将兵围魏安邑，降之②。
居三年，作为筑冀阙宫庭于咸阳③，秦自雍徙都

之④。而令民父子兄弟同室内息者为禁⑤。而集
小乡邑聚为县⑥，置令、丞⑦，凡三十一县。为田开
阡陌封疆⑧，而赋税平。平斗桶权衡丈尺⑨。行之
四年，公子虔复犯约，劓之⑩。居五年⑪，秦人富
强，天子致胙于孝公⑫，诸侯毕贺。

注释：

①以鞅为大良造：事在孝公十年。大良造，即大上造，秦爵的
　第十六等。

②围魏安邑，降之：商鞅此次攻打的不是安邑而是固阳。

③作为筑：都是建造的意思。三字同义而连用，此种形式《史
　记》中多有。

④秦自雍徙都之：此处叙事有误。秦国自灵公时由雍徙都泾
　阳；献公时又由泾阳徙都于栎阳；至孝公十二年乃由栎阳
　迁都于咸阳。

⑤同室内息者为禁：禁止父子兄弟同住一间屋是为了鼓励分
　家、增殖，同时也是为了整顿风纪。

⑥集：归并。乡、邑、聚：都是当是的基层居民编制。乡，略同
　于今之乡。邑，城镇。聚，自然村。

⑦令、丞：县令与县丞。县丞是县令的副手。

⑧开：拆除，废除，实际是废除旧的，另设新的。阡陌：兼为地
　界用的田间小路，南北向的曰阡，东西向的曰陌。封疆：亦
　指地界。

⑨平：统一，划一。斗桶：皆量器，六斗为一桶。桶与斛（hú）
　同。权衡：即指秤。权，秤锤。衡，秤杆。

⑩劓（yì）：古代刑罚的一种，即割掉鼻子。

⑪居五年：应作"居三年"，即孝公十九年。

⑫天子致胙(zuò)：古时天子祭祀鬼神后，常把用过的祭肉分
送给某个诸侯大臣，以表示对他的格外尊宠。据《秦本纪》
与《六国年表》，周天子"致胙"于秦孝公二年，而孝公十九
年为"天子致伯"。

译文：

　　于是秦孝公封公孙鞅为大良造，派他率兵包围了魏国的
固阳，使固阳投降了秦国。又过了三年，秦国在咸阳建造了
城阙宫殿，把国都从雍迁到了咸阳。接着秦国禁止父子兄弟
同住一间屋子。把若干乡、邑、聚归并为县，各县里设置县
令、县丞，全国共设三十一个县。废除了原有的田埂地界，让
人们重新认领土地，公平地向国家交纳赋税。又统一了度量
衡。这些新制度实行第四年后，公子虔又犯了法，被割掉了
鼻子。第五年，秦国就非常富强了，周天子派人给秦孝公送
来了祭肉，表示承认他是霸主，各国的诸侯们都来向秦国朝
拜称贺。

　　其明年，齐败魏兵于马陵，虏其太子申，杀将
军庞涓。其明年，卫鞅说孝公曰："秦之与魏，譬若
人之有腹心疾①，非魏并秦，秦即并魏。何者？魏
居领厄之西②，都安邑③，与秦界河而独擅山东之
利④。利则西侵秦⑤，病则东收地⑥。今以君之贤
圣，国赖以盛；而魏往年大破于齐，诸侯畔之⑦，可
因此时伐魏。魏不支秦，必东徙。东徙，秦据河山
之固⑧，东乡以制诸侯，此帝王之业也。"孝公以为

然,使卫鞅将而伐魏。魏使公子卬将而击之⑨。军既相距⑩,卫鞅遗魏将公子卬书曰:"吾始与公子欢⑪,今俱为两国将,不忍相攻。可与公子面相见,盟,乐饮而罢兵,以安秦、魏。"魏公子卬以为然。会盟已⑫,饮,而卫鞅伏甲士而袭虏魏公子卬,因攻其军,尽破之以归秦。魏惠王兵数破于齐、秦,国内空,日以削,恐,乃使使割河西之地献于秦以和⑬。而魏遂去安邑,徙都大梁⑭。梁惠王曰:"寡人恨不用公叔座之言也。"卫鞅既破魏还,秦封之於、商十五邑⑮,号为商君⑯。

注释:

①腹心疾:比喻两国紧相靠近,不能两立之形也。

②领厄:山岭险要之地,指今山西南部之中条山。领,同"岭"。

③都安邑:魏之旧都安邑在今河南夏县西北。魏于惠王九年亦即秦孝公元年已迁都大梁,此时不都安邑。

④擅:专有。山东:崤山以东。此处似指今之河南、山西一带地区。

⑤利:指攻秦有利时。

⑥病:不利,指攻秦不利时。东收地:攻取东方各国的地盘。

⑦畔:同"叛"。

⑧河山:指黄河与崤山。

⑨公子卬:魏惠王的儿子,时为魏国大将。

⑩相距:对峙。距,通"拒",对抗。

⑪始与公子欢:指商鞅昔日在魏时事也。欢,友好,相得。

⑫盟:订立盟约。已:完成,过后。

⑬割河西之地献于秦:此事在秦惠文王八年,不在此时。

⑭徙都大梁:据《魏世家》,魏国迁都于大梁在魏惠王三十一
　　年,正在此年,然今研究战国史者皆依《竹书纪年》系魏国
　　迁都于秦孝公元年,则与商鞅之功无关矣。

⑮於(wū)、商十五邑:於、商一带的十五座城邑,约当今河南
　　之西峡以及今陕西之商县一带。

⑯商君:当时的各诸侯国主例皆称"王",而诸侯国内的封建
　　领主则例皆称"君"。

译文:

　　秦国称霸的第二年,齐国大败魏兵于马陵,俘虏了魏国的太子申,杀死了魏国的大将庞涓。转过年来,公孙鞅对秦孝公说:"秦、魏两国的对立,就像一个人的心腹里有病一样,不是魏国灭了秦,就是秦国灭了魏,二者不能并存。为什么呢?魏国处在险要的中条山以西,建都安邑,与秦国只隔着一道黄河,实际上是控制着整个崤山以东的大局。条件有利,就西进攻秦;条件不利,可以向东方发展。如今由于您的圣明,秦国强盛起来了;去年魏国被齐国打得大败,各国诸侯都抛弃了它,我们可以乘此机会进攻魏国。魏国抗不住我们,肯定就会向东迁移。魏国一旦迁走,秦国就可以独自控制黄河、崤山的险要形势了。那时我们再出兵东下控制各国诸侯,就可以成就帝王大业了。"秦孝公觉得有理,就派公孙鞅率兵伐魏。魏国派公子卬领兵迎击。两军相对,公孙鞅派人送给公子卬一封信说:"我在魏国时和你是好朋友,今天我们为敌对的两国领兵,我不忍心互相攻打。我想和你当面订盟,欢宴后各自罢兵,让秦、魏两国都得到安宁。"公子卬信以

为真,他过来与公孙鞅见面会盟后,正在欢饮的时候,公孙鞅让预先埋伏的武士突然虏获了公子卬,接着又对魏军发起攻击,大败魏军后而返归秦国。魏惠王见到自己的国家连连被齐国、秦国击破,国内空虚,国势越来越弱,心里害怕,于是只得把黄河以西的土地全部割给了秦国,以此作为求和的条件。而后魏惠王也离开安邑,将国都迁到了大梁。魏惠王说:"我真后悔当时没有听公叔座的话。"公孙鞅破魏返回后,秦孝公把於、商一带的十五邑封给他,称他为商君。

商君相秦十年①,宗室贵戚多怨望者②。

注释:

①相秦十年:商鞅孝公元年入秦,三年变法,六年为左庶长,十年为大良造,二十二年封商君,二十四年孝公卒而鞅死,不是十年,疑当作"二十年",自为左庶长时始。

②怨望:犹怨恨。望,亦怨恨之义。

译文:

　　商君在秦国为相十年,秦国的宗室贵戚们有很多人怨恨他。

　　秦孝公卒,太子立。公子虔之徒告商君欲反,发吏捕商君①。商君亡至关下②,欲舍客舍。客人不知其是商君也③,曰:"商君之法,舍人无验者坐之④。"商君喟然叹曰:"嗟乎,为法之敝一至此哉!"去之魏。魏人怨其欺公子卬而破魏师,弗受。商君欲之他国。魏人曰："商君，秦之贼。秦强而贼入魏，弗归⑤，不可。"遂内秦⑥。商君既复入秦，走商邑，与其徒属发邑兵北出击郑⑦。秦发兵攻商君，杀之于郑黾池⑧。秦惠王车裂商君以徇⑨，曰："莫如商鞅反者！"遂灭商君之家。

注释：

①发吏捕商君：主语为秦惠文王，因其为太子时曾因"犯法"而受商君惩治，也恨商鞅。

②亡：逃跑。关：似指函谷关，为秦国东部的关塞。

③客人：指客舍主人。

④舍人：留人住宿。验：证。这里指证件。坐之：因之而获罪。

⑤归：送回。

⑥内秦：将商鞅押送回秦国。内，同"纳"。

⑦徒属：党羽部属。邑兵：商君领地十五邑之兵也。郑：秦县名，即今陕西华县，其地在商君领地之北，相隔不远。

⑧郑黾池：郑县之黾池。据《六国年表》，商鞅被擒杀在今陕西华县西面之彤城，"黾池"疑为"彤地"之讹。

⑨徇：巡行示众。

译文：

秦孝公去世，太子即位。这时公子虔等人诬告商君想要造反，派兵捉拿商君。商君逃到秦国的边境，想找客店住宿，客店的主人不知道他就是商君，对他说："商君的法令规定，凡是留宿没有证件的客人，店主人是要判罪的。"商君叹了一口气说："唉！变法的危害竟然害到了自己头上来了。"于是他离开秦国逃到了魏国。魏国人恨他当初欺骗公子卬打败了魏国军队,不肯收留他。商君想再到别的国家去。魏国人说:"商君是秦国的罪犯。秦国强大,它的罪犯逃到了魏国,魏国不把他送回秦国是不行的。"于是魏国人把商君送回了秦国境内。商君回到秦国后,迅速奔到他的封地商邑,与他的部属一起征集了领地上的士兵,向北攻打郑邑。这时秦国出动大兵攻打商君,在郑邑附近的彤城把他杀死了。秦惠王把商君车裂示众,说:"谁也不要像商鞅那样反叛国家!"接着又杀了商君的满门。

太史公曰:商君,其天资刻薄人也①。迹其欲干孝公以帝王术②,挟持浮说,非其质矣③。且所因由嬖臣;及得用,刑公子虔,欺魏将卬,不师赵良之言,亦足发明商君之少恩矣④。余尝读商君《开塞》、《耕战》书⑤,与其人行事相类。卒受恶名于秦,有以也夫!

注释:

①"其天资"句:史公对法家人物,好用类似词语,皆见史公感情之偏颇。

②迹:追踪,考察。干:求见。

③非其质:不是他的真心所在。质,实也。

④发明:表明,证明。

⑤《开塞》、《耕战》书:皆商鞅著作的篇目名,见《商君书》。开塞,"塞"谓国事的混乱衰败;"开"谓实行严刑则可使滞塞得通,国事得治。耕战,谓奖励农耕及勇于杀敌。

译文：

太史公说：商君是一个天性刻薄狠毒的人。考察一下他当初之所以要用五帝三王治理国家的办法来劝说秦孝公，也不过是说空话而已，那些根本不是出于他的本心。而且他又是通过秦孝公的一个宠幸做引荐，路子不正。等到受重用以后，又处罚了公子虔，欺骗了魏将公子卬，后来又不听从赵良的劝告，这些事实全都可以表明商君的残忍少恩。我曾经读过商君的《开塞》、《耕战》等文章，文章的思想风格和他的行事为人大致相同。最后在秦国蒙受恶名而被杀，这是有原因的啊！

魏公子列传

　　《魏公子列传》以魏公子信陵君窃符救赵一事为中心,歌颂了信陵君的礼贤下士和侯嬴诸人的士为知己者死。作者对他们的活动表示了高度的钦敬,对于信陵君这样一个一切以国家利益为目的的人物最后竟在遭毁谤与受怀疑的境遇下自戕于醇酒妇人的悲惨结局,寄寓了极大的感慨和同情。在战国时代所有以养士闻名的人物里,魏公子的人品最高,在司马迁歌颂的士为知己者死的游士中,侯嬴的人品最高。他们都摆脱了个人的一般利益、一般恩怨,而是谄诹善道,以义相扶,共同保卫国家,以维护正义为终极归宿。魏公子与侯嬴之间的这种关系是司马迁理想的君臣关系,是司马迁的一项重要的社会理想。

　　需要注意的是,侯嬴为信陵君策划窃符夺晋鄙兵事,不见于《战国策》,亦不见于先秦的其他载籍,可能是大梁长老之逸闻,是司马迁首次将它写入史册。

魏公子无忌者,魏昭王少子而魏安釐王异母弟也。昭王薨,安釐王即位,封公子为信陵君。是时范雎亡魏相秦①,以怨魏齐故,秦兵围大梁,破魏华阳下军,走芒卯②。魏王及公子患之。

注释:

① 范雎:字叔,原魏人,因遭须贾诬陷,几被魏相魏齐打死。后来逃到秦国,改名张禄,为秦昭王相。

② 走芒卯:围大梁在魏安釐(xī)王二年(前275年)。破魏华阳下军、走芒卯,在魏安釐王四年(前273年),是役秦将白起击杀赵、魏联军十五万人。此时秦相是穰侯魏冉,范雎相秦还在十年后,史公此处叙述有误。走,赶跑。芒卯,魏将。

译文:

魏公子无忌,是魏昭王的小儿子,魏安釐王的同父异母兄弟。魏昭王去世后,魏安釐王继位,封魏公子为信陵君。当时魏国的逃臣范雎正在秦国当丞相,因为怨恨魏国丞相魏齐,曾派兵一度包围了魏国的大梁,又击败了驻守在华阳的魏国军队,打跑了魏将芒卯。魏王和魏公子对这种形势深感忧虑。

公子为人仁而下士,士无贤不肖皆谦而礼交之,不敢以其富贵骄士。士以此方数千里争往归之,致食客三千人。当是时,诸侯以公子贤,多客,不敢加兵谋魏十馀年①。

注释：

①"不敢"句：此事不实。自魏安釐王立，秦无年不犯，赵亦曾攻魏。

译文：

　　魏公子为人仁厚又能礼贤下士，士无论是有才干的还是没才干的，他都以礼相待，从不因自己的地位高贵而待人傲慢。因此方圆几千里的游士们都争先恐后地去投奔他，他门下的食客有三千多人。当时，就因为魏公子贤明，而且门下又有很多能干的宾客，各国诸侯都不敢出兵来谋攻魏国。

　　公子与魏王博①，而北境传举烽，言"赵寇至，且入界"。魏王释博，欲召大臣谋。公子止王曰："赵王田猎耳，非为寇也。"复博如故。王恐，心不在博。居顷，复从北方来传言曰："赵王猎耳，非为寇也。"魏王大惊，曰："公子何以知之？"公子曰："臣之客有能深得赵王阴事者，赵王所为，客辄以报臣，臣以此知之。"是后魏王畏公子之贤能，不敢任公子以国政。

注释：

①博：下棋。

译文：

　　有一次，魏公子正和魏王下棋，这时从北部边境突然传来报警烽火，说是"赵国向我们进攻，敌军很快就要进入我们的国境"。魏王推开棋盘，就要召集大臣们商议。魏公子劝止魏王说:"那是赵王出来打猎,不是侵犯我国。"仍接着下棋。但魏王还是害怕,心思不在棋上。过不多时,又有消息从北边传来说:"是赵王打猎罢了,不是侵犯我国。"魏王很惊讶,问道:"你怎么就知道呢?"魏公子说:"我的宾客中有人能掌握赵王的秘密,赵王有什么活动,我的宾客都能及时向我报告,因此我很清楚。"从这件事情以后,魏王开始害怕魏公子的才能,不敢把国家大事交给魏公子办了。

　　魏有隐士曰侯嬴,年七十,家贫,为大梁夷门监者①。公子闻之,往请,欲厚遗之。不肯受,曰:"臣修身絜行数十年②,终不以监门困故而受公子财③。"公子于是乃置酒大会宾客。坐定,公子从车骑,虚左④,自迎夷门侯生。侯生摄敝衣冠⑤,直上载公子上坐,不让,欲以观公子,公子执辔愈恭。侯生又谓公子曰:"臣有客在市屠中,愿枉车骑过之⑥。"公子引车入市。侯生下见其客朱亥,俾倪⑦,故久立与其客语,微察公子,公子颜色愈和。当是时,魏将相宗室宾客满堂,待公子举酒。市人皆观公子执辔。从骑皆窃骂侯生。侯生视公子色终不变,乃谢客就车⑧。至家,公子引侯生坐上坐,遍赞宾客⑨,宾客皆惊。酒酣,公子起,为寿侯生前。侯生因谓公子曰:"今日嬴之为公子亦足矣。嬴乃夷门抱关者也⑩,而公子亲枉车骑,自迎嬴于众人广坐之中。不宜有所过⑪,今公子故过之。然赢欲就公子之名,故久立公子车骑市中。过客以观公子,公子愈恭。市人皆以赢为小人,而以公子为长者能下士也^⑫。"于是罢酒,侯生遂为上客。

注释:

①夷门监者:夷门的守门人。夷门,魏都大梁的东门。

②絜行:保持自己的清白品格。絜,同"洁"。

③终:无论如何。

④虚左:空着左边的座位,当时以左为尊。

⑤摄(shè):整理。

⑥枉:绕弯,绕远,谦辞。过:拜访。

⑦俾倪:同"睥睨"(pìnì),斜视,用余光偷看人。

⑧谢:辞别。

⑨遍赞宾客:把宾客一个个地向侯生作了介绍,极力尊敬侯生。

⑩抱关:守门。关,门闩。

⑪过:过分,指超出常格的礼数。

⑫长者:君子,厚道人。

译文:

　　魏国有个隐士叫侯赢,七十岁了,家境贫穷,在大梁的夷门看城门。魏公子听说这个人后,就亲自去拜访他,想要送给他一些东西。但侯赢不要,他说:"我保持清高廉洁已经几十年了,我绝不能因为看门人生活清苦而接受您的东西。"魏公子于是就举办了一个盛大的宴会。等客人们都坐定后,魏公子就带着车马随从,空着车子左边的上座,亲自到夷门去接侯赢。侯赢整理了一下自己的破衣冠,径直地上去坐在了车子左边的尊位上,一点也不谦让,想看看魏公子的态度如何,魏公子在那里抓着缰绳态度更加恭敬。侯嬴上车后又对魏公子说:"我有一个朋友在集市的肉店里,麻烦你的车子绕个弯,带我过去看看他。"魏公子赶着车子来到了集市。侯嬴从车上下来找到了他的朋友朱亥,二人故意地在那里说个不休,侯嬴也斜着眼睛观察着魏公子,魏公子的神态比刚才显得还要平静温和。当时,在魏公子的家里,那满座的贵族将相们,满堂的贵宾,都在等着公子回来开席。集市上的人们也都很惊奇地看着魏公子在给一个什么人牵着缰绳。而魏公子的那些随从们则偷偷地大骂着侯嬴。侯嬴见魏公子的态度始终没有变化,这才辞别了朱亥,重新上车,来到魏公子府中。魏公子请侯嬴坐到上座,把宾客们一一地向侯嬴作了介绍,宾客们见状都很吃惊。当大家饮酒饮到了最痛快的时候,魏公子又站起身来,恭恭敬敬地到侯嬴面前向他敬酒。侯嬴这时对魏公子说:"今天我也够难为公子了。我不过是夷门的一个守门人,而公子竟能屈尊地赶着车子,把我接到了这大庭广众中来,有些地方按理说那不是公子该去的,可是公子居然也去了。但我当时也是为了成就公子的好名声,所以才故意地让公子带着车马在市场上罚站。当时来来往往的人都看公子,而公子显得越来越谦逊。这样就可以让整个集市的人们都骂我是小人,而称赞公子为人厚道,礼贤下士。"于是大家尽欢而散,侯嬴从此成了魏公子家里的上宾。

侯生谓公子曰:"臣所过屠者朱亥,此子贤者,世莫能知,故隐屠间耳。"公子往数请之,朱亥故不复谢,公子怪之。

　　侯嬴对魏公子说："前些天我所拜访的那个屠户朱亥，是个能人，因为没有人了解他，所以他才隐居在屠户里。"魏公子听说后一连几次地去拜访他，而朱亥却故意地一次也不回拜，魏公子很奇怪。

　　魏安釐王二十年，秦昭王已破赵长平军[1]，又进兵围邯郸。公子姊为赵惠文王弟平原君夫人，数遗魏王及公子书，请救于魏。魏王使将军晋鄙将十万众救赵。秦王使使者告魏王曰："吾攻赵旦暮且下，而诸侯敢救者，已拔赵，必移兵先击之。"魏王恐，使人止晋鄙，留军壁邺[2]，名为救赵，实持两端以观望。平原君使者冠盖相属于魏[3]，让魏公子曰："胜所以自附为婚姻者，以公子之高义，为能急人之困。今邯郸旦暮降秦而魏救不至，安在公子能急人之困也！且公子纵轻胜，弃之降秦，独不怜公子姊邪！"公子患之，数请魏王，及宾客辩士说王万端。魏王畏秦，终不听公子。公子自度终不能得之于王，计不独生而令赵亡，乃请宾客，约车骑百馀乘[4]，欲以客往赴秦军，与赵俱死。

①破赵长平军：事在公元前 260 年，是役秦将白起大败赵将赵括，坑杀赵卒四十馀万。

②留军壁邺：在邺县止军筑垒。邺，魏县名，在今河北磁县南。

③冠盖：冠冕、车盖。属：连。

④约：准备，具办。

译文：

魏安釐王二十年，秦昭王在长平大破赵军后，又进兵包围了赵国的首都邯郸。魏公子的姐姐是赵惠文王的弟弟平原君的夫人，平原君一连几次给魏王和魏公子写信，向魏国求救。开始时魏王也曾派出了将军晋鄙率兵十万前往援救赵国。但后来秦王派使者来威胁魏王说："邯郸很快就要被我们攻下来了，哪个国家胆敢援救赵国，等我们攻下邯郸后，就首先移兵打它。"魏王害怕，就派人让晋鄙把军队停在了邺县，名义上是要救赵，实际上是观望动静，脚踩两只船。平原君告急的使者，一批批络绎不绝，他责备魏公子说："我当初之所以和你结为亲戚，就是看在了你为人重义，到关键时刻能急人之困。如今邯郸很快就得投降秦国，而魏国的救兵却迟迟不到，你的急人之困表现在哪里呢！再说，你即使不把我看在眼里，抛弃我们去投降秦国，难道你就不可怜你的姐姐吗？"魏公子听了很焦急，他多次去向魏王请求，他周围的宾客辩士们也千方百计地对魏王进行劝说。但魏王由于害怕秦国，无论如何不答应。魏公子估摸着不能说服魏王了，而自己又不能眼看着赵国灭亡而自己活着，于是他就邀集了他的宾客们，凑了一百多辆车，准备率领他们去跟秦军拼命，和赵国共存亡。

　　行过夷门，见侯生，具告所以欲死秦军状。辞决而行，侯生曰："公子勉之矣，老臣不能从。"公子行数里，心不快。曰："吾所以待侯生者备矣，天下莫不闻。今吾且死，而侯生曾无一言半辞送我，我岂有所失哉！"复引车还，问侯生。侯生笑曰："臣固知公子之还也①。"曰："公子喜士，名闻天下。今有难，无他端而欲赴秦军，譬若以肉投馁虎，何功之有哉？尚安事客？然公子遇臣厚，公子往而臣不送，以是知公子恨之复返也。"公子再拜，因问。侯生乃屏人间语②，曰："嬴闻晋鄙之兵符常在王卧内③，而如姬最幸，出入王卧内，力能窃之。嬴闻如姬父为人所杀，如姬资之三年④，自王以下欲求报其父仇，莫能得。如姬为公子泣，公子使客斩其仇头，敬进如姬。如姬之欲为公子死，无所辞，顾未有路耳。公子诚一开口请如姬，如姬必许诺，则得虎符夺晋鄙军，北救赵而西却秦，此五霸之伐也⑤。"公子从其计，请如姬，如姬果盗晋鄙兵符与公子⑥。

注释：

①"臣固知"句：侯生之设谋，事关重大，且又处人骨肉之间，不到时候，势难开口。此外，经过如此一番周折，话更易入。

②屏人：支开众人。屏，同"摒"。间语：私语。

③兵符：古代调兵所用的符信，一半为大将所持，一半存于国君。国君有令，则命使者持符前往，以合符为信。

④资：蓄积，存在心里。一说，资，给，购求。

⑤伐：功业。

⑥晋鄙兵符：指存于魏王处的和晋鄙所持相同的另一半
　兵符。

译文：

　　他临走时特意到夷门来见侯嬴，把自己如何准备去跟秦军拼命的想法统统告诉了侯嬴。说罢就要走了，侯嬴说："公子好自为之吧，我不能随您去啦。"魏公子走出了几里地后，心里很不痛快，想："我对待侯嬴应该说是很不错了，天下没人不知道，可是今天轮到我去拼命，侯嬴竟然没有一言半语送我，莫不是我有什么事情做得不对吗？"于是又率领着车马回来了。当魏公子再问侯嬴的时候，侯嬴笑着说："我就知道您会回来的。"他说："您喜欢招贤纳士，天下无人不知。可是轮到今天有难了，您不想别的办法而只顾自己去向秦军拼命，这样做如同拿着肥肉扔给饿虎，那会有什么用处呢？照这样，那还养客做什么？您待我丰厚，您刚才说走而我不送您，我知道您心里会起疑问而再回来的。"魏公子向侯嬴拜了两拜，接着向他请教。侯嬴支开了众人，和魏公子悄悄地说："我听说晋鄙的兵符就放在魏王的卧室内，而如姬最受宠幸，可以自由地出入魏王的卧室，可以把兵符偷出来。我听说如姬的父亲是被人杀害的，当初如姬积恨三年，到处找人替她报仇而找不到。最后如姬来向您哭诉，是您派了一个人去取来了她仇人的人头，交给了如姬。如姬想报答您的恩情，是死也不会推辞的，只是没有机会罢了。现在您只要一开口，如姬肯定会答应，这样我们就可以拿到虎符，夺得晋鄙的兵权，而后率兵北救赵，西破秦，这不俨然是春秋五霸一样的功业吗？"魏公子接受了侯嬴的意见，请求如姬帮他盗取兵符，如姬果然把兵符给他偷了出来。

公子行，侯生曰：“将在外，主令有所不受，以便国家。公子即合符，而晋鄙不授公子兵而复请之，事必危矣。臣客屠者朱亥可与俱，此人力士。晋鄙听，大善；不听，可使击之。”于是公子泣。侯生曰：“公子畏死邪？何泣也！”公子曰：“晋鄙嚄唶宿将①，往恐不听，必当杀之，是以泣耳，岂畏死哉？”于是公子请朱亥。朱亥笑曰：“臣乃市井鼓刀屠者，而公子亲数存之②。所以不报谢者，以为小礼无所用。今公子有急，此乃臣效命之秋也。”遂与公子俱。公子过谢侯生。侯生曰：“臣宜从，老不能。请数公子行日，以至晋鄙军之日，北乡自刭，以送公子③。”公子遂行。

注释：

①嚄唶（huòzè）：声音雄武貌，用以形容勇士的威猛。

②存：恤问。

③“北乡”二句：侯生自刭是为坚定魏公子杀晋鄙以夺兵权的决心，是佐成信陵君窃符救赵这一历史壮举的不可少的因素之一。

译文：

魏公子又要出发了，侯嬴说：“大将带兵在外，君主的命令有时可以不接受，是以对国家有利为原则。您到晋鄙那里，即使兵符合上了，但如果晋鄙不把兵权交给您，他要是再请示，那事态就危险了。我的朋友屠户朱亥可以跟您一起去，他是个大力士。到时候晋鄙听话便罢；如果不听话，就让朱亥当场把他杀掉。"魏公子一听这话，不由得落下了眼泪。侯嬴说："公子是怕死吗？为什么哭啦？"魏公子说："晋鄙是一员叱咤风云的老将，我怕到时候他不答应，那时我们就得杀掉他，所以我落了泪，哪里是因为怕死呢？"于是魏公子就去邀请朱亥。朱亥一听，欣然答应，说："我是集市上一个卖肉的，而公子竟能够多次地来光顾我。以前我之所以不回拜，是由于我认为讲这些小礼节没有用处。如今公子有了紧急需要，这正是我献身报效的时机。"于是跟着魏公子一同去了。魏公子最后来向侯嬴辞行，侯嬴说："我也是应该跟您一道去的，但由于年纪太大，去不了啦。我愿意计算着您的行程，当您到达晋鄙军队的那一天，我就向着北方自刎，以此来报答公子。"魏公子于是出发了。

至邺，矫魏王令代晋鄙。晋鄙合符，疑之，举手视公子曰①："今吾拥十万之众，屯于境上，国之重任，今单车来代之②，何如哉？"欲无听。朱亥袖四十斤铁椎，椎杀晋鄙，公子遂将晋鄙军。勒兵③，下令军中曰："父子俱在军中，父归；兄弟俱在军中，兄归；独子无兄弟，归养。"得选兵八万人④，进兵击秦军。秦军解去，遂救邯郸，存赵。赵王及平原君自迎公子于界，平原君负韊矢为公子先引⑤。赵王再拜曰："自古贤人未有及公子者也。"当此之时，平原君不敢自比于人。公子与侯生决，至军，侯生果北乡自刭。

注释：

①举手：表示一种紧张、急迫的样子。

②单车：古今注本于此皆无说，但此处似决不能理解为只有一辆车子，因为信陵君当时带着"车骑百馀乘"。凡国君在战场更换大将，似应同时派出两个人物，一个是前往接任的将军，一个是前往下达诏书的特使。

③勒：整饬，约束。

④选兵：犹言"精兵"，经过挑选的士兵。

⑤平原君负韝（lán）矢：替人背着箭囊在前引路，表示最大的感谢与最高的敬意。韝矢，装着箭的箭囊。韝，箭囊。

译文：

　　魏公子到达邺县后，假传魏王的命令，要接管晋鄙的兵权。晋鄙与魏公子对证了兵符后，心中存有疑问，他惶惑地举着手问魏公子说："我领着十万大兵驻扎在这边界线上，这是国家重任。现在你就这么简单地来接替我，这究竟是怎么回事呢？"想拒绝魏公子的命令。朱亥袖子里藏着重四十斤的大铁椎，冷不防一下就把晋鄙砸死了，于是魏公子夺取了晋鄙的军权。魏公子集合部队，下命令说："父子两个都在军中的，父亲可以回去；兄弟两个都在军中的，兄长可以回去；独生子没有兄弟的，可以回去奉养父母。"这样还剩下精兵八万人，于是前进攻击秦军。秦军被迫撤退，邯郸终于得救了，赵国得到了保全。赵王和平原君亲自到国境上来迎接魏公子，平原君亲自替魏公子背着箭袋，在前头引路。赵王对公子拜了两拜，说："自古以来的贤人没有一个能比得上公子您。"

到这时，平原君再也不敢和魏公子相比了。魏公子走后，侯嬴估计着魏公子已经到达了晋鄙军队，果然向着北方自杀了。

魏王怒公子之盗其兵符，矫杀晋鄙，公子亦自知也。已却秦存赵，使将将其军归魏，而公子独与客留赵。赵孝成王德公子之矫夺晋鄙兵而存赵①，乃与平原君计，以五城封公子。公子闻之，意骄矜而有自功之色。客有说公子曰：“物有不可忘，或有不可不忘。夫人有德于公子，公子不可忘也；公子有德于人，愿公子忘之也。且矫魏王令，夺晋鄙兵以救赵，于赵则有功矣，于魏则未为忠臣也。公子乃自骄而功之，窃为公子不取也。”于是公子立自责，似若无所容者。赵王扫除自迎，执主人之礼，引公子就西阶。公子侧行辞让，从东阶上②。自言罪过，以负于魏，无功于赵。赵王侍酒至暮，口不忍献五城，以公子退让也。公子竟留赵。赵王以鄗为公子汤沐邑③，魏亦复以信陵奉公子。公子留赵。

注释：

① 德：感谢。

② 从东阶上：按当时礼仪，主人从东阶上下，客人从西阶上下，客若降等，则从主人之东阶上下。

③汤沐邑：古代供诸侯朝见天子时住宿并沐浴斋戒的封地，
　后也指国君、皇后、公主等收取赋税的私邑。

译文：

　　魏王对魏公子盗窃兵符，假传命令杀死晋鄙的事情很生气，魏公子也很清楚这一点。所以等他击退了秦兵，保全了赵国之后，立刻就让别的将领带着军队回了魏国，他自己和他的宾客们就留在了赵国。赵孝成王很感谢魏公子假传命令夺了晋鄙的军队救了赵国，就和平原君商量，想要封给魏公子五座城池。魏公子听说后，心里也很得意，觉得是理所当然的。这时有位宾客就去劝他说："有些事情我们不能忘掉，也有些事情我们不能不忘掉它。凡是别人对您有德，您是不应该忘记的；如果是您对别人有德，那您就应该把它忘掉。更何况假传命令夺取兵权以解救赵国，这对于赵国当然是有功的，但对于魏国这就不能算是忠臣了。可是您现在还自以为有功而心安理得，我认为这是不可取的。"魏公子一听立刻反躬自责，愧悔得好像无地自容了。当赵王洒扫街道，以主人身份亲自把魏公子接到了王宫时，赵王请魏公子从表示尊敬的西边的台阶上殿。魏公子推辞不敢，谦虚地侧着身子从东边的台阶走了上去。魏公子说自己很惶恐，背叛了魏国，而对赵国也没有什么功劳。赵王陪着公子喝酒，一直喝到晚上，由于魏公子的谦虚退让，赵王竟没法开口说要献给魏公子五座城池的事情。从此以后，魏公子就在赵国留了下来。赵王把鄗作为汤沐邑给了魏公子，而魏国也把信陵给了魏公子。魏公子就继续留在了赵国。

　　公子闻赵有处士毛公藏于博徒①，薛公藏于卖浆家，公子欲见两人，两人自匿，不肯见公子。公子闻所在，乃间步往从此两人游②，甚欢。平原君闻之，谓其夫人曰："始吾闻夫人弟公子天下无双，今吾闻之，乃妄从博徒卖浆者游，公子妄人耳③。"夫人以告公子。公子乃谢夫人去，曰："始吾闻平原君贤，故负魏王而救赵④，以称平原君。平原君之游，徒豪举耳⑤，不求士也。无忌自在大梁时，常闻此两人贤，至赵，恐不得见。以无忌从之游，尚恐其不我欲也，今平原君乃以为羞，其不足从游。"乃装为去。夫人具以语平原君。平原君乃免冠谢，固留公子。平原君门下闻之，半去平原君归公子，天下士复往归公子，公子倾平原君客。

注释：

①处士：有才德而隐居不仕的人。

②间步：改容变服步行。间，悄悄地。

③妄人：任性胡来的人。妄，胡乱，荒诞。

④负：背叛，对不起。

⑤徒豪举：只图虚名、装门面。豪举，声势显赫的举动。

译文：

　　魏公子听说赵国有位才德高尚而洁身不仕的毛公混迹于一群赌徒之中，还有一位薛公混迹在一家酒店里，魏公子想见这两个人，二人却故意躲着不见。于是魏公子打听好了他们的住处后，自己就换了衣服悄悄地走着去找他们，和他们在一起过得很开心。平原君听说了这件事，对他的夫人说："从前我听说你的弟弟天下无比，可是如今我听说他竟然

去跟一些赌徒和卖酒的鬼混,原来他是个荒唐人。"平原君夫
人把这些话告诉了魏公子,魏公子就向他姐姐告辞要离开赵
国,说:"原先我是因为听着平原君贤能,所以才背叛魏王来
救赵国,为的是让平原君满意。现在看来平原君的好交朋
友,只不过是图虚名,并不是真正地要得到人才。我早在大
梁的时候,就听说毛公、薛公是两个人才,到了赵国,我还惟
恐见不到他们。我去跟人家交朋友,还总担心人家不愿意,
可是平原君却居然认为是羞耻,看来平原君真是不值得一
交。"收拾东西就准备上路。平原君夫人把魏公子的这些话
告诉了平原君,平原君一听赶紧摘了帽子来向魏公子赔礼道
歉,坚决挽留魏公子。平原君门下的宾客们知道了这件事,
有一半的人离开了平原君去投奔了魏公子,而其他国家的人
来投奔魏公子的也越来越多,因而魏公子门客的人数大大地
超过了平原君。

公子留赵十年不归。秦闻公子在赵,日夜出
兵东伐魏。魏王患之,使使往请公子。公子恐其
怒之,乃诫门下:"有敢为魏王使通者,死①。"宾客
皆背魏之赵,莫敢劝公子归。毛公、薛公两人往见
公子曰:"公子所以重于赵、名闻诸侯者,徒以有魏
也。今秦攻魏,魏急而公子不恤,使秦破大梁而夷
先王之宗庙,公子当何面目立天下乎!"语未及卒,
公子立变色,告车趣驾归救魏②。

注释:

①"有敢为"句:信陵君留赵十年后,在魏王派人来请时还如此恐惧,如此戒备,可见当年魏王对他的处置多么严厉。通,通报,禀报。

②趣(cù):赶快,迅速。

译文:

　　魏公子在赵国一住十年。秦国听说魏公子在赵国,就不断地出兵东攻魏国。魏王很头疼,最后只好派人到赵国请魏公子回去。魏公子怕魏王记旧恨,不愿回去,就对门下人说:"谁要是再敢为魏王的来人通报,我就处死他。"魏公子原来的门客们也都是背叛了魏国到赵国来的,所以也没人劝公子回去。这时毛公、薛公两人出来对魏公子说:"您之所以在赵国受尊重,能名扬诸侯,就是因为有魏国的存在。如今秦国攻打魏国,魏国情况紧急而您不关心,要是秦国攻破了大梁,铲平了魏国先王的宗庙,您有何面目立于天地之间呢!"话还没有说完,魏公子的脸色突然大变,赶紧吩咐人收拾车马起程,归救魏国。

　　魏王见公子,相与泣,而以上将军印授公子,公子遂将。魏安釐王三十年,公子使使遍告诸侯。诸侯闻公子将,各遣将将兵救魏。公子率五国之兵破秦军于河外①,走蒙骜②。遂乘胜逐秦军至函谷关③,抑秦兵,秦兵不敢出。当是时,公子威振天下,诸侯之客进兵法,公子皆名之④,故世俗称《魏公子兵法》。

注释：

①公子率五国之兵：五国指魏、韩、赵、楚、燕。

②蒙骜：秦将，时为秦国上卿。

③函谷关：秦国东境的关塞名，旧址在今河南灵宝东北。

④公子皆名之：古代召集许多人集体著书，以召集者的名字命名，是常有的事，不能以今天的观点视为剽掠。

译文：

　　魏王见到魏公子，兄弟俩面对面地哭了一回。魏王把大将军的大印授给了魏公子，魏公子重又统率了魏国的军队。魏安釐王三十年，魏公子派人把秦国进攻的消息通告给了各国诸侯。各国诸侯听说魏公子统率魏国军队，都派人领兵来救魏国。魏公子率领着东方五国的军队在黄河以南大破秦军，秦国的大将蒙骜大败而逃。东方的军队乘胜追到了函谷关下，堵住了秦兵，秦兵再也不敢出来了。这时候，魏公子威震天下。各国的谋士们有人给魏公子写了有关兵法的文章，魏公子把它们搜集整理，最后以自己的名字给这部书命名，这就是人们通常所说的《魏公子兵法》。

　　秦王患之，乃行金万斤于魏，求晋鄙客，令毁公子于魏王曰："公子亡在外十年矣，今为魏将，诸侯将皆属，诸侯徒闻魏公子，不闻魏王。公子亦欲因此时定南面而王，诸侯畏公子之威，方欲共立之。"秦数使反间，伪贺公子得立为魏王未也。魏王日闻其毁，不能不信，后果使人代公子将。公子自知再以毁废，乃谢病不朝，与宾客为长夜饮，饮醇酒，多近妇女。日夜为乐饮者四岁，竟病酒而卒^①。其岁，魏安釐王亦薨。

注释：

①竟病酒而卒：信陵君悲观失望而至于近乎自戕而死的结局，揭露了魏王的猜忌残忍。

译文：

秦王把魏公子看成了心腹之患，于是就拿出了黄金万斤到魏国进行反间活动，他们找到了晋鄙的门客，让他们在魏王面前诋毁魏公子："公子在外逃亡了十年，如今当了魏国的统帅，现在其他诸侯国家的将领也都听从他的调遣，诸侯国家只知道魏国有个魏公子，不知道魏国还有魏王。而公子也正想乘这个时机自己南面为王，各国诸侯们害怕公子的威力，也正准备一起拥立他。"秦国又一连几次地派人来使反间，他们先是假装不知实情而到魏国来庆贺魏公子为王，到了之后，又假意地说原来魏公子还没有即位呀。就这样，魏王每天都听到对魏公子的毁谤，渐渐地也就不能不信了，最后终于派人接管了魏公子的兵权。魏公子知道这第二次被毁弃，是不可能再出头了，于是就以病为名不再上朝，常常和宾客们通宵达旦地饮酒作乐，以酒浇愁，沉沦于女子声色之中。就这样一连四年，最后中酒毒而死。这一年，魏安釐王也死了。

秦闻公子死，使蒙骜攻魏，拔二十城，初置东郡。其后秦稍蚕食魏，十八岁而虏魏王，屠大梁^①。

注释：

①屠大梁：据《秦始皇本纪》，是年"王贲攻魏，引河沟灌大梁，

大梁城坏，其王请降"。

译文：

　　秦国听说魏公子死了，立即派蒙骜攻打魏国，攻下了二十座城，建立了直属秦国的东郡。接着又慢慢地向东蚕食魏国其馀的领土，到魏公子死后十八年，秦国俘虏了魏国的国王，血洗了魏国的国都。

　　高祖始微少时^①，数闻公子贤。及即天子位，每过大梁，常祠公子。高祖十二年，从击黥布还^②，为公子置守冢五家，世世岁以四时奉祠公子。

注释：

①微少时：年少而为平民的时候。
②黥布：原名英布，汉初名将。

译文：

　　汉高祖小的时候，多次听说过魏公子的贤能。等到做了皇帝后，每当经过大梁，都要祭祀魏公子。高祖十二年，打败了黥布从前线回京路过大梁的时候，他下令拨了五户人家专门给魏公子守坟，让他们世世代代地一年四季按时祭祀魏公子。

　　太史公曰：吾过大梁之墟，求问其所谓夷门。夷门者，城之东门也。天下诸公子亦有喜士者矣，然信陵君之接岩穴隐者，不耻下交。有以也，名冠诸侯；不虚耳。高祖每过之而令民奉祠不绝也^①。

注释：

① "然信陵君"六句：通常对此断句皆为："然信陵君之接岩穴隐者，不耻下交，有以也。名冠诸侯，不虚耳。高祖每过之而令民奉祠不绝也。"意义不明晰。

译文：

　　太史公说：我曾到过大梁古城，去打听人们所说的夷门，夷门原来就是大梁城的东门。六国的时候，那些贵公子们好养士的人多的是，但能像信陵君这样真心实意地去访求山林隐者的人却不多。他能够不以结交下等人为耻辱，因此许多人忠于他，这就是有原因的了。信陵君的声名溢满天下，绝不是虚传。汉高祖每次经过大梁都要去祭祀他，而且还要派专人按时祭祀他，这些都不是偶然的。

吕不韦列传

　　《吕不韦列传》记述了吕不韦由一个投机商人到涉足政治,再到执掌秦国政权的历史,作品在塑造这个以唯利是图为特征的政客上,是极有特色的。他辅助子楚,是因为"奇货可居",想做一本万利的生意;他献出宠姬,是为借以钓得秦国的江山;他豢养门客编撰《吕氏春秋》,并以一字千金的重赏寻求能对其有所修改的人,是为了沽名钓誉。吕不韦最后因为嫪毐之乱被牵涉赐死,结束了作为商人的一生。作品的行文颇具讽刺意味,司马迁的态度与感情倾向是明显的。

　　吕不韦进怀孕之姬与子楚的事情,也见于《战国策》,且又与《春申君列传》所叙的事情雷同,所以梁玉绳、郭嵩焘、钱穆、马非百等都认为是出于时人的附会。且吕不韦自庄襄王元年为秦相,至始皇九年免职,前后为秦相十二年,这段时间正是秦对东方诸国大举进攻,并逐步实现吞并的时代,而本文作为一个秦国宰相的列传,竟只字未提吕不韦对于秦国的政治有何建树,这就未免过于偏狭,过于失之公正了。

　　吕不韦者,阳翟大贾人也,往来贩贱卖贵,家累千金。

　　秦昭王四十年,太子死。其四十二年,以其次子安国君为太子。安国君有子二十馀人。安国君有所甚爱姬①,立以为正夫人,号曰华阳夫人。华阳夫人无子。安国君中男名子楚②,子楚母曰夏姬,毋爱。子楚为秦质子于赵③。秦数攻赵,赵不甚礼子楚。

注释:

①姬:妾之统称。

②中男:也称"中子",长子与幼子之间的若干弟兄的统称。

　子楚:据《战国策》,子楚原名"异人",从赵还,吕不韦使以楚服见。王后为楚人,见而悦之,遂认其为子,并改其名曰"子楚"。

③质子:即人质。

译文:

　　吕不韦是韩国阳翟的一个大商人。到处贱买贵卖地做买卖,家中积蓄了千金的财富。

　　秦昭王四十年,太子病故。秦昭王四十二年,立第二个儿子安国君为太子。安国君有二十多个儿子。他有个宠姬,后来把她立为正夫人,人称华阳夫人。而华阳夫人偏偏没有儿子。安国君有个排行居中的儿子叫子楚,子楚的母亲叫夏姬,不被安国君宠爱,因而子楚被秦国送到赵国去做人质。后来秦国屡次进攻赵国,所以赵国对子楚很不礼貌。

子楚，秦诸庶孽孙①，质于诸侯，车乘进用不饶，居处困，不得意。吕不韦贾邯郸，见而怜之，曰"此奇货可居"②。乃往见子楚，说曰："吾能大子之门。"子楚笑曰："且自大君之门，而乃大吾门！"吕不韦曰："子不知也，吾门待子门而大。"子楚心知所谓，乃引与坐，深语。吕不韦曰："秦王老矣，安国君得为太子。窃闻安国君爱幸华阳夫人，华阳夫人无子，能立適嗣者独华阳夫人耳③。今子兄弟二十馀人，子又居中，不甚见幸，久质诸侯。即大王薨④，安国君立为王，则子毋几得与长子及诸子旦暮在前者争为太子矣⑤。"子楚曰："然。为之奈何？"吕不韦曰："子贫，客于此，非有以奉献于亲及结宾客也。不韦虽贫，请以千金为子西游，事安国君及华阳夫人，立子为適嗣。"子楚乃顿首曰："必如君策，请得分秦国与君共之。"

注释：

①庶孽：非嫡子正妻所生的孩子。

②居：屯积。"屯积居奇"的典故即由此而来。

③適：同"嫡"。

④即：若。

⑤毋几：没有希望。

译文：

　　子楚本来就是秦王庶出的子孙，又在国外做人质，因而他的车马用度都不富裕,日常生活很窘困,心中闷闷不乐。吕不韦到邯郸做生意,他一见子楚的样子,很可怜他,心想"这倒是件奇货,值得收藏"。于是就去见子楚说:"我能让您的门庭光大。"子楚笑了,说:"还是先去光大你自己的门庭吧,配说什么光大我的门庭!"吕不韦说:"您不知道,我的门庭得靠着您门庭的光大而光大。"子楚明白了吕不韦说话的意思,于是就请他坐下,和他进行了深谈。吕不韦说:"秦王已经老了,安国君现在是太子。我听说安国君宠爱华阳夫人,华阳夫人没有儿子,而能够为安国君树立继嗣的又只有华阳夫人。如今您的兄弟们有二十多个,您又排行居中,不怎么受宠爱,长久地在国外当人质。等到秦王去世,安国君即位为王,到那时您就不可能去同您的长兄和那些朝夕在安国君面前的弟兄们去争太子的位置了。"子楚说:"是的。那怎么办呢?"吕不韦说:"您本来就穷困,又是在赵国做客,您当然拿不出什么东西去孝敬您的父母和结交宾客。我虽然也不富裕,但我可以带着千金替您到您的国家去,向安国君和华阳夫人进行活动,想法让他们立您为继嗣。"子楚一听立即向吕不韦叩头说:"如果真能实现您的计划,我愿意把秦国分一半给您。"

　　吕不韦乃以五百金与子楚,为进用,结宾客;而复以五百金买奇物玩好,自奉而西游秦①,求见华阳夫人姊,而皆以其物献华阳夫人。因言子楚贤智,结诸侯宾客遍天下,常曰"楚也以夫人为天,日夜泣思太子及夫人"。夫人大喜。不韦因使其姊说夫人曰:"吾闻之,以色事人者,色衰而爱弛。

今夫人事太子，甚爱而无子，不以此时蚤自结于诸子中贤孝者②，举立以为適而子之，夫在则重尊③，夫百岁之后，所子者为王，终不失势，此所谓一言而万世之利也。不以繁华时树本，即色衰爱弛后，虽欲开一语，尚可得乎？今子楚贤，而自知中男也，次不得为適，其母又不得幸，自附夫人。夫人诚以此时拔以为適，夫人则竟世有宠于秦矣④。"华阳夫人以为然，承太子闲，从容言子楚质于赵者绝贤，来往者皆称誉之。乃因涕泣曰："妾幸得充后宫，不幸无子，愿得子楚立以为適嗣，以托妾身⑤。"安国君许之，乃与夫人刻玉符，约以为適嗣。安国君及夫人因厚馈遗子楚，而请吕不韦傅之，子楚以此名誉益盛于诸侯。

注释：

①自奉：自己携带。奉，持。

②"不以"句："不"上脱"何"字。蚤，同"早"。

③重尊：势重位尊。

④竟世：终身，到死。

⑤以托妾身：古有所谓"子以母贵"，其母受宠，其子才有可能被立为太子；又有所谓"母以子贵"，即其子被立为太子，并得以继位称王，其母的富贵尊荣才能得到保障，故华阳夫人要把自己的后半生寄托在子楚身上。

译文：

　　于是吕不韦就拿出五百金给了子楚，作为他的日常生活以及结交宾客之用，又用五百金买了一批奇珍异宝，自己带着向西到了秦国。他先求见华阳夫人的姐姐，托她把那些珍宝送给了华阳夫人，并顺便说了些子楚如何贤能智慧，已经结交了各个国家的许多宾客等等，并说子楚经常对人们说"他爱戴华阳夫人就像爱戴老天爷一样，日日夜夜流着泪思念太子和夫人"。华阳夫人听了非常高兴。吕不韦又乘势请华阳夫人的姐姐劝华阳夫人说："俗话说，靠着美貌侍候人的，等到一老就会失宠。现在夫人奉侍太子，太子虽然特别喜欢你，可是你没有儿子，你为什么不及早在那些公子中挑一个贤能孝顺的，把他认作儿子立为继承人呢？这样，你丈夫在世时，你的地位可以更加尊贵，你丈夫去世后，你所认的儿子继位为王，你的权势也不会消失，这就是说一句话就可以得到万世的利益啊。你不趁着风华正茂的时候为自己立下根基，等到年老失宠时，即使再想说话，还会有人听吗？现在子楚为人不错，自己又知道排居居中，按次序也轮不到他，他的母亲也不受宠幸，所以他愿意来归附你。你如果能趁此时机认他为子，立他为继承人，那么你这辈子就会在秦国永远受宠了。"华阳夫人觉得有理，于是就找机会，自然地对安国君讲起了在赵国当人质的子楚的事情，说子楚为人非常好，说来往于秦、赵两国之间的人们都称赞他。说着说着，华阳夫人又哭了起来，说："我很幸运能够进了您的后宫，可是我又非常不幸没有儿子，我现在想把子楚认为儿子，让他做您的继承人，这样也可以让我终身有靠。"安国君答应了，于是给华阳夫人刻了玉符，约定将子楚立为继承人。接着安国君和华阳夫人派人送给子楚许多东西，并请吕不韦去调护辅导他，从此子楚在各国之间的名声就越来越大了。

　　吕不韦取邯郸诸姬绝好善舞者与居^①，知有
身^②。子楚从不韦饮，见而说之，因起为寿，请之。
吕不韦怒，念业已破家为子楚，欲以钓奇，乃遂献
其姬^③。姬自匿有身，至大期时^④，生子政。子楚
遂立姬为夫人。

注释：

①邯郸诸姬：邯郸娱乐场所的歌伎、舞伎。

②有身：怀孕。

③"欲以"二句：谓吕不韦之献姬非预谋也。而后世诸人认为
　此乃吕不韦预谋，更贴近世态人情。

④大期：一说意为过期，即十二个月生子；一说意即十月而
　生。就此文而论，似谓此姬十月而生子，其归子楚方七八
　个月。嬴政为吕不韦之子的传说流传久远，但前人早已论
　其可疑，不必尽信。

译文：

　　吕不韦在邯郸娶了一个美貌而又舞技高超的女子，不久
这个女子怀了孕。有一天，子楚到吕不韦家来喝酒，看到这
个女子很喜欢，于是就起身向吕不韦敬酒，请求吕不韦把这
个女子给他。吕不韦开始很生气，但后来一想，自己为了子
楚连家产都快变卖光了，现在他也想通过这个女子做诱饵钓
一条大鱼，于是就把这个女子送给了子楚。这个女子也故意
隐瞒了她已经怀孕的事实，这样过了十二个月，她生了一个
儿子，取名为政。于是子楚把这个女子立为夫人。

秦昭王五十年，使王齮围邯郸急①，赵欲杀子楚。子楚与吕不韦谋，行金六百斤予守者吏②，得脱，亡赴秦军，遂以得归。赵欲杀子楚妻子，子楚夫人，赵豪家女也③，得匿，以故母子竟得活。秦昭王五十六年，薨，太子安国君立为王，华阳夫人为王后，子楚为太子。赵亦奉子楚夫人及子政归秦。

注释：

① 王齮（yǐ）围邯郸急：即长平惨败后邯郸之被秦围。

② 守者吏：看守子楚的赵国官吏。

③ "子楚"二句：前云"邯郸诸姬"，此又云"赵豪家女"，殊失统一。

译文：

秦昭王五十年，派王齮带兵包围了邯郸，赵国的形势紧急，想杀子楚。子楚和吕不韦商量后，用六百斤金贿赂监守他的小吏，得以脱身，逃到了秦国的军队中，终于回到了秦国。这时赵国想杀掉子楚的夫人和儿子，子楚夫人本来是赵国一家豪富的女儿，就跑到娘家藏了起来，最后母子俩都脱险了。秦昭王五十六年，昭王去世，太子安国君继位为王，华阳夫人当了王后，子楚成了太子。这时赵国也只好把子楚夫人及她的儿子政送回了秦国。

秦王立一年，薨，谥为孝文王。太子子楚代立，是为庄襄王。庄襄王所母华阳后为华阳太后，真母夏姬尊以为夏太后。庄襄王元年，以吕不韦为丞相,封为文信侯,食河南雒阳十万户^①。

注释:

①"食河南"句:以上吕不韦佐立子楚为王事,见《战国策·秦策五》。据学者考证,多以《史记》所言为不近情,当以策文为正。吕不韦以商业投机家的眼光,分析了各方面的情况,以一个布衣而位至卿相,做成了一宗获利无数的投机买卖,成为历史上的奇闻。

译文:

  安国君只做了一年秦王就去世了,谥为孝文王。太子子楚继承了王位,这就是历史上所说的庄襄王。庄襄王所认的母亲华阳王后被称为华阳太后,他的亲生母亲夏姬被尊为夏太后。庄襄王元年,任吕不韦为丞相,并封为文信侯,把河南洛阳一带的十万户封给他作为领地。

  庄襄王即位三年,薨,太子政立为王,尊吕不韦为相国,号称"仲父"^①。秦王年少,太后时时窃私通吕不韦。不韦家僮万人。

注释:

①仲父:即"次于父"之意,表示敬重。

译文:

  庄襄王在位三年去世,太子政继立为王,尊吕不韦为相国,恭敬地称他为"仲父"。当时秦王年纪小,太后还经常与吕不韦私通。吕不韦家里的奴仆多达上万人。

当是时，魏有信陵君，楚有春申君，赵有平原君，齐有孟尝君①，皆下士喜宾客以相倾②。吕不韦以秦之强，羞不如，亦招致士，厚遇之，至食客三千人③。是时诸侯多辩士④，如荀卿之徒，著书布天下。吕不韦乃使其客人人著所闻，集论以为八览、六论、十二纪⑤，二十馀万言。以为备天地万物古今之事，号曰《吕氏春秋》。布咸阳市门，悬千金其上，延诸侯游士宾客有能增损一字者予千金⑥。

注释：

①信陵君：名无忌，魏安釐王之弟。春申君：黄歇，楚考烈王时的权臣。平原君：赵胜，赵惠文王之弟，孝成王之叔。孟尝君：田文，齐湣王的权臣。

②相倾：即争胜负、争高低。

③至食客三千人：吕不韦之养客盖袭当时风气，不一定是为与四公子争胜。

④诸侯：指东方各国。辩士：明辨事理，善口辩、善为文的人，不似后世专指纵横家。

⑤集论：统编裁订。

⑥"延诸侯"句：此不仅炫耀于秦国，亦炫耀于天下各国。

译文：

这时候，魏国有信陵君，楚国有春申君，赵国有平原君，齐国有孟尝君，都以礼贤下士、招纳宾客相竞争。吕不韦觉得秦国有如此之强的实力，在这方面也不能比别国差，于是也招纳士人，优礼相待，于是他门下的食客竟达到了三千多。

当时各诸侯国家有许多善辩的学者,如荀况等人,他们的著作都是四海皆知。吕不韦也让他的宾客们人人把自己知道的事情都写出来,把这些论著编辑成了八览、六论、十二纪,共二十多万字。他认为天地之间、古往今来的万事万物在这部书里无所不包,所以称之为《吕氏春秋》。他把这部书公布在咸阳集市的大门上,并在上面悬挂千金,邀请各国的游士宾客们,说是谁能够给这部书增加或删掉一个字,就把这千金送给他。

始皇帝益壮,太后淫不止。吕不韦恐觉祸及己,乃进嫪毐①,诈令人以腐罪告之②。不韦又阴谓太后曰:"可事诈腐,则得给事中③。"太后乃阴厚赐主腐者吏,诈论之,拔其须眉为宦者,遂得侍太后。太后私与通,绝爱之,有身。太后恐人知之,诈卜当避时④,徙宫居雍。嫪毐常从,赏赐甚厚,事皆决于嫪毐⑤。嫪毐家僮数千人,诸客求宦为嫪毐舍人千余人⑥。

注释:

①嫪毐(làoǎi):人名。

②腐罪:受宫刑的罪。

③给事中:服务于宫廷之内,后来"给事中"遂成为官名。给事,听候使唤。

④避时:当时的迷信说法,即人在某段时间里要躲藏起来,以规避某种灾难的降临。

⑤事皆决于嫪毐：秦王嬴政年少，事多决于太后，而嫪毐在太
后身边，故遂决于嫪毐。

⑥求宦为嫪毐舍人：这是史公在暗骂当时官场。

译文：

秦始皇的年龄越来越大，而太后还是不停地跟吕不韦
私通。吕不韦害怕事情给秦始皇发现自己遭殃，于是就把
嫪毐送给了太后，同时又假意让人控告了嫪毐一个应受宫
刑的罪。吕不韦又暗中告诉太后说："先假装给他施宫刑，
而后就可以让他在宫内服侍你了。"于是太后就暗中重赏主
管动刑的人，让他们假装给嫪毐施了刑，给嫪毐拔去了胡
子、眉毛，把他弄成一个太监的样子，这才让他去伺候太后。
太后和嫪毐私通后，对他非常喜欢，很快地就怀了孕。太后
怕人知道，就谎称从占卜中得知应该离开宫廷到外地躲避
一段时间，就这样她暂避到雍县的离宫。嫪毐经常跟着太
后，得到的赏赐很多，许多事情都是嫪毐说了算。嫪毐家里
的奴仆可以达到几千人，那些找到门上想为嫪毐当舍人的
宾客也有上千个。

始皇七年，庄襄王母夏太后薨。孝文王后曰
华阳太后，与孝文王会葬寿陵。夏太后子庄襄王
葬芷阳，故夏太后独别葬杜东，曰："东望吾子，西
望吾夫①。后百年，旁当有万家邑②。"

注释：

①"东望"句：夏太后墓所在的杜县位置偏南，秦文王墓所在
的万年，与庄襄王墓所在的芷阳位置全都偏北。比较之下，

文王墓偏东,庄襄王墓偏西,今夏太后的所谓"东望吾子,
西望吾夫",位置刚好相反,疑史文有误。

②"后百年"二句:这是风水家们的迷信说法。

译文:

　　秦始皇七年,庄襄王的母亲夏太后死了。孝文王的王后
华阳太后已经和孝文王合葬在寿陵,而夏太后的儿子庄襄王
葬在芷阳,因此夏太后生前就要求单独地埋葬在杜县城东,
她说:"向东可以看到我的儿子,向西可以看到我的丈夫。而
且百年以后,这里将会形成一个有万户住家的城市。"

　　始皇九年,有告嫪毐实非宦者,常与太后私
乱,生子二人,皆匿之。与太后谋曰"王即薨,以子
为后"①。于是秦王下吏治,具得情实,事连相国吕
不韦。九月②,夷嫪毐三族,杀太后所生两子,而遂
迁太后于雍。诸嫪毐舍人皆没其家而迁之蜀。王
欲诛相国,为其奉先王功大③,及宾客辩士为游说
者众,王不忍致法。

注释:

①即:若。

②九月:据《秦始皇本纪》,诛嫪毐在四月,此误。

③奉:同"捧",护持,拥戴。

译文:

　　秦始皇九年,有人告发嫪毐不是一个真正的太监,经常
跟太后私通,已经生了两个儿子,都在某个地方藏着。还说

嫪毐已经和太后商定"等到大王死后,就让所生的孩子为王"。秦始皇把嫪毐下了狱,经过审问,了解了实情,事情牵连到了相国吕不韦。当年九月,秦始皇下令诛灭了嫪毐的三族,并杀掉了他跟太后所生的两个儿子,而把太后迁居到雍县的离宫。所有嫪毐的门客都一律被抄没家产流放到蜀地。秦始皇也想杀掉吕不韦,但因为他侍候先王的功劳大,此外还有许多宾客辩士为他说情,所以秦始皇也就不忍心再杀他了。

秦王十年十月①,免相国吕不韦。及齐人茅焦说秦王②,秦王乃迎太后于雍,归复咸阳,而出文信侯就国河南③。

注释:

①秦王十年:前后俱称"始皇",而此忽称"秦王",失于统一。其实前后皆应称"秦王",至统一六国称"皇帝"后乃得书"始皇"。

②齐人茅焦说秦王:事见《秦始皇本纪》,谓茅焦谏秦王曰:"秦方以天下为事,而大王有迁母太后之名,恐诸侯闻之由此倍秦也。"

③就国:离开都城,到自己的封地去。

译文:

秦始皇十年十月,免去了相国吕不韦的职位。后来齐国人茅焦劝说秦始皇,秦始皇才到雍县把太后接回了咸阳,而同时下令让吕不韦到他河南的封地上去住。

岁馀，诸侯宾客使者相望于道，请文信侯①。秦王恐其为变，乃赐文信侯书曰："君何功于秦，秦封君河南，食十万户？君何亲于秦，号称仲父？其与家属徙处蜀！"吕不韦自度稍侵②，恐诛，乃饮鸩而死③。秦王所加怒吕不韦、嫪毐皆已死，乃皆复归嫪毐舍人迁蜀者。

始皇十九年，太后薨，谥为帝太后，与庄襄王会葬茝阳。

注释：

①请文信侯：请吕不韦到他们的国家去。这时当时风气。一说"请"即拜望之意。

②侵：凌辱。

③鸩（zhèn）：一种毒鸟，据说以其羽毛蘸过的酒，人喝了无不立死。通常即用以代指毒酒。

译文：

在这以后的一年多里，各国的宾客使者们络绎不绝地到河南封地上去拜会吕不韦。秦始皇怕吕不韦再生变故，于是给他写了一封信说："你对秦国有什么功劳，以致享用着河南的封地，十万户食邑？你跟秦国有什么亲缘，以致让人家称你为仲父？你必须带着你的家属都搬到蜀地去！"吕不韦估摸着自己所受逼迫越来越紧，害怕被杀，于是就喝毒酒自杀了。秦始皇所恨的吕不韦和嫪毐都已经死了，于是他就下令放回了那些被流放到蜀地去的嫪毐的门客。

秦始皇十九年，太后去世，谥为帝太后，跟庄襄王一同合葬在茝阳。

太史公曰：不韦及嫪毐贵，封号文信侯①。人之告嫪毐，毐闻之。秦王验左右，未发。上之雍郊②，毐恐祸起，乃与党谋，矫太后玺发卒以反蕲年宫。发吏攻毐③，毐败，亡走。追斩之好畤，遂灭其宗④。而吕不韦由此绌矣⑤。孔子之所谓"闻"者⑥，其吕子乎？

注释：

①"不韦"二句：语意不清。可能当作"嫪毐以不韦贵，封号长信侯"。

②上之雍郊：此处应书作"王之雍郊"。"上"是称见在或本朝之君，这里可能是误仍秦史旧文。郊，古代帝王祭天的一种礼仪。

③发吏攻毐："发"上应有主语，乃秦王也，此不宜省。

④遂灭其宗：此赞中所补叙之嫪毐作乱之情节与前面传文所叙略有不同，《秦始皇本纪》所叙较此详细。

⑤绌：同"黜"，废免，垮台。

⑥孔子之所谓"闻"者：只有虚名，而没有实际才德的"名人"。

译文：

太史公说：吕不韦和嫪毐显贵时，被封为文信侯。当有人告发嫪毐，嫪毐很快就知道了。秦始皇先是悄悄地审问了一些太后与嫪毐周围的人，还没有对嫪毐动手，就到雍县祭天去了。这时嫪毐害怕秦始皇回来大祸难免，于是就和他的党羽们商量,假传太后的命令发兵在蕲年宫叛乱。秦始皇闻讯后派兵讨伐嫪毐,嫪毐被打败逃走了。秦始皇的人追到好畤,杀掉了嫪毐,又灭了他的满门。而吕不韦从此也就跟着失势了。孔子在《论语》中曾说过一种名声不小而行为很坏的所谓"闻人",吕不韦大概就是属于这一种吧!

淮阴侯列传

　　《淮阴侯列传》记述了我国古代杰出的军事家韩信早年的困辱经历,与其投奔刘邦后大展奇才,佐汉破楚的历史功勋,以及最后被罗织罪名惨遭杀害的结局。司马迁同情韩信,对刘邦、吕后等人的猜忌残忍,则隐约地表现了愤慨与厌恶。韩信的杰出才干以及他的历史功勋是令人钦佩的,他因诬谋反而遭杀害也的确令人同情,但他一直想裂土称王,这无疑是刘邦建立集权国家的一大障碍,尤其使刘邦不能容忍的,是韩信为裂土分封而公然与刘邦讨价还价,甚至不惜坐视刘邦惨败于项羽。韩信又矜才自负,不仅羞与绛、灌为伍,即刘邦本人亦不在其眼目之内,这些也都是他的取死之道。故此事应从两方面分别评论。

淮阴侯韩信者，淮阴人也。始为布衣时，贫无行①，不得推择为吏②，又不能治生商贾③，常从人寄食饮，人多厌之者。常数从其下乡南昌亭长寄食，数月，亭长妻患之，乃晨炊蓐食④。食时信往，不为具食。信亦知其意，怒，竟绝去。

注释：

①无行：放纵不检点。

②推择为吏：战国以来，乡官有向国家推举本乡人材，使之为吏的制度。

③治生：即谋生。

④晨炊蓐（rù）食：早做饭，人在床上就把饭吃了。蓐，同"褥"，被褥。

译文：

淮阴侯韩信是淮阴人。他起先为布衣的时候，生活贫穷，名声不好，既不能被推选当官吏，又不能靠做买卖维持生活，经常到别人家去蹭吃蹭喝，很多人都厌烦他。他曾到下乡的南昌亭亭长家里蹭饭吃，一连去了几个月，亭长的妻子为此大伤脑筋，于是她每天早晨在大家还没起床的时候，就让家里人把饭吃完了。等到正常的吃饭时间韩信来了，她就不再给他准备饭食。韩信也明白是怎么回事，心里很生气，以后就再也不去了。

信钓于城下，诸母漂，有一母见信饥，饭信，竟漂数十日。信喜，谓漂母曰："吾必有以重报母。"

母怒曰："大丈夫不能自食^①，吾哀王孙而进食，岂望报乎^②！"

注释：

①自食(sì)：自己养活自己。食，喂养。

②"吾哀"二句：漂母给韩信饭吃，只是可怜他，并不是看出他有才能，所以认为他的"重报"之语是说大话，因而生气。王孙，犹言"公子"。

译文：

有一天，韩信在城外钓鱼，河边上有一些妇女在洗棉絮，一位老妇看出韩信很饥饿，就把自己的饭分给韩信吃，从此，一连几十天，直到这位老妇离去。韩信很高兴，对那位老妇说："日后我一定要重重地报答你。"那位老妇生气地说："男子汉大丈夫连自己都养活不了，我是可怜你才给你饭吃，难道还指望你的报答吗？"

淮阴屠中少年有侮信者，曰："若虽长大^①，好带刀剑，中情怯耳^②。"众辱之曰^③："信能死，刺我；不能死，出我袴下^④。"于是信孰视之^⑤，俯出袴下，蒲伏^⑥。一市人皆笑信，以为怯。

注释：

①若：你。

②中情：内心，骨子里。

③众辱之：当众侮辱他。

④袴：这里通"胯"。

⑤孰视：盯着他看了半天。孰，通"熟"。

⑥蒲伏：同"匍匐"，爬行。

译文：

　　淮阴县集市上有个卖肉的年轻人拦住韩信说："别看你又高又壮，还带刀挎剑的，其实你是个胆小鬼。"于是当众侮辱韩信说："你要是不怕死，就拿刀捅了我；你要是怕死，就从我裤裆底下钻过去。"韩信两眼盯着他看了他半天，最终还是趴在地上，从他胯下爬了过去。满街的人都笑话韩信，认为他怯懦。

　　及项梁渡淮，信杖剑从之①，居戏下②，无所知名。项梁败，又属项羽，羽以为郎中③。数以策干项羽④，羽不用。汉王之入蜀，信亡楚归汉⑤，上未之奇也。

注释：

①杖剑：持剑，言除一剑外，更无其他进见之资。

②戏下：即麾下，部下。戏，同"麾"，大将的指挥旗。

③郎中：帝王的侍从人员。

④干：求见，进说。

⑤亡楚归汉：时间大约在汉元年四月，刘邦正由关中去南郑
　　的途中。亡，潜逃，逃离。

译文：

　　等到天下大乱，项梁的兵马来到淮北时，韩信仗剑从军，投在了项梁的部下，但默默无闻没人赏识他。后来项梁兵败

身死,韩信就跟了项羽,项羽只让他当了一个侍从。他曾多次给项羽献计献策,项羽都未采用。汉王率领部下入蜀时,韩信于是离开项羽,投奔了汉王,但仍未发现他有什么特别出众的地方。

信数与萧何语,何奇之。至南郑,诸将行道亡者数十人①,信度何等已数言上,上不我用,即亡。何闻信亡,不及以闻,自追之。人有言上曰:"丞相何亡。"上大怒,如失左右手。居一二日,何来谒上②,上且怒且喜,骂何曰:"若亡,何也?"何曰:"臣不敢亡也,臣追亡者。"上曰:"若所追者谁?"何曰:"韩信也。"上复骂曰:"诸将亡者以十数,公无所追;追信,诈也。"何曰:"诸将易得耳。至如信者,国士无双③。王必欲长王汉中,无所事信④;必欲争天下,非信无所与计事者。顾王策安所决耳⑤。"王曰:"吾亦欲东耳,安能郁郁久居此乎?"何曰:"王计必欲东,能用信,信即留;不能用,信终亡耳。"王曰:"吾为公以为将⑥。"何曰:"虽为将,信必不留。"王曰:"以为大将。"何曰:"幸甚。"于是王欲召信拜之⑦。何曰:"王素慢无礼,今拜大将如呼小儿耳,此乃信所以去也。王必欲拜之,择良日,斋戒,设坛场⑧,具礼⑨,乃可耳。"王许之。诸将皆喜,人人各自以为得大将。至拜大将,乃韩信也,一军皆惊。

注释：

①行：或读为 háng，诸将行即诸将辈；或读为 xíng，行道即行
进之中。

②谒：拜见，参见。

③国士：国家之奇士。

④无所事信：没有必要任用韩信。事，用。

⑤顾：相当于今之"就在于"、"关键在于"。

⑥吾为公以为将：见刘邦之勉强。欲用韩信为将，并不因其
才，而是给萧何面子。

⑦拜：此处即指任命。古时君王任命将相要举行仪式以表示
对将相的尊敬，故曰"拜"。

⑧坛场：筑土高出地面曰"坛"，除地曰"场"。

⑨具礼：安排一定的礼节仪式。

译文：

  韩信曾多次与萧何谈过话，萧何很赏识他。汉王带领人
马向南郑进发的路上，就有几十个将领逃亡了，到达南郑后，
韩信见萧何等人已经向汉王作了多次推荐，而汉王总是不肯
重用自己，估计已经没什么希望了，于是他也跑了。萧何听
说韩信跑了，来不及向汉王报告，立刻亲自去追他。这时有
人禀报汉王说："丞相萧何跑了。"汉王一听勃然大怒，心疼得
如同失去了左右手一般。过了一两天，萧何回来拜见汉王，
汉王又气又喜，骂萧何说："你怎么也跑了？"萧何说："我没有
跑，我是去追跑跑的人。"汉王说："你追的是谁？"萧何说："是
韩信。"汉王立刻又骂："逃跑的将军有几十个了，你都没追，
现在说去追韩信，骗谁？"萧何说："别的那些将军都容易得到。

至于韩信，他在当前可是独一无二的。您要是一辈子安心在这里当汉王，那您就用不着韩信；您要是想出去夺天下，除了韩信没人能跟您共谋大事。关键就看您到底是怎么打算的了。"汉王说："我当然也是想向东打回老家去，怎么能一辈子憋憋闷闷地居处在这里呢？"萧何说："您既然要打回老家去，那么，您要是能重用韩信，韩信就会留下来为您效力；您要是不能重用他，他早晚还是要跑的。"汉王说："看在你的面子上，我就让他做个将军。"萧何说："即便您让人家做将军，人家也肯定还是要走。"汉王说："我让他做大将。"萧何说："那太好了。"于是汉王立即就想让人去把韩信找来任命他为大将。萧何说："您一向待人傲慢无礼，现在任命大将就像招呼个小孩子似的，这正是韩信所以要离开您的原因。您要是真想任命他，您就该选个好日子，沐浴斋戒，在广场上修起坛台，举行隆重的仪式，那才行呢。"汉王同意照办。将领们都一个个暗自高兴，心想这回被任命的大将一定是自己。等到正式任命的时候一看，原来是韩信，全军都大吃一惊。

　　信拜礼毕，上坐①。王曰："丞相数言将军，将军何以教寡人计策？"信谢，因问王曰："今东乡争权天下②，岂非项王邪！"汉王曰："然。"曰："大王自料勇悍仁强孰与项王？"汉王默然良久，曰："不如也。"信再拜贺曰③："惟信亦为大王不如也。然臣尝事之，请言项王之为人也。项王喑噁叱咤④，千人皆废⑤，然不能任属贤将，此特匹夫之勇耳。项王见人恭敬慈爱，言语呕呕⑥，人有疾病，涕泣分食饮,至使人有功当封爵者,印刓敝⑦,忍不能予⑧,此所谓妇人之仁也。项王虽霸天下而臣诸侯,不居关中而都彭城。有背义帝之约⑨,而以亲爱王,诸侯不平。诸侯之见项王迁逐义帝置江南⑩,亦皆归逐其主而自王善地。项王所过无不残灭者,天下多怨,百姓不亲附,特劫于威强耳。名虽为霸,实失天下心。故曰其强易弱。今大王诚能反其道:任天下武勇,何所不诛!以天下城邑封功臣,何所不服!以义兵从思东归之士⑪,何所不散!且三秦王为秦将⑫,将秦子弟数岁矣,所杀亡不可胜计⑬,又欺其众降诸侯,至新安,项王诈坑秦降卒二十馀万,唯独邯、欣、翳得脱,秦父兄怨此三人,痛入骨髓。今楚强以威王此三人,秦民莫爱也。大王之入武关,秋豪无所害,除秦苛法,与秦民约,法三章耳⑭,秦民无不欲得大王王秦者。于诸侯之约,大王当王关中,关中民咸知之。大王失职入汉中⑮,秦民无不恨者⑯。今大王举而东,三秦可传檄而定也⑰。”于是汉王大喜,自以为得信晚。遂听信计,部署诸将所击。

注释:

①上坐:谓韩信被刘邦推居于上位。

②东乡争权天下:与东方的项羽争夺号令天下之权。乡,通"向"。

③贺：嘉许，称赞，称赞他有这种自知之明，这是以下整段议论的基础。

④喑噁叱咤（yīnwùchìzhà）：怒喝声。

⑤废：即今之所谓"堆委"、"软瘫"。

⑥呕呕（xū）：语气温和的样子。可见项羽性格除粗豪暴戾外，尚有如此慈厚的一面。

⑦刓（wán）：磨去棱角。

⑧忍：吝啬，舍不得。

⑨有背义帝之约：指不按"先入关者王之"的约定办事。有，同"又"。

⑩迁逐义帝置江南：项羽分封诸侯后，自称西楚霸王，尊怀王为徒有其名的"义帝"，使之迁居长沙郴县。

⑪义兵：指刘邦现有的全部士卒。思东归之士：指家在沛县周围，最早跟从刘邦起事反秦、如今一心要打回老家去的那些老兵。

⑫三秦王：指章邯、董翳、司马欣。三人皆秦将，后降项羽。项羽入关后，封章邯为雍王，董翳为翟王，司马欣为塞王。三国皆在故秦地，故称三人为"三秦王"。

⑬杀亡：指战死的和逃散的。

⑭法三章：即杀人者死，伤人及盗抵罪。

⑮失职：没有得到应得的职位，即没有做成关中王。

⑯恨：憾。

⑰"三秦"句：韩信分析项羽的弱点，以及预见刘、项未来的斗争形势，皆至为明晰，唯其所谓"以天下城邑封功臣"语，则见其政治理想之落后，确有取死之道。传檄（xí）而定，谓用不着使用兵戈。檄，檄文，声讨敌人罪行，号召人们归附于己的一种军用文章。

译文：

　　封拜大将的仪式完毕后，韩信被请入上座。汉王说："萧丞相多次提起你的大才，你认为我该怎么办呢？"韩信客气了一番，随即向汉王说："大王您如今出兵东向争夺天下的对手，不是项羽吗？"汉王说："是的。"韩信又说："大王您自己估计着您的勇猛、仁德，以及您军队的强盛，能比得过项羽吗？"汉王沉默了半天，说："比不上他。"韩信起身，向汉王拜了两拜，表示欣赏他的自知之明，说："我也觉得您比不上他。可是我曾经做过他的部下，我可以来说说项羽的为人。项羽大吼一声，可以把成千上万的人吓得瘫在地上，是够勇猛的，可是他不能任用有才干的人，这样他就不过只有匹夫之勇。项羽待人恭敬有礼，仁爱慈祥，说起话来和和气气，谁要是有了病，他能含着眼泪给人送吃送喝，可是等到人家立了功，该封官颁赏了，他却吝啬得把印拿在手里团弄来团弄去，直到把印的棱角都磨圆了，也舍不得奖给人。这样，他那所谓的'仁爱'也就成了妇人之仁。项羽虽然成了霸主，所有诸侯都对他拱手称臣，可是他不建都在关中，而建都在彭城。他还违背了当初义帝宣布的谁先入关谁当关中王的规定，他把他的亲信都封了王，因此各路诸侯都对他不满。诸侯们一看项羽把义帝赶到江南去了，于是也都纷纷地赶走了自己过去的国君而占据着好地独自称王。还有，项羽军队所到之处，杀人放火，留不下一个完整的地方，天下人为此怨声载道，老百姓谁也不亲近他，现在只不过是被他暂时的强大所控制罢了。所以说项羽现在虽然名义上是个霸主，实际上他已经丧尽了人心，所以他的强盛是很容易变弱的。现在您如果真能反其道而行之：大胆信任使用勇敢善战的人，那还有什么敌人不能被打败？把打下的城邑封给您的有功之臣，那还有什么人会对您不心服！您再调集起反抗残暴的义兵，让他们跟着您那些誓死打回老家去的军队一起东进，那还有什么样的敌人不能被打垮！现在被项羽封立在关中的三个诸侯王：章邯、司马欣和董翳，当初都是秦朝的将领，他们统率关中的子弟好几年了，这几年里，为他们战死的和被迫开小差逃跑的不计其数，后来他们又欺骗这些士兵，裹挟着他们投降了项羽，结果走到新安时，项羽竟把这二十多万降兵全都活埋了，就留下了章邯、司马欣、董翳这三个人，现在秦地的父老们对这三个人简直恨之入骨。只不过是项羽靠着他的武力，硬是把这三人封王罢了，其实秦地的百姓们没有一个人喜欢他们。而大王您当初进入武关以后，秋毫无犯，废除了秦朝严刑酷法，给秦地百姓们定的法律只有三条，秦地的百姓没有一个不乐意让您在秦地称王的。按照诸侯们的事先约定，您也应该在关中称王，对于这些，关中的百姓们也都知道。后来您被项羽剥夺权利，挤到汉中，秦地的百姓们没有一个不对此愤慨不平。现在如果您举兵东下，三秦地区只要发上一个通告，不用打仗就可以回到您手中。"汉王听了大喜，感到自己今天才真正地认识韩信实在是太晚了。于是就按照韩信的谋划，给各位将领们部署了各自进攻的目标。

八月，汉王举兵东出陈仓①，定三秦②。

注释：

①"汉王"句：刘邦出汉中与项羽争天下，从总的方向说是"东出"，但从第一步的翻秦岭、出陈仓而言，却不能说是"东出"，只能说是"北出"，因陈仓县治在今陕西宝鸡东，是在南郑的正北方。

②定三秦：到是年八月，除章邯尚困守穷城外，其馀三秦的广大地区皆已属汉。

译文：

　　汉高祖元年八月，汉王从陈仓小路东出，很快地收复了三秦。

　　信与张耳以兵数万，欲东下井陉击赵①。赵王、成安君陈馀闻汉且袭之也，聚兵井陉口，号称二十万。广武君李左车说成安君曰："闻汉将韩信涉西河②，虏魏王，禽夏说，新喋血阏与③，今乃辅以张耳，议欲下赵，此乘胜而去国远斗，其锋不可当。臣闻千里馈粮，士有饥色，樵苏后爨④，师不宿饱。今井陉之道，车不得方轨⑤，骑不得成列，行数百里，其势粮食必在其后。愿足下假臣奇兵三万人，从间道绝其辎重⑥；足下深沟高垒⑦，坚营勿与战。彼前不得斗，退不得还，吾奇兵绝其后，使野无所掠，不至十日，而两将之头可致于戏下。愿君留意臣之计。否，必为二子所禽矣。"成安君，儒者也，常称义兵不用诈谋奇计，曰："吾闻兵法十则围之，倍则战⑧。今韩信兵号数万，其实不过数千⑨。能千里而袭我，亦已罢极。今如此避而不击，后有大者，何以加之⑩！则诸侯谓吾怯，而轻来伐我⑪。"不听广武君策，广武君策不用。

注释：

①"欲东下"句：这是汉三年之事，史失书。井陉（xíng），即井陉口，太行山的险隘之一，是山西与河北之间的交通要道，在今河北井陉西北。

②西河：此指山西南部与陕西交界处的黄河。

③喋血：践血，言杀人流血之多，处处皆践血而行。喋，同"蹀"，践。

④樵苏：樵，打柴。苏，取草。爨（cuàn）：烧火做饭。

⑤方轨：两车并行。方，双舟并行，引申为"并"的意思。

⑥间道：小道，侧面之道。辎重：指运送衣食等后勤物资的车队。

⑦深沟高垒：泛指加强防御工事。

⑧十则围之，倍则战：十，十倍。倍，成倍。

⑨"今韩信"二句：韩信破魏破代后已有多少人，史无明文；刘邦又助之三万人，总数应不少于五六万。陈馀以为"不过数千"，实过于轻敌。然与陈馀之二十万相较，仍是不成比例。

⑩加：比眼下更好的。

⑪轻：轻易，随便。

译文：

　　韩信与张耳率领着几万人，准备东出井陉口进攻赵国。赵王赵歇和成安君陈馀闻讯后，就在井陉口集结军队，号称二十万，准备与韩信决战。广武君李左车对陈馀说："听说韩信前已偷渡西河，俘虏了魏豹，又活捉了代相夏说，在阏与血战大捷，现又在张耳的协助下，准备攻我赵国，这是一种乘胜远离本土前进的势头，其锋芒锐不可当。但俗话说，靠远道送粮食，士兵就会挨饿，该做饭了现打柴，人们就永远也吃不饱。咱们这井陉小道,窄得两辆车不能并行,人马都不能排成行列,韩信的军队到这里走上几百里,他的粮饷一定在后面。请您拨给我三万奇兵,抄小路去截断他们的粮道;您在正面只管挖深沟堑,加高营垒,坚守营地不要与他们开战。叫他们往前求战不得,往后又退不回去,我的奇兵把他们挡住,他们军中无粮,在旷野上又找不到任何吃的东西,这样不出十天,韩信和张耳的人头就可以送到您的面前。希望您能认真考虑我的建议。不然,我们就要被他们二人所擒了。"陈馀是个书生,总爱说仁义之师决不用诈骗的手段,这时就说:"兵法上讲,如果兵力超过敌人十倍,就可以去包围他们,如果能超过敌人一倍,就可以同他们决战。现在韩信的军队号称几万,其实不过几千人。而且又是经过了千里跋涉前来攻打我们,已经是疲惫不堪了。面对这样的敌人我们如果还避而不打,以后再来了更强的敌人,我们还能打吗! 再说这回如果我们不打,那其他的诸侯们都会说我们怯懦无能,就会都来欺负我们了。"于是他不考虑李左车的作战方案,没采用他的策略。

韩信使人间视①,知其不用,还报,则大喜,乃敢引兵遂下。未至井陉口三十里,止舍。夜半传发,选轻骑二千人,人持一赤帜,从间道萆山而望赵军②,诫曰:"赵见我走,必空壁逐我,若疾入赵壁,拔赵帜,立汉赤帜。"令其裨将传飧③,曰:"今日破赵会食!"诸将皆莫信,详应曰:"诺。"谓军吏曰:"赵已先据便地为壁,且彼未见吾大将旗鼓,未肯击前行④,恐吾至阻险而还。"信乃使万人先行,出,背水陈⑤。赵军望见而大笑⑥。平旦,信建大将之旗鼓⑦,鼓行出井陉口⑧,赵开壁击之,大战良久。于是信、张耳详弃鼓旗,走水上军。水上军开入之⑨,复疾战。赵军空壁争汉鼓旗,逐韩信、张耳。韩信、张耳已入水上军,军皆殊死战,不可败。信所出奇兵二千骑,共候赵空壁逐利,则驰入赵壁,皆拔赵旗,立汉赤帜二千。赵军已不胜,不能得信等,欲还归壁,壁皆汉赤帜,而大惊,以为汉皆已得赵王将矣。兵遂乱,遁走,赵将虽斩之,不能禁也。于是汉兵夹击,大破虏赵军,斩成安君泜水上,禽赵王歇⑩。

注释:

①间视:暗中窥视。

②草:同"葆"。

③裨(pí)将:副将,主将的副官、助手之类。飧(sūn):小食。

④前行:先头部队。

⑤背水陈:背靠着河水列阵。陈,同"阵"。

⑥赵军望见而大笑:背水阵为绝地,陈馀知兵法,故赵军笑之。

⑦建大将之旗鼓:竖起将旗,架起战鼓。

⑧鼓行出井陉口:一切都为了吸引赵军出击。鼓行,擂鼓高歌而行。

⑨开入之:让开通道,让岸上的士兵退入水上之阵。

⑩"斩成安君"二句:井陉战役是刘邦、项羽间争雄的一次关

键性战役。刘邦军在这次战役中破魏、灭赵、降燕,一方面使刘邦在北和西北两个方面对项羽军形成了战略包围的有利态势,解除了自己在主战场对楚作战的侧面威胁;一方面使刘邦军可以获得燕、赵等地大量人力、物力资源,对补充和加强主战场的战斗力起着巨大的作用。

译文:

　　韩信早已经派人去刺探了,他们了解到李左车的计策没被采用,回来向韩信报告,韩信大喜,于是才敢率军长驱而下。当他们走到离井陉口还有三十里的地方,传令停下来休息。到了半夜时分,命令全军整装,他挑选了两千名轻骑兵,让他们每人手持一面红旗,从小道上山,隐蔽在山上,监视赵军。韩信叮嘱他们:"赵军见到我军败退,一定会倾巢而出,来追我们,你们就迅速奔入赵营,拔掉赵军的旗帜,插上汉军的红旗。"随后又让他的副将传令全军吃早点,并告诉全军:"等今天打败了赵军以后再正式地吃早饭!"部下的将领们都不相信,敷衍着说:"好吧。"韩信对身边的军吏说:"赵军已抢先占领了有利的地势修筑了工事,他们在没有见到我们大将的仪仗旗号之前,不会攻击我们的先头部队,怕我们的大部队看见艰险会撤回去。"于是韩信先派一万人出了井陉口,而且过了河,在河东列了个背水阵。赵军一看都哈哈大笑。到太阳露头时,韩信的大将旗号也在一路战鼓声中出了井陉口。赵军于是打开营门,两军会战开始。双方先是打了一段时间,后来韩信、张耳就假装失败扔下了许多战鼓、军旗,逃到船上去了。船上的军队闪开一条路让岸上的士兵上船后,又继续与赵军激战。这时赵军一见汉军败了,果然倾巢而出争抢汉军的旗鼓,想要捉拿韩信、张耳。韩信、张耳的军队退到了船上之后,回师与赵军死战,赵军再也无法前进一步了。

这时韩信事先派出的那两千轻骑兵，一看到赵军倾巢而出，抢夺战利品时，就立即奔入了赵军营垒，拔掉了赵军的旗帜，插上了汉军的两千面红旗。等到在船上奋战的赵军打了半天不能擒拿韩信等人，想要回营时，一看自己营垒上都是汉军的红旗，大惊失色，以为汉军已经抓获了赵王以及他所有的将领了。军心顿时大乱，兵士们四散奔逃，即使有赵将督战，想要杀人拦阻，也无济于事了。于是汉军内外夹击，大破赵军，陈馀败逃，被杀死在泜水上，赵王歇被活捉。

　　诸将效首虏①，毕贺，因问信曰："兵法右倍山陵，前左水泽②，今者将军令臣等反背水陈，曰破赵会食，臣等不服。然竟以胜，此何术也？"信曰："此在兵法，顾诸君不察耳。兵法不曰'陷之死地而后生，置之亡地而后存'？且信非得素拊循士大夫也③，此所谓'驱市人而战之'④，其势非置之死地，使人人自为战；今予之生地⑤，皆走，宁尚可得而用之乎⑥！"诸将皆服曰："善。非臣所及也。"

注释：

①效首虏：交验自己所斩获的人头与所捉的俘虏，即向统帅裹报自己的功绩。效，呈交，使主管者验收。

②"兵法"二句：右倍，谓右倚背靠。倍，同"背"。左，同"佐"，辅助。

③拊循：抚爱之，顺适其心意，指对人有恩德。这里即有训练，有领导关系。士大夫：指部下将士。

④市人：集市上的人，比喻彼此间素不相知，毫无关系。

⑤今：若，假如。

⑥宁：岂，与"尚"字意同，重叠使用，以加强语气。

译文：

　　将领们向韩信呈献了首级俘虏，向韩信祝贺胜利完毕，问韩信说："兵法上讲，布阵之法是右面和背后靠着山，前面和左面傍着水。可是今天您却让我们背靠河水布阵，还说让我们打败了赵军再吃早饭，我们当时都不服。可是最后就按着你说的打胜了，这叫什么战术呢？"韩信说："这战术兵法上就有，只是你们没注意罢了。兵法上不是说'要把人置于死地让他们死里求生，要把人置于绝境让他们绝处求存'么？现在我率领的这些军队并不是我的老部下，我素来对他们没有任何恩情。这就简直如同'赶着一帮集市上的人去作战'，非把他们置于一个绝境，让他们人自为战不可；如果把他们放在一个还有退路的地方，他们早就跑光了，那我们还能指望他们为我们作战吗！"将领们一听都服了，说："不错，不是我们所能想到的。"

　　楚数使奇兵渡河击赵①，赵王耳、韩信往来救赵，因行定赵城邑，发兵诣汉②。六月，汉王出成皋，东渡河③，独与滕公俱，从张耳军脩武。至，宿传舍。晨自称汉使，驰入赵壁。张耳、韩信未起，即其卧内上夺其印符④，以麾召诸将，易置之。信、耳起，乃知汉王来，大惊⑤。汉王夺两人军，即令张耳备守赵地。拜韩信为相国⑥，收赵兵未发者击齐⑧。

注释：

①奇兵：馀兵，其他军队。

②发兵诣汉：派出一部分军队支援刘邦荥阳的主战场。

③东渡河：实际是北渡黄河向东北行。

④卧内：内室。

⑤"信、耳起"二句：大将内室即使是君主也不能随便进入，此事过于传奇，疑为司马迁因同情韩信而有所增饰。

⑥拜韩信为相国：韩信前已为"左丞相"，此"相国"乃为刘邦之相国，但与前之"左丞相"相同，仍仅为虚衔。

译文：

在这期间，项羽曾经多次派奇兵渡过黄河，袭击赵国，张耳、韩信一方面派兵救援那些被攻击的地方，同时也趁机稳定了赵国那些前此尚未稳定的地方，同时又调拨了许多军队送去援助汉王。这年六月，汉王又逃出了成皋，向东渡过黄河，他和滕公夏侯婴二人来到了韩信、张耳驻军的脩武县，化装住在旅馆里。第二天一大早，他们自称汉王使臣奔入了韩信、张耳的军营。当时韩信、张耳尚未起床，汉王进入他们的卧室，收缴了他们的将印、兵符，随后召集众将，重新调配了他们各自的职务。韩信、张耳起床后，才知道汉王来了，大吃一惊。汉王夺取了他们二人的军权后，命令张耳镇守赵地，派韩信以相国的虚衔，在赵国组织新兵，向东进击齐国。

　　信引兵东，未渡平原①，闻汉王使郦食其已说下齐②，韩信欲止。范阳辩士蒯通说信③，于是信然之，从其计，遂渡河。齐已听郦生，即留纵酒，罢备汉守御。信因袭齐历下军④，遂至临菑⑤。齐王田广以郦生卖己⑥，乃亨之⑦，而走高密，使使之楚请救。韩信已定临菑，遂东追广至高密西。楚亦使龙且将，号称二十万，救齐。

注释：

①平原：秦县名，也是当时的黄河渡口名，在今山东平原西南，其西侧即当时之古黄河，这一带临近齐国的西部边境。

②郦食其（yìjī）：刘邦的说客、谋士，奉命往说齐王田广归顺。下：降，归顺。

③蒯（kuǎi）通：本名蒯彻，因避武帝讳，故汉人皆称之为蒯通。蒯通是范阳（今山东梁山西北）人，此地属于齐，故下文亦称之为齐人。

④历下：即今山东济南，距平原津一百五十里。

⑤遂至临菑：韩信一定要立下齐之功而不顾郦食其的死活，一是因郦生不是他所派遣，更重要的是他想要做齐王。

⑥卖：哄，欺骗。《汉书》"卖"字直作"欺"。

⑦亨：同"烹"，用开水煮人。

译文：

　　韩信领兵东进，还没有到达平原县的黄河渡口，听说汉王已经派郦食其劝降了齐国，韩信准备停止前进。这时范阳县的辩士蒯通游说韩信，韩信听着有理，于是就听从他的建议，挥师渡过了黄河。当时齐国已经接受了郦食其的劝降，正留着郦食其大摆宴席，完全解除了对汉军的防卫。韩信突然袭击了驻扎在历下的军队，长驱直入，打到了齐国的国都临淄。齐王田广以为是受了郦食其的骗，于是就把郦食其烹了,而后东逃高密,同时派人去向项羽求救。韩信占领了临淄,随即又率军东追田广,追到高密城西。这时项羽也派龙且率领军队,号称二十万人,前来救齐。

　　齐王广、龙且并军与信战,未合。人或说龙且曰:"汉兵远斗穷战①,其锋不可当。齐、楚自居其地战,兵易败散。不如深壁,令齐王使其信臣招所亡城②,亡城闻其王在,楚来救,必反汉。汉兵二千里客居,齐城皆反之,其势无所得食,可无战而降也。"龙且曰:"吾平生知韩信为人,易与耳③。且夫救齐不战而降之,吾何功?今战而胜之,齐之半可得④,何为止!"遂战,与信夹潍水陈⑤。韩信乃夜令人为万馀囊,满盛沙,壅水上流⑥,引军半渡,击龙且,详不胜,还走。龙且果喜曰:"固知信怯也。"遂追信渡水。信使人决壅囊,水大至。龙且军大半不得渡,即急击,杀龙且。龙且水东军散走,齐王广亡去⑦。信遂追北至城阳,皆虏楚卒。

注释:

①远斗穷战:远离根据地的战斗,必是勇猛顽强,因为失败则无处奔逃。

②信臣:有威望、有信义的大臣。

③"平生"二句:盖指其曾受胯下之辱事,龙且亦以韩信为怯懦。与,相与,打交道。

④齐之半可得:即可以得到齐国的一半作为封地。

⑤夹潍水陈:潍水流经当时的高密城西,韩信军在潍水西,齐、楚联军在潍水东。

⑥壅水上流:为使夹水阵处河水变浅,诱敌入水来追。

⑦齐王广亡去:据《田儋列传》、《秦楚之际月表》皆云田广于此役中被杀,而《高祖本纪》与《淮阴侯列传》则云"亡去",疑前者近是,或此役亡去,亦旋即被捕杀。

译文:

　　齐王田广和楚国龙且的军队会合一起,战斗还尚未开始。有人对龙且说:"汉军是远离本土来和我们作战的,我们不宜于和他们正面硬碰。齐国、楚国的军队,是在本乡本土作战,士兵们容易开小差。我们不如深沟高垒,坚壁不战,让齐王派他的亲信到被汉兵占领的地方去广为招纳,那些沦陷的城池听说齐王还活着,而且楚军又来援助了,一定会起来反击汉军。汉军远离本土两千里,身在异乡,齐国的各地都反击他们,到那时他们势必连吃的东西都找不到,这样不用打仗就可以收拾他们了。"龙且说:"我早就知道韩信怯懦,容易对付。而且我是奉命来救齐的,来到这里连一仗都没打,就让敌人投降了,我还有什么功劳呢? 现在我要是打败了韩信,我就可以得到半个齐国,我怎么能不打呢!"于是决定打,他与韩信夹潍水布好了阵势。韩信连夜令人做了一万多条大口袋,装满沙土,堵住了潍水的上游,然后率军涉过了潍水,军队刚过去一半,前军就和龙且打了起来,两军对战了一会儿,韩信假装打败了,纷纷后退。龙且一见大喜,说:"我早就知道韩信怯懦。"于是挥师过河追击韩信。这时韩信派人在上游扒开了堵水的沙袋,河水汹涌而下。这时龙且的大部分军队已经渡过了潍水,回不去了,韩信立刻回戈反击,过了河的楚军全歼,龙且也被杀死,而截在潍水东岸的楚军也一哄而散。齐王田广逃跑了。韩信追击败军直到城阳,把剩下的楚军全部俘获。

汉四年,遂皆降平齐①。使人言汉王曰:"齐伪诈多变,反覆之国也,南边楚,不为假王以镇之,其势不定。愿为假王便②。"当是时,楚方急围汉王于荥阳③,韩信使者至,发书,汉王大怒,骂曰:"吾困于此,旦暮望若来佐我,乃欲自立为王!"张良、陈平蹑汉王足,因附耳语曰:"汉方不利,宁能禁信之王乎?不如因而立,善遇之,使自为守。不然,变生。"汉王亦悟,因复骂曰:"大丈夫定诸侯,即为真王耳,何以假为④!"乃遣张良往立信为齐王⑤,征其兵击楚。

注释:

① 遂皆降平齐:汉军由于潍上之战的胜利,进一步从北与东北面对项羽形成了战略包围,直接威胁项羽大本营彭城的侧背安全。另外,鲁南和淮河南北地区一向为项羽军的粮食供应基地,三齐为韩信所占,淮河南北也朝不保夕,严重地破坏和威胁着项羽军的后方供应。

② 愿为假王便:请为"假王",乃韩信故作恭顺之词,其实在其为张耳请封赵王之时即已看准了下一步的齐国,而且在破齐后韩信也已经自立为齐王。司马迁同情韩信,于此传故意写得较模糊。假,权摄其职,犹今之所谓"代理"。

③"当是时"二句：据《高祖本纪》，刘邦在汜水上击破曹咎军，围钟离昧于荥阳东，才述韩信请为假王事，是汉军方利，离围荥阳时已久。此传与之相反。

④何以假为：此可见刘邦反应之快捷，也可见司马迁刻画人物性格的杰出才能。

⑤"乃遣"句：韩信称齐王，在汉四年（前203年）二月。从此事可见刘邦早已确定了要建立专制国家，而不情愿分封。韩信的思想与刘邦相去甚远，在这里已埋下了日后被杀的祸根。

译文：

汉高祖四年，齐国所有的地方都已经被韩信打了下来。韩信派人向汉王请示说："齐国是诡诈多变，反复无常的国家，而且南面又紧挨着楚国，因此，如果不立一个临时的齐王来镇守它，它的局势就难以稳定。希望能让我暂时当一个代理的齐王。"这个时候，项羽正把汉王围困在荥阳，韩信的使者来到荥阳后，汉王一看韩信的来信，勃然大怒，骂道："我被困在这儿，日日夜夜地盼着你来帮我，你倒要自己称王！"张良、陈平赶紧暗中一踩汉王的脚，又凑到他耳边悄声说："我们现在正处于不利的境地，怎么能禁止韩信称王呢？不如趁势立他为王，好好对待他，让他守好齐国。不然就会生出变故。"这时汉王自己也早醒悟过来，就又接着话茬儿骂道："大丈夫打下了一个国家，本来就理应称王，还要临时代理干什么！"于是派张良前往齐国立韩信为齐王，同时又征调韩信的全部人马来攻击楚国。

楚已亡龙且，项王恐，使盱眙人武涉往说齐王信曰："天下共苦秦久矣，相与戮力击秦①。秦已破,计功割地,分土而王之,以休士卒。今汉王复兴兵而东,侵人之分,夺人之地,已破三秦,引兵出关,收诸侯之兵以东击楚,其意非尽吞天下者不休,其不知厌足如是甚也②。且汉王不可必③,身居项王掌握中数矣,项王怜而活之。然得脱,辄倍约,复击项王,其不可亲信如此。今足下虽自以与汉王为厚交,为之尽力用兵,终为之所禽矣。足下所以得须臾至今者④,以项王尚存也。当今二王之事,权在足下。足下右投则汉王胜⑤,左投则项王胜。项王今日亡,则次取足下。足下与项王有故,何不反汉与楚连和,参分天下王之?今释此时,而自必于汉以击楚,且为智者固若此乎!”韩信谢曰:“臣事项王,官不过郎中,位不过执戟,言不听,画不用,故倍楚而归汉。汉王授我上将军印,予我数万众,解衣衣我,推食食我,言听计用,故吾得以至于此。夫人深亲信我,我倍之不祥,虽死不易。幸为信谢项王!”

注释:

①戮力:并力,合力。

②不知厌足:不会有满足。厌,同“餍”,足。

③不可必:不可担保,不能确信。

④须臾:片刻。这里用如动词,意即多活了一会儿。

⑤右投:向右一投足,指帮助刘邦。人面南而立,右在西,左在东。

译文：

　　项羽失掉了龙且,心里有些恐慌,于是就派了盱眙人武涉前去劝说韩信道:"天下人由于受秦朝的苦害太久,所以大家联合起来把它推翻了。秦朝被推翻以后,项王评功论赏,分割土地,封立各路诸侯为王。大家已经解兵休息了,可是汉王不守本分又兴兵东进,侵入了他人的分地,掠夺了别国的疆土,灭掉了关中的三个国家后,又率兵出关,集合了各国的军队来攻打楚国。看他那意思不独吞了整个天下他是不会罢休的了,他的贪心也真够可以了。而且汉王这个人极不可信,他落在项王手中好几次了,项王每次都是可怜他,把他放了,然而他一旦脱身,就立即撕毁条约,调转头来打项王,他就是这么一个不可亲近、不可信任的家伙。您现在自以为与他有交情,为他卖力打仗,但最后您还是要被他收拾。您所以能留到今天,就是因为项王现在还在。如今项王、汉王两个人的胜负,全操在您的手心里。您往右靠,汉王就能胜,您往左靠,项王就能胜。项王今天如果被消灭,那么下一个就轮到您了。您和项王有旧交,为什么不离开汉王与项王联合,三分天下,独立称王呢?放弃了今天这个良机,一个心眼儿跟着汉王打项王,聪明人有这么干的吗?"韩信委婉地拒绝说:"当初我奉侍项王,官职不过是个充当侍卫的郎中,项王不听我的话,不用我的计谋,所以我才离开项王投奔了汉王。我一入汉,汉王授给了我上将军的大印。让我统领几万人马,他脱下自己的衣服给我穿,分出自己饭食给我吃,对我言听计从,所以我今天才能成就了这样的事业。人家对我这样信任,我要是再背叛人家,那是不会有好下场的,因此我到死也不会改变对汉王的忠心。请替我谢谢项王。"

武涉已去,齐人蒯通知天下权在韩信,欲为奇策而感动之,以相人说韩信。韩信谢曰:"先生且休矣,吾将念之。"

译文:

　　武涉刚走,齐国的辩士蒯通知道现在整个形势的关键在于韩信,因此想用惊人的设想来打动他,于是他以相面先生的口吻劝说韩信。韩信辞谢说:"您别再讲了,我得好好想想。"

后数日,蒯通复说。韩信犹豫不忍倍汉,又自以为功多,汉终不夺我齐,遂谢蒯通。蒯通说不听,已详狂为巫①。

注释:

①已详狂为巫:此段载武涉与蒯通说辞,可见韩信之忠心以及后来被诬谋反而杀的冤枉。详,通"佯"。

译文:

　　过了几天,蒯通又来劝说韩信。韩信仍然是犹豫不决,不忍心背叛汉王。他认为自己功劳大,认为汉王怎么也不至于把他的齐国夺走,于是就拒绝了蒯通的劝告。蒯通见韩信不听自己的劝告,为了避祸,就只好装疯化作巫士隐迹而去。

汉王之困固陵①,用张良计②,召齐王信,遂将兵会垓下。项羽已破③,高祖袭夺齐王军④。汉五年正月，徙齐王信为楚王⑤，都下邳。

注释：

①汉王之困固陵：汉五年（前202年）十月，刘邦与韩信、彭越
　等约定共击项羽，至固陵，而信、越之兵不至，汉军大败，只
　好固守。

②用张良计：为召诸将兵，张良建议"自陈以东傅海，尽与韩
　信；睢阳以北至谷城，以与彭越，使自为战"。

③项羽已破：垓下破楚，在汉五年（前202年）十二月，韩信为
　汉军之最高统帅，此楚、汉间规模最大的一仗，由此项羽遂
　告垮台。此韩信一生中最大事，本传似不应如此略而
　不提。

④"高祖"句：此处再见刘邦对韩信的猜忌。刘邦此时此举，
　是由于看到韩信已无理由拥有重兵；韩信俯首听命，既是
　因为忠心，也是无可奈何。

⑤"徙齐王"句：韩信徙为楚王在汉五年正月，前在齐为王共
　十一个月。去齐之楚也是刘邦削弱韩信的手段。

译文：

　　后来汉王又被项羽打败于固陵，汉王采用张良的计策，
召齐王韩信进兵，韩信于是带兵与汉王会师于垓下。项羽刚
被消灭，汉王立即袭夺了韩信的兵权。汉高祖五年正月，改
封韩信为楚王，建都下邳。

　　信至国，召所从食漂母，赐千金。及下乡南昌
亭长，赐百钱，曰："公，小人也，为德不卒。"召辱己
之少年令出胯下者以为楚中尉①。告诸将相曰：

"此壮士也。方辱我时，我宁不能杀之邪？杀之无名，故忍而就于此②。"

注释：

①"召辱己"句：韩信非忘旧恶者，视其待下乡亭长的态度可知，此实乃韩信的一种"高级"报复形式。中尉，汉初诸侯国掌管民政的官。

②"杀之无名"二句：与前文"孰视之"相照应。无名，无意义，无必要。

译文：

韩信到楚国后，派人把当年曾给他饭吃的洗衣老妇找来，给了她千金重赏。也把下乡的南昌亭长找来，赏给了他一百钱，说他："你，是个小人，做好事不能做到底。"又把当年曾经侮辱他让他钻裤裆的那个青年找来，让他做了中尉。韩信对左右的将领们说："这人是个壮士。当初他侮辱我的时候，我难道不能杀了他吗？问题是杀了他也没有个好名声，我之所以隐忍着，就是为了成就今天的事业。"

项王亡将钟离眜家在伊庐，素与信善。项王死后，亡归信。汉王怨眜①，闻其在楚，诏楚捕眜。信初之国，行县邑②，陈兵出入。汉六年③，人有上书告楚王信反。高帝以陈平计④，天子巡狩会诸侯⑤，南方有云梦⑥，发使告诸侯会陈⑦："吾将游云梦。"实欲袭信，信弗知。高祖且至楚⑧，信欲发兵反⑨，自度无罪，欲谒上，恐见禽。人或说信曰："斩昧谒上，上必喜，无患。"信见昧计事。昧曰,："汉所以不击取楚，以昧在公所。若欲捕我以自媚于汉⑩，吾今日死，公亦随手亡矣。"乃骂信曰："公非长者！"卒自刭。信持其首，谒高祖于陈⑪。上令武士缚信，载后车。信曰："果若人言，'狡兔死，良狗亨；高鸟尽，良弓藏；敌国破，谋臣亡'。天下已定，我固当亨！"上曰："人告公反。"遂械系信。至洛阳⑫，赦信罪，以为淮阴侯⑬。

注释：

①汉王怨昧：刘邦怨恨钟离昧的原因，各篇都无交代。以《项羽本纪》观之，刘邦大败于彭城时，楚方的重将是钟离昧，怨隙可能即结于此。

②行县邑：到自己下属的县邑巡行视察。

③汉六年：前201年。刘邦于汉五年（前202年）十二月灭项羽，二月已即皇帝位，此处不应再用汉王称谓与纪年。

④高帝以陈平计：陈平让刘邦假说南游云梦，召韩信会陈，趁机袭捕他，以下刘邦所行即依陈平之计。

⑤巡狩：古称天子每隔数年到各诸侯国巡视一次，那时各国诸侯也须到指定地点朝见天子。

⑥云梦：即云梦泽。

⑦陈：秦县名，亦郡名，当时为韩信楚国的西部边境。

⑧且至楚：谓即将到达陈县。

⑨信欲发兵反：此话没有来由，或史公故意如此写，以示韩信被袭之冤。

⑩若:你。媚:讨好。

⑪谒高祖于陈:韩信此行可鄙,亦复可怜,无论如何委曲求全亦无济于事。

⑫洛阳:刘邦建国初期的都城,在今河南洛阳东北。

⑬以为淮阴侯:既袭捕之,又赦以为淮阴侯,则罪名显属莫须有。韩信被袭捕于陈,以及降为淮阴侯事,在高祖六年(前201年)十二月,韩信此前为楚王共十一个月。

译文:

项羽部将钟离眜老家在伊庐,一向与韩信友善。项羽死后,钟离眜逃到了韩信那里。汉王恨钟离眜,听说他在韩信处,就命令韩信逮捕他。韩信刚到楚国不久,每到下属各县视察时,总要带着一些军队,作为警卫。汉高祖六年,有人上书告发韩信要造反。高祖听取了陈平的计策,以巡狩朝会诸侯,到南方视察云梦泽为名,让各国的诸侯都到陈郡会合,他嘴里说:"我去视察云梦。"实际上是要借机巧捕韩信,韩信不知道。等到高祖快要来到楚国的边界了,韩信才开始怀疑,也想发兵抵抗,但想到自己没有任何罪过,想去见高祖,但又怕被高祖抓起来。这时有人劝韩信说:"杀了钟离眜,去见皇上,皇上必然高兴,您也就没什么担心的了。"韩信找钟离眜谈到此事,钟离眜说:"高祖之所以不敢打楚国,就是因为我在你这儿。如果你想抓了我去讨好高祖,那么我今天死,你明天也就该跟着我死了。"于是他骂韩信:"你真不是个有德性的人!"说罢自刎而死。韩信带着钟离眜的人头,到陈郡进见高祖。高祖立即命令武士逮捕了韩信,把他装在了自己后面的车上。韩信说:"果真像人们所说的,'兔子一死,猎狗也就要被煮了;飞鸟打完,良弓也就该收起了;敌人一被消灭,功臣也就该被杀了'。现在天下已经太平,我是到了该死

的时候了!"高祖说:"有人告你要造反。"于是给韩信戴上刑
具。等回到洛阳后,高祖又把韩信放了,把他降级为淮
阴侯。

信知汉王畏恶其能,常称病不朝从①。信由此
日夜怨望,居常鞅鞅②,羞与绛、灌等列③。上常从
容与信言诸将能不④,各有差。上问曰:"如我能将
几何?"信曰:"陛下不过能将十万。"上曰:"于君何
如?"曰:"臣多多而益善耳。"上笑曰:"多多益善,
何为为我禽?"信曰:"陛下不能将兵,而善将将⑤,
此信言之所以为陛下禽也。且陛下所谓天授,非
人力也。"

注释:
①不朝从:不朝见,不跟从出行。
②鞅鞅(yāng):即"怏怏",内心不平。
③绛、灌:绛,指绛侯周勃,灌,指颍阴侯灌婴,二人都是刘邦
   的元老功臣。等列:同一个级别,指皆封为侯。
④常:同"尝",曾经。从容:自然,不经心的样子。
⑤"陛下"二句:前言高帝只能将十万,而言自己多多益善,见
   韩信之得意忘形,不自觉而出口。至高帝反问,其内心之
   懊怒已形于词色时,韩信方猛然发觉失言,于是顺势改口,
   既平服高祖的忌心,亦掩饰自己的伤痛,然而这一来无疑
   又进一步加强了刘邦必杀韩信之心。

译文:
   韩信知道汉王对自己的才能是既怕又恨,因此常常借口

生病不去朝见他，也不随同他出行，心中充满怨恨，常常闷闷不乐。他觉得让自己与周勃、灌婴等同在一个级别，简直是一种羞耻。有一次高祖与韩信闲聊中，说到了开国将领们各自能统率多少人马，高祖问："像我，能统率多少人马呢？"韩信说："您最多能统率十万。"高祖问："那么你呢？"韩信说："我是越多越好。"高祖笑了一下说："既然你的本事这么大，为什么还被我活捉呢？"韩信说："陛下您虽不善于带兵，但却善于驾驭将领，这就是我所以被您活捉的原因。而且您所以胜利，这是上帝安排的，不是人力所可改变的。"

陈豨拜为钜鹿守①，辞于淮阴侯。淮阴侯挈其手②，辟左右与之步于庭，仰天叹曰："子可与言乎？欲与子有言也。"豨曰："唯将军令之。"淮阴侯曰："公之所居，天下精兵处也③；而公，陛下之信幸臣也④。人言公之畔，陛下必不信；再至，陛下乃疑矣；三至，必怒而自将。吾为公从中起，天下可图也⑤。"陈豨素知其能也，信之，曰："谨奉教！"汉十年，陈豨果反⑥。上自将而往，信病不从。阴使人至豨所，曰："弟举兵⑦，吾从此助公。"信乃谋与家臣夜诈诏赦诸官徒奴，欲发以袭吕后、太子。部署已定，待豨报。其舍人得罪于信，信囚，欲杀之，舍人弟上变⑧，告信欲反状于吕后。吕后欲召，恐其党不就⑨，乃与萧相国谋，诈令人从上所来，言豨已得死，列侯群臣皆贺。相国绐信曰："虽疾，强入贺。"信入,吕后使武士缚信,斩之长乐钟室⑩。信方斩,曰:"吾悔不用蒯通之计,乃为儿女子所诈⑪,岂非天哉!"遂夷信三族。

注释:

①"陈豨(xī)"句:陈豨未尝任钜鹿守,只是以代相国监赵、代边兵。

②挈(qiè):拉。

③天下精兵处:需要驻扎精兵的要害之地。

④信幸:受信任、受宠幸。

⑤天下可图也:陈豨从无反意,韩信因其来辞突然教之反,情事不合,应是司马迁为韩信鸣冤故意这样写。

⑥陈豨果反:陈豨之反是由于招致宾客为周昌所疑,与韩信无关。

⑦弟:但,尽管。

⑧上变:上书告发非常之事。变,也称"变事",告发谋反的书信。

⑨党:同"傥",倘若,万一。

⑩斩之长乐钟室:韩信被杀,在高祖十一年(前196年)正月,此前韩信为徒有其名的"淮阴侯"共六年。

⑪"吾悔"二句:此欲明其此前从无反心。儿女子,犹言"妇人、小孩子",指吕后与刘邦的太子刘盈。

译文:

　　陈豨被任命为钜鹿守,要去统领赵、代两国的边兵,来向韩信辞行。韩信打发开左右的随从,拉着他的手,在院子里散步,仰天长叹道:"你能让我放心吗?我有些话想和你谈谈。"陈豨说:"我绝对听您的吩咐。"韩信说:"你将要去驻守的地方,那里聚集着国家最精锐的部队;而你,又是皇帝的亲信。要是有人告你造反,第一次皇帝是决不会相信的;但如果再告第二次,皇帝就会起疑心了;如果再告第三次,皇帝肯定会发怒,会亲自率兵去攻打你。到那时,我在京城起兵,做你的内应,那时天下就可以成为我们的了。"陈豨一向知道韩信的才能,相信他的话不假,于是说:"一定照您的话办!"汉高祖十年,陈豨真的造反了。刘邦亲自率兵前去讨伐,韩信借口生病没有跟着一同去,而暗中悄悄派人给陈豨传送消息说:"你尽管举兵,我从里边帮你。"于是韩信与家臣们谋划要在夜里假传圣旨,释放在各个官邸里做苦役的奴隶、罪犯,准备把他们武装起来,率领他们袭击吕后和皇太子。一切都部署好了,单等陈豨那方面的消息。这时韩信家的一个门客,因为得罪于韩信,被韩信关了起来,想杀他。这个门客的弟弟就写密信向吕后告发了韩信要造反的种种计划。吕后想召韩信进宫,又怕他的党羽劝阻,不让他来,从而打草惊蛇,于是就和萧何商量好,派了一个人假装是从高祖那儿来,诈称陈豨已被俘获斩首了,让列侯百官们都入朝祝贺。萧何亲自来骗韩信说:"即便你有病,也还是硬撑着去进宫一趟吧。"于是韩信只好跟他去了。结果韩信一进长乐宫,吕后立刻命令武士把韩信捆了起来,把他押入一间悬挂钟磬的屋子里杀了。韩信临死前说:"我真后悔当初没有听蒯通的劝告,今天竟被妇人所骗,莫非这也是天意吗?"接着吕后又把韩信的三族通通抓起来杀光了。

太史公曰:吾如淮阴,淮阴人为余言,韩信虽为布衣时,其志与众异。其母死,贫无以葬,然乃行营高敞地①,令其旁可置万家。余视其母冢,良然。假令韩信学道谦让②,不伐己功③,不矜其能,则庶几哉④,于汉家勋可以比周、召、太公之徒,后世血食矣⑤。不务出此,而天下已集,乃谋畔逆,夷灭宗族,不亦宜乎⑥!

注释:

①行营:寻找,谋求。

②学道谦让:指学习道家的谦退不争。

③伐:骄傲自夸。

④则庶几哉:当属下句读,意为他在汉朝的功勋就差不多可以和古代的周公、召公、太公相媲美,可以传国不绝了。中华本标点为与上句相连,以为韩信若能学道谦让,不伐己功,不矜已能,那就差不多行啦。其意不美。庶几,差不多。

⑤血食:指享受后世子孙的祭祀。

⑥"而天下"四句:这是司马迁为揭露刘邦、吕后的阴谋,表明韩信之冤,故意写的反话。集,安定。

译文:

  太史公说:我曾经到过淮阴,淮阴的人们对我说,当韩信还是布衣时,他的志向就和一般人不一样。他的母亲死了,家里穷得都没钱发丧,可是韩信还是把他母亲埋在了一个又高又开阔的地方,他准备让这个坟墓的周围日后发展成一个万户人家的城镇。我去看了看他母亲的坟墓,情况果真如此。假如韩信当初能学点谦让之道,不以功臣自居,不夸耀自己的才能,那么他在汉王朝的勋业就差不多可以和周朝的周公、召公、姜太公这些人相媲美,并能传国于子孙,可永远享受后代的祭祀了。可是他不这么干,而是要在天下局面已经安定的时候图谋造反,结果闹得整个亲族被铲灭,这不是罪有应得么!

扁鹊仓公列传

　　《扁鹊仓公列传》是战国时的秦越人与汉代的淳
于意两位医生的合传,又可以说是两汉之前临床医
学的总结,为我们保留了珍贵的医学史料,具有很高
的研究价值。同时通过两位医生的不幸遭遇,揭示
出在封建社会造福于民的高明医术竟也成为招来杀
身之祸的缘由,实在令人扼腕,发人深省。在这里我
们只选了有关秦越人的故事。

　　"扁鹊"是远古传说中的一位神医,秦越人之称
"扁鹊",就是因为他医术高超。文章选取典型事迹,
通过三个病案,深刻反映了扁鹊精通脉学、长于辨症
的精湛医术,为后世所景仰。

　　扁鹊者①,勃海郡郑人也,姓秦氏,名越人。少时为人舍长②。舍客长桑君过,扁鹊独奇之,常谨遇之。长桑君亦知扁鹊非常人也。出入十馀年,乃呼扁鹊私坐,间与语曰:"我有禁方③,年老,欲传与公,公毋泄。"扁鹊曰:"敬诺。"乃出其怀中药予扁鹊:"饮是以上池之水④,三十日当知物矣⑤。"乃悉取其禁方书尽与扁鹊。忽然不见,殆非人也。扁鹊以其言饮药三十日,视见垣一方人。以此视病,尽见五藏症结,特以诊脉为名耳。为医或在齐,或在赵。在赵者名扁鹊。

注释:

①扁鹊:传说上古黄帝时名医,春秋战国时往往以"扁鹊"誉称当代名医。

②舍长:客馆主事。

③禁方:秘方。古代中医讲究父子师徒口耳相传,故多秘方。

④饮:服用,服食。《本草纲目》认为露水乃"阴仓之液","久服能令人身轻正肌"。故长桑君之秘方当用露水调服。

⑤知物:即指下文所说的隔墙见人,隔着肚皮能见内脏等等。物,秦汉时期用以称具有特异功能的精灵。

译文:

　　扁鹊是勃海的郑州人,姓秦,名越人。他少年时为人家管理客舍。有个叫做长桑君的客人住到客舍里,只有扁鹊认为他与众不同,待他很恭谨。长桑君也知道扁鹊不是个平凡之辈。长桑君在客舍出出入入,住了十多年,后来他把扁鹊叫到他房间里,悄悄对他说:"我有许多秘方,我岁数大了,想把它传给你,你可千万别说出去。"扁鹊说:"我一定照办。"于是长桑君从怀里取出一包药递给扁鹊说:"用未落地的雨水或露水送饮此药,连用三十天你就可以看得见鬼怪了。"接着长桑君便把他所有的秘方书都取出来交给了扁鹊,忽然不见了,长桑君大概不是个凡人。扁鹊便依他的话吃了三十天药,果然能隔墙瞧见那边的人。扁鹊凭着这种本事给人看病,能把病人五脏中的病症都看得清清楚楚,诊脉只是个名义而已。扁鹊行医,有时在齐国,有时在赵国。在赵国时被称为扁鹊。

当晋昭公时①,诸大夫强而公族弱②,赵简子为大夫③,专国事。简子疾,五日不知人,大夫皆惧,于是召扁鹊。扁鹊入视病,出,董安于问扁鹊,扁鹊曰:"血脉治也,而何怪!昔秦穆公尝如此,七日而寤。今主君之病与之同,不出三日必间,间必有言也。"

注释:
①晋昭公:当是晋定公之误。据《赵世家》,简子病在晋定公十二年,且简子病案,多及神话,少涉医理。
②公族:又称"公姓",即诸侯之同族。此指国君之宗族。
③赵简子:名鞅,亦称赵孟,简子乃其谥号,晋国大夫。

译文:
　　晋昭公时,国内大夫家的势力强大起来,诸侯的势力变弱了,赵简子是个大夫,却专断着晋国的政事。有一次,简子得了重病，一直昏迷了五天，大夫们都吓坏了，于是召来扁鹊。扁鹊入宫给赵简子看了病，出来后，董安于问扁鹊病情如何，扁鹊说："血脉正常，你们用不着大惊小怪！当初秦穆公也曾闹过这种病，七天后才醒过来。现在你们主君的病和秦穆公的病一样，不出三天他准醒，醒来一定有话说。"

居二日半，简子寤，语诸大夫。董安于受言，书而藏之。以扁鹊言告简子，简子赐扁鹊田四万亩。

译文：

过了两天半，赵简子果然醒了，跟众位大夫说话。董安于听了这些话，也把它记了下来，收藏好。董安于又把扁鹊的话告诉给赵简子，赵简子赐给扁鹊四万亩田地。

其后扁鹊过虢①。虢太子死，扁鹊至虢宫门下，问中庶子喜方者曰②："太子何病，国中治穰过于众事？"中庶子曰："太子病血气不时，交错而不得泄，暴发于外，则为中害③。精神不能止邪气，邪气畜积而不得泄，是以阳缓而阴急，故暴蹶而死。"扁鹊曰："其死何如时？"曰："鸡鸣至今④。"曰："收乎？"曰："未也，其死未能半日也。""言臣齐勃海秦越人也，家在于郑，未尝得望精光侍谒于前也。闻太子不幸而死，臣能生之。"中庶子曰："先生得无诞之乎⑤？何以言太子可生也！臣闻上古之时，医有俞跗⑥，治病不以汤液醴酒⑦，镵石挢引⑧，案扤毒熨⑨，一拨见病之应⑩，因五藏之输⑪，乃割皮解肌，诀脉结筋⑫，搦髓脑⑬，揲荒爪幕⑭，湔浣肠胃，漱涤五藏，练精易形。先生之方能若是，则太子可生也；不能若是而欲生之，曾不可以告咳婴之儿。"终日，扁鹊仰天叹曰："夫子之为方也⑮，若以管窥天，以郄视文⑯。越人之为方也，不待切脉望色听声写形⑰，言病之所在。闻病之阳，论得其阴；闻病之阴，论得其阳。病应见于大表，不出千里，决者至众，不可曲止也。子以吾言为不诚，试入诊太子，当闻其耳鸣而鼻张，循其两股以至于阴，当尚温也。"

注释：

①虢(guó)：西周与春秋时代有几个虢国，战国时皆已亡。后世将良医统称为扁鹊，人既非一，时代亦异，史公误采古书所记扁鹊事迹，凑合此传，故多有误。

②中庶子：古代官名，为太子属官。方：医方。

③中：内脏。

④鸡鸣：丑时，相当于夜间一时至三时。

⑤诞：荒诞，引申为哄骗。

⑥俞跗(fū)：古代医家。一谓乃黄帝时名医，一谓乃春秋早期楚国医官名。

⑦汤液醴酒：均为中医的服药方式。汤液，汤剂。醴酒，酒剂。

⑧镵(chán)石:石针。挢(jiāo)引:即导引,一种体育疗法,或
　谓按摩之法。

⑨案扤(wù):按摩。案,通"按"。扤,摇动。毒熨:以药物熨
　敷患处的疗法。毒,毒药,古代以毒药为诸药之统称。

⑩拨:解衣诊察。病之应:病者外表的反应,即症候。

⑪输:同"腧"(shù),人身上的穴位。

⑫诀脉:疏导血脉。诀,同"决"。

⑬搦(nuò):按治。

⑭揲(shé):取。荒:通"肓",心脏与横膜之间谓肓。爪:疏
　理。幕:通"膜",指横膈膜。

⑮方:此指医疗技术。

⑯以郄视文:透过缝隙看花纹,言其不能尽见。郄,通"隙"。

⑰切脉:诊脉。望色:观察(病人)脸上气色。听声:听(病人
　发出的)声音。写形:审察病人的形态。写,犹审。

译文:

　　后来扁鹊行医路过虢国。刚好虢国的太子死了,扁鹊来
到宫门前,向一个懂得医术的中庶子打听道:"太子得的是什
么病,怎么全国都在祈祷,把别的事都搁置起来了呢?"中庶
子说:"太子的病是由于血气与时节不相适应,结果阴阳之气
交错而不能通畅地运行,气血郁结不通,突然暴发,就使内脏
受了伤害。他体内的正气不能压住邪气,以致使邪气蓄积得
不到发散,结果阴盛阳衰,暴病而死。"扁鹊说:"他死了多久
呢?"中庶子说:"从鸡鸣到现在。"扁鹊问:"尸体收敛入棺了
吗?"中庶子说:"还没有,他死了还不到半天呢。"扁鹊说:"你
进去禀报,就说我是齐国勃海地方的秦越人,家在郑州,过去
我未能有幸拜见你们君主,为你们君主效力。现在听说你们
太子不幸去世,我能让他死而复生。"中庶子说:"先生不是说

胡话吧？你凭什么说太子可以死而复生呢！我听说在上古时代，有个医生叫俞跗，他治病不用汤剂、药酒，不用针灸石砭，不用按摩贴膏药，而是一眼就可以知道病症在哪儿，然后按照五脏的穴道，施行割皮和剖割肌肉之术，使壅塞的脉络畅通，使扭结的筋腱舒展，还要揉捏脑髓，按拿胸腹膜，清肠胃，洗五脏，培养精气，改换形体。先生您的医术如能和他的一样，那么太子就还有可能复生；如果你做不到这些，你想让太子复生，那就连三岁小孩也不会相信您的话。"两人谈了一整天，最后扁鹊仰天长叹道："先生您所知道的医术，就像是用管子看天空，像透过缝隙看花纹。而我的医术则不然，我不必非给病人切脉、观气、听声、看形，才能知道病症在哪儿，我可以由表知里，由里知表。一个人的内脏中有什么疾病都必然会有相应的外部症状，这方圆千里之内，诊断病症的方法很多，不能只认一个道理。如果你不信我的话，就请你进宫，试着给太子诊断一下，你会听到他还在耳鸣，会看见他的鼻孔还在发胀，他的两腿直到阴部都还是温热的。"

中庶子闻扁鹊言，目眩然而不瞚①，舌挢然而不下②，乃以扁鹊言入报虢君。虢君闻之大惊，出见扁鹊于中阙，曰："窃闻高义之日久矣，然未尝得拜谒于前也。先生过小国，幸而举之，偏国寡臣幸甚。有先生则活，无先生则弃捐填沟壑，长终而不得反。"言未卒，因嘘唏服臆③，魂精泄横，流涕长潸，忽忽承睫④，悲不能自止，容貌变更。扁鹊曰："若太子病，所谓'尸蹶'者也。夫以阳入阴中，动胃缠缘⑤，中经维络⑥，别下于三焦、膀胱，是以阳脉下遂⑦，阴脉上争，会气闭而不通⑧，阴上而阳内行，下内鼓而不起，上外绝而不为使，上有绝阳之络，下有破阴之纽，破阴绝阳，色废脉乱，故形静如死状。太子未死也。夫以阳入阴支兰藏者生⑨，以阴入阳支兰藏者死。凡此数事，皆五藏蹷中之时暴作也。良工取之⑩，拙者疑殆⑪。"

注释：

①瞚(shùn)：通"瞬"，眨眼。

②挢(jiāo)：(舌头)抬起。

③服臆(bìyì)：同"愊臆"，因悲伤而气满郁塞。

④忽忽：泪珠滚滚貌。

⑤缠：同"缠"。缘：缠，绕。

⑥中(zhòng)：伤害。经：经脉。维：结，雍塞。络：络脉。

⑦遂：同"坠"。

⑧会：命会。

⑨支兰：遮拦，阻隔。

⑩良工：高明的医生。取：这里指救治。

⑪疑殆：怀疑，坐视死亡。

译文：

中庶子听了扁鹊这番话，目瞪口呆，久久说不出话来，于是进去把扁鹊的话报告给了虢君。虢君听后大惊，赶紧迎到中门以外，对扁鹊说："我早就听说过您的大名，只是没有机会去拜见。现在先生路过我们这小小的国家，如您能救活太子，那我这个小国的君臣可真是太幸运了。有了先生您他才能活，没有先生您他就只有死路一条，永不能复生了。"话还没说完，虢国国君已经抽咽起来，他精神恍惚、涕泪交流，睫毛上挂满泪珠，悲伤不能自已，连容貌都变了。扁鹊说："太子这种病，就是通常所说的'假死'。是由于阳气下降入阴，搅扰胃部，经脉受损害，络脉被阻塞，分别下沉于三焦、膀胱，因此阳脉下坠，阴脉上升，阴阳两气交会之处堵塞，阴气继续上升而阳气只好向里走，于是阳气只能在身体的下部和内部鼓动而不能升起，阳气郁结于下内，与上外隔绝，不能引导阴气，这样，上有隔绝阳气的脉络，下有破坏阴气的筋纽，阴气破坏，阳气断绝，使人的脸色都变了，脉气全乱了套，因此身体静静地躺着，就像死了一样。其实太子并没有死。由于阳入阴而阻隔了脏气的可以活，由于阴入阳而阻隔脏气的则必死。凡此种种情况，都是五脏失调之时暴发而成的。高明的医生能把握病因进行调理，医术不高的人就只能疑惑不解了。"

扁鹊乃使弟子子阳厉针砥石^①，以取外三阳五会^②。有间，太子苏。乃使子豹为五分之熨，以八减之齐和煮之^③，以更熨两胁下。太子起坐。更适阴阳，但服汤二旬而复故。故天下尽以扁鹊为能生死人。扁鹊曰："越人非能生死人也，此自当生者，越人能使之起耳。"

注释：
①厉、砥：都是磨的意思。

②取外三阳五会:"外"当是衍文。三阳五会,即"百会穴"。

③"乃使"二句:据病情,此处均为减轻药分剂量。五分,减一半;八减,原方的十分之八,可能太子尚幼,不能按成人量。

译文:

于是扁鹊让弟子子阳把铁针石针一齐磨好,把它们从太子的三阳五会上扎了下去。过了一会儿,太子就苏醒过来了。于是扁鹊又让弟子子豹把剂量减半的熨药和八减方的药剂和煮在一起,交替地烫贴太子的两胁下面。待会太子能坐起来了,扁鹊又进一步调理他体内交错的阴阳之气,只服了二十天汤药,太子就全然康复了。于是天下人都以为扁鹊有起死回生之术。扁鹊说:"我并非能使人起死回生,只是能使这些本来就没死的人站立起来而已。"

扁鹊过齐,齐桓侯客之①。入朝见,曰:"君有疾在腠理②,不治将深。"桓侯曰:"寡人无疾。"扁鹊出,桓侯谓左右曰:"医之好利也,欲以不疾者为功。"后五日,扁鹊复见,曰:"君有疾在血脉,不治恐深。"桓侯曰:"寡人无疾。"扁鹊出,桓侯不悦。后五日,扁鹊复见,曰:"君有疾在肠胃间,不治将深。"桓侯不应。扁鹊出,桓侯不悦。后五日,扁鹊复见,望见桓侯而退走。桓侯使人问其故。扁鹊曰:"疾之居腠理也,汤熨之所及也;在血脉,针石之所及也;其在肠胃,酒醪之所及也③;其在骨髓,虽司命无奈之何。今在骨髓,臣是以无请也。"后五日,桓侯体病④,使人召扁鹊,扁鹊已逃去。桓侯遂死。

注释:

①齐桓侯:春秋战国时,齐无桓侯,只有两个桓公,一为春秋时之姜小白,一为战国时之田午,然均不与扁鹊同时,此可能是"蔡桓侯"之误。

②腠(còu)理:指皮肤的纹理与皮下肌肉之间的空隙。

③酒醪(láo):醇酒或浊酒,此处指药酒。病入肠胃,非药酒之类轻剂所能愈,当用火剂汤之类泻下清里之剂,"酒醪"当误。

④体病:体痛。

译文:

　　扁鹊经过齐国时,齐桓侯接待了他。扁鹊入朝时,对桓侯说:"大王皮肤和肌肉之间有病,如果不及时治疗,病就会往身体内部发展。"桓侯说:"我没病。"扁鹊出来后,桓侯对左右的人说:"医生贪财好利,把没病的人说成病人,好为自己赚钱。"五天以后,扁鹊又见到了齐桓侯,说:"大王的病已经进入血脉了,如不及时医治,恐怕还要往深里发展。"桓侯说:"我没病。"扁鹊出来后,桓侯心里很不高兴。又过了五天,扁鹊又去见桓侯,说:"大王的病已到了肠胃之间,如再不治,还会加深。"桓侯不搭理他。扁鹊出去之后。桓侯更不高兴。又过了五天,扁鹊又去见齐桓侯,这回他只远远地一看就赶紧往回跑。桓侯派人问他为什么跑。扁鹊说:"皮肤里的病,用汤剂就可以治好;血脉里的病,用铁针石针就可以扎好;肠胃里的病,用酒药可以治好;可是骨髓中的病即使是掌管性命的神仙也没有办法医治了。如今大王的病已深入骨髓,所以我没同大王讲话就退下来了。"又过了五天,桓侯发病了,派人去请扁鹊,扁鹊早已逃离了齐国。于是齐桓侯就病死了。

扁鹊名闻天下。过邯郸，闻贵妇人，即为带下医^①；过雒阳，闻周人爱老人，即为耳目痹医；来入咸阳，闻秦人爱小儿，即为小儿医：随俗为变。秦太医令李醯自知伎不如扁鹊也^②，使人刺杀之。至今天下言脉者，由扁鹊也^③。

注释：

①带下医：指妇科医生。带下，古代用以指妇科疾病。

②李醯(xī)：秦武王时的太医令。伎：通"技"，医术水平。

③"至今"二句：史公于此将扁鹊视为中医的开山祖师。

译文：

扁鹊名闻天下。他经过邯郸的时候，听说那里尊重妇女，他就注意研究妇科疾病；经过洛阳的时候，听说当地爱戴老人，他就注意研究耳聋眼花和风湿症；他到了咸阳，听说秦人爱护儿童，就注意研究小儿科：随着各地风俗变化而变化。秦国的太医令李醯知道自己的医术不如扁鹊，就派人把扁鹊刺杀了。到如今天下研究切脉学问的医生，还是以扁鹊为祖师。

李将军列传

　　《李将军列传》紧紧围绕着精于骑射，勇敢作战；热爱士卒，不贪钱财；为人简易，号令不烦三个特点，刻画了李广这样一个作者所理想的一代名将的英雄形象，而对李广的坎坷一生，尤其是对他以及他整个家族的悲惨结局，表现了无限的惋惜与同情，对汉代皇帝及其宠幸们排挤、残害李广及其家族的罪行表现了极大的愤慨，对汉代的用人制度进行了有力的批判。同时，作者在描写李广坎坷悲惨的一生际遇中，也寄寓了自己的满腔悲愤与辛酸。但是我们也应该实事求是：司马迁由于个人的遭遇与好恶，对李广的评价有点过高，而对卫青、霍去病则过低地贬抑，这是不恰当的。对此，可以参看《卫将军骠骑列传》。

李将军广者,陇西成纪人也。其先曰李信,秦时为将,逐得燕太子丹者也。故槐里,徙成纪。广家世世受射①。孝文帝十四年,匈奴大入萧关,而广以良家子从军击胡②,用善骑射,杀首虏多③,为汉中郎④。广从弟李蔡亦为郎,皆为武骑常侍⑤,秩八百石⑥。尝从行⑦,有所冲陷折关及格猛兽⑧,而文帝曰:"惜乎,子不遇时!如令子当高帝时,万户侯岂足道哉⑨!"

注释:

①广家世世受射:这是一传之纲领。李广所长在射,故传中叙射事特详。受射,向长辈学习射法。受,接受、继承。

②良家子:清白人家的子弟。胡:当时用以指匈奴人。

③杀首虏多:斩敌之首与俘获生敌的数量多。"首虏"一词各处的用法略有不同,有时指斩敌之首与俘获生敌,有时只指斩敌之首。

④为汉中郎:为汉朝皇帝当侍从。所以要加"汉"字,是区别于当时的其他诸侯国。

⑤武骑常侍:皇帝的骑兵侍从。

⑥秩:官阶。

⑦尝:通"常",屡屡。从行:跟随皇帝出行。

⑧冲陷:冲锋陷阵。折关:犹言"抵御"。折,折冲,打回敌人的冲锋。关,抵挡。

⑨"万户"句:文帝的意思是认为李广的气质才能更适合开国创业,而在各种制度都已健全的情况下,李广的才能就不好发挥出来了。李广一生"数奇",在此埋下伏笔。

译文:

　　李广将军是陇西郡成纪县人,他的祖先李信是秦国的名将,曾经在灭掉燕国后得到了燕太子丹的首级。李广家的原籍是槐里县,后来迁到了成纪。李广家世代相传射箭的绝技。孝文帝十四年,匈奴大举入侵萧关,这时李广以良家子的身份参军,抗击匈奴,由于他善于骑马射箭,杀的敌人多,因此被任为中郎。当时李广的堂弟李蔡也在皇帝身边为郎,兄弟二人都当武骑常侍,官阶是八百石。有一次,李广跟随文帝外出,在冲锋陷阵和与猛兽格斗中表现出了无比的勇敢。文帝称赞李广说:"真可惜啊!你生得不是时候!如果你生在高皇帝打江山的年代,万户侯又何足挂齿呢!"

　　及孝景初立,广为陇西都尉,徙为骑郎将。吴楚军时①,广为骁骑都尉②,从太尉亚夫击吴楚军③,取旗④,显功名昌邑下⑤。以梁王授广将军印⑥,还,赏不行⑦。徙为上谷太守,匈奴日以合战。典属国公孙昆邪为上泣曰⑧:"李广才气,天下无双,自负其能,数与虏敌战,恐亡之。"于是乃徙为上郡太守。后广转为边郡太守,徙上郡。尝为陇西、北地、雁门、代郡、云中太守,皆以力战为名⑨。

注释:

① 吴楚军时:指吴、楚七国起兵造反之时,事在汉景帝三年(前154年)正月。

李将军列传

三一五

②骁骑都尉：军官名。骁骑，如同今之所谓"轻骑兵"。

③太尉亚夫：即周亚夫，文帝、景帝时期的名将，由中尉被任命为太尉，统兵讨吴、楚。太尉，主管全国军事的最高长官，当时的"三公"之一。

④取旗：夺取了敌方的主将之旗。

⑤昌邑：当时梁国的重镇，周亚夫的重兵当时就集结在这里。吴、楚军之败，则从其攻昌邑失败开始。

⑥授广将军印：李广虽属亚夫军，但因他是在梁国的地面上作战，卓有军功，又因李广原来只是"都尉"，不够将军级，故梁王出于敬慕而升赏他，授之将军印。

⑦还，赏不行：李广为汉将，私受梁印，故不赏。可见汉景帝与梁孝王兄弟之间矛盾尖锐。

⑧典属国：是主管与他国、他族外交事务的官吏。

⑨"后广转为"至"皆以力战"三十一字疑当在后文"不知广之所之，故弗从"后，而衍"徙上郡"三字。

译文：

等到景帝即位，李广先任陇西都尉，接着被召进京城做了骑郎将。后来吴楚七国叛乱时，李广以骁骑都尉的身份跟着太尉周亚夫前往讨伐叛军。在战斗中，李广夺得了敌军的战旗，在昌邑大显威名。只因为梁孝王赠给了李广一颗将军印，回京后，在别人受赏时，李广就没能再受到封赏。后来李广被调任上谷太守，匈奴军队每天和他打仗。于是典属国公孙昆邪流着眼泪向景帝请求说："李广的本领，在当今天下无双，也正因此他自恃武艺高强，天天和敌军交战，我真怕损失了这员名将。"于是景帝就把李广调到了上郡当太守。后来李广又辗转地在边疆诸郡的许多地方，如陇西、北地、雁门、代郡、云中等地做太守，无论他到了哪里，都以英勇善战闻名。

匈奴大入上郡,天子使中贵人从广勒习兵击匈奴①。中贵人将骑数十纵②,见匈奴三人,与战。三人还射③,伤中贵人,杀其骑且尽。中贵人走广。广曰:"是必射雕者也。"广乃遂从百骑往驰三人④。三人亡马步行⑤,行数十里。广令其骑张左右翼,而广身自射彼三人者,杀其二人,生得一人,果匈奴射雕者也。已缚之上马,望匈奴有数千骑。见广,以为诱骑,皆惊,上山陈。广之百骑皆大恐,欲驰还走。广曰:"吾去大军数十里,今如此以百骑走⑥,匈奴追射我立尽。今我留,匈奴必以我为大军之诱,必不敢击我。"广令诸骑曰:"前!"前未到匈奴陈二里所,止,令曰:"皆下马解鞍!"其骑曰:"虏多且近,即有急,奈何?"广曰:"彼虏以我为走,今皆解鞍以示不走,用坚其意。"于是胡骑遂不敢击。有白马将出护其兵⑦,李广上马与十馀骑奔射杀胡白马将,而复还至其骑中,解鞍,令士皆纵马卧。是时会暮,胡兵终怪之,不敢击。夜半时,胡兵亦以为汉有伏军于旁欲夜取之,胡皆引兵而去。平旦,李广乃归其大军。大军不知广所之,故弗从。

注释:

① 中贵人:有地位、受宠信的宦官。或以为指"在朝之宗室大

臣"，非必指宦者。从广勒习兵：盖有观察、监督之意。

②纵：放马奔驰。

③还射：谓匈奴人本已离去，见有人追来，故回身而射之。

④驰：追赶。

⑤亡：无。

⑥走：逃跑。

⑦护：这里指安排、整顿。

译文：

李广做上郡太守的时候，正赶上匈奴人大举进攻上郡，这时皇帝派了一名受宠信的宦官到上郡来跟着李广学习军事。有一次这个宦官带领着几十名骑兵在田野上纵马奔驰，突然遇到了三个匈奴人，便打了起来。三个匈奴人回射，射中了这个宦官，他带的几十名骑兵几乎全被匈奴人射死了。宦官逃回了李广那里，李广说："这一定是射雕的。"他立即带了百数名骑兵去追赶这三个人。这三个人把自己的马丢了，只好步行，这时已经走出几十里了。李广命令部下作出了从左右两侧包抄的形式，自己拿了弓箭射他们，结果射死了两个，活捉了一个，一审问，果然是匈奴的射雕人。他们刚把俘虏绑在马上，准备回营，突然望见从远处来了几千名匈奴骑兵。这些骑兵也发现了李广，他们以为这是汉军派出来特意引着他们去上当的，心里很吃惊，于是慌忙冲上山头布好阵式。李广的这百数人怕极了，都想赶紧往回跑。李广说："这里离着我们的大部队有几十里，我们这百数人如果往回跑，匈奴人追上来一阵乱箭就把我们都射死了。如果我们留下来不走，匈奴人必然以为我们是大部队派出来引诱他们去上当的，他们一定不敢打我们。"于是李广命令这百数人："前进！"一直走到离匈奴人只还有二里地的地方才停下来，接着又下令说:"全体下马,把鞍子解下来!"有人说:"敌人这么多,离我们又这么近,我们再都下马解鞍,如果敌人进攻我们,我们怎么办?"李广说:"敌人肯定以为我们是会跑的,现在我们偏要给他来个下马解鞍表明不跑,以此来强化他们那种错误判断。"这样一来,匈奴人果然没敢进攻李广。后来敌人那边有个骑白马的将领出来整理阵容,这时李广突然上马带着十来个人飞奔过去将他射死了,然后又退了回来解下马鞍子,并命令士兵们把马放开,自己都躺在地上休息。这时天色渐晚,匈奴人始终觉得这伙人可疑,没敢轻易出击。到了半夜,匈奴人更怀疑附近可能埋伏着大批汉军,打算乘夜晚偷袭他们,于是赶紧撤走了。第二天清晨,李广回到大本营。李广的大部队因为不知道李广昨晚去了何处,所以一直在原地待命。

居久之,孝景崩,武帝立,左右以为广名将也,于是广以上郡太守为未央卫尉[1],而程不识亦为长乐卫尉[2]。程不识故与李广俱以边太守将军屯[3]。及出击胡,而广行无部伍行陈[4],就善水草屯,舍止,人人自便,不击刁斗以自卫[5],莫府省约文书籍事[6],然亦远斥候[7],未尝遇害。程不识正部曲行伍营陈[8],击刁斗,士吏治军簿至明,军不得休息,然亦未尝遇害。不识曰:"李广军极简易,然虏卒犯之[9],无以禁也;而其士卒亦佚乐,咸乐为之死。我军虽烦扰,然虏亦不得犯我。"是时汉边郡李广、程不识皆为名将,然匈奴畏李广之略,士卒亦多乐从李广而苦程不识。程不识孝景时以数直谏为太中大夫^⑩。为人廉，谨于文法。

注释：

①未央卫尉：未央宫是皇帝居住的地方。卫尉，是当时的"九卿"之一，职掌守卫宫门。

②长乐卫尉：长乐宫是太后居住的地方。

③边太守：边郡太守。将军：率领军队。将，统领，率领。

④行：行军。部伍：犹言"部曲"。行（háng）阵：行列。

⑤刁斗：铜制的军用饭锅，白天用以煮饭，夜间用以敲击巡逻。

⑥莫府：同"幕府"，指将军的办事机构。文书籍事：指各种公文案牍之类。

⑦斥候：侦察敌情的人员。

⑧正：严肃，严格要求。

⑨卒：同"猝"（cù），突然。

⑩太中大夫：皇帝的侍从人员，掌议论。

译文：

　　过了好多年，汉景帝死了，汉武帝即位，左右大臣都说李广是一位名将，于是李广被从上郡太守调入朝廷当了未央宫的卫尉，当时程不识正做长乐宫的卫尉。程不识和李广一样，过去都曾以边郡太守的身份率领军队驻守边防。当出兵讨伐匈奴时，李广的军队比较随便，甚至连严格的组织队列都没有，驻扎的时候也只是找个有水草的地方，住下之后人人自便，夜里也不打更巡逻，军部里各种办事的规章案牍一切从简，但由于他能远放哨探，掌握敌情，所以也从未遭受过敌人的偷袭。程不识的军队不论行军扎营一切规章制度都很严格，夜里要打更巡逻，军部里的文吏们处理各种簿籍档案极其严明，全军都得不到休息，因此他的军队也未曾遭受过什么突然的侵害。程不识说："李广的治军办法，极其简单省事，如果遇上敌人偷袭，恐怕就难以招架了；但他的士兵们生活得很快乐，因此大家都愿意为他拼命。我的治军虽然繁复，但敌人不可能对我发动突然袭击。"那时候，李广和程不识都是汉朝边郡上的名将，但是匈奴人特别怕李广的胆略，而士兵们也都乐于跟着李广而不愿意跟着程不识。程不识曾因为敢于直言劝谏，在景帝时期做过太中大夫，为人廉洁，谨守规章法度。

　　后汉以马邑城诱单于①，使大军伏马邑旁谷，而广为骁骑将军，领属护军将军②。是时单于觉之，去，汉军皆无功。其后四岁，广以卫尉为将军，出雁门击匈奴。匈奴兵多，破败广军，生得广。单于素闻广贤，令曰："得李广必生致之。"胡骑得广，广时伤病，置广两马间，络而盛卧广。行十馀里，广详死，睨其旁有一胡儿骑善马，广暂腾而上胡儿马③，因推堕儿，取其弓，鞭马南驰数十里，复得其馀军，因引而入塞。匈奴捕者骑数百追之，广行取胡儿弓④，射杀追骑，以故得脱。于是至汉，汉下广吏。吏当广所失亡多⑤，为虏所生得，当斩，赎为庶人。

注释：

①汉以马邑城诱单(chán)于：事在汉武帝元光二年(前 133
年)。汉使马邑下人聂翁壹假装卖马邑城来引诱单于。单
于信之入关。汉在马邑伏兵三十馀万，准备伏击，结果被
匈奴发觉，汉军徒劳无功。

②领属：归某人所统领。护军将军：即韩安国。

③暂腾：突然跃起。

④行：顺手，随即。

⑤当：判处。

译文：

　　后来汉朝用假装出卖马邑城的办法企图引诱匈奴单于
上钩，而把大批汉军埋伏在马邑周围的山沟里，李广以骁骑
将军的身份参加了这次行动，属护军将军韩安国统领。不料
汉军的这次阴谋被匈奴单于所发觉，把军队撤回去了，因此
汉军无功而返。又过了四年，李广以未央宫卫尉的身份为将
军，率兵出雁门关讨伐匈奴。不料遇到了匈奴的大军，结果
汉军被击败，李广也被人俘虏了。匈奴单于早就知道李广是
一员名将，因此他下过命令："如果遇到李广，一定要抓活
的。"匈奴捉到李广后，李广当时正害着病，同时又受了伤，于
是匈奴人就在两匹马之间拴了一个网床，让李广躺在上边。
李广躺着一直装死不动，等到走出了十几里，他斜着眼偷偷
瞧见身边有个匈奴人骑着一匹好马，于是他就一跃而起，跳
到了这个匈奴人的马上，夺过了他的弓箭，把他推到了马下，
然后快马加鞭一口气向南跑了几十里，找到了自己的残部，
领着他们返回关内。当时有几百个匈奴骑兵在后面追赶李
广，李广就用他夺来的那张弓回身射死了追上来的人，终于
得以脱身。李广回来后，朝廷把李广交给军法处审判，军法

处判定李广损失士卒众多，且又自身被俘，应当斩首。但允许李广出钱赎罪，因而得以免死，成了普通百姓。

　　顷之，家居数岁。广家与故颍阴侯孙屏野居蓝田南山中射猎①。尝夜从一骑出，从人田间饮。还至霸陵亭，霸陵尉醉，呵止广。广骑曰："故李将军。"尉曰："今将军尚不得夜行②，何乃故也！"止广宿亭下。居无何，匈奴入杀辽西太守，败韩将军。后韩将军徙右北平，死，于是天子乃召拜广为右北平太守。广即请霸陵尉与俱，至军而斩之。

注释：
①屏野：摒除人事而居于山野。
②今将军：现任的将军，与"故（前）将军"相对而言。

译文：
　　很快，李广在家里闲居了几年。李广家居的这几年里，常常和颍阴侯灌婴的孙子灌强隐居在长安以南的蓝田县山中打猎。有一天夜里李广带着一个随从外出，和他的一个朋友在田间饮酒。回来经过霸陵亭，正好遇到了喝醉酒的霸陵县尉，他呵责李广为什么犯夜，并要拘留他。这时李广的从人连忙解释说："这位是前任的李将军。"县尉说："就是现任的将军也不许夜行，更何况你是个卸了任的将军！"于是硬把李广扣留在亭下过了一宿。过了不久，匈奴人进犯辽西，杀了辽西太守，打败了韩安国的守军。又过了不久，朝廷调任右北平太守的韩安国呕血死了，于是武帝就任命李广做了右北平太守。李广接到任命后就向朝廷请求调那个霸陵县尉到他部下，一到军中，李广就把他杀了。

广居右北平，匈奴闻之，号曰"汉之飞将军"，避之数岁，不敢入右北平。

译文：

　　李广在任右北平太守的时候，匈奴人都知道他，称李广为"汉朝的飞将军"，一连几年躲避他，不敢进犯右北平。

广出猎，见草中石，以为虎而射之，中石没镞①，视之石也。因复更射之，终不能复入石矣。广所居郡闻有虎，尝自射之。及居右北平射虎，虎腾伤广，广亦竟射杀之。

注释：

①中石没镞(zú)：古代早有善射者射石的传说，李广此事大概也只是传闻，不是实事。

译文：

　　有一次李广外出射猎，误将草丛中的一块巨石看成了老虎，他拔箭就射，整个箭头都射到石头里去了，近前一看，才知道是石头。李广开弓再射，却再也射不进去了。李广在各郡只要听说哪里有老虎，总是亲自去射。后来在右北平射虎时，老虎跳起来咬伤了他，但最后李广还是射死了这只老虎。

广廉，得赏赐辄分其麾下，饮食与士共之。终广之身，为二千石四十馀年①，家无馀财，终不言家产事。广为人长，猨臂，其善射亦天性也，虽其子孙他人学者，莫能及广。广讷口少言②，与人居则画地为军陈③，射阔狭以饮④。专以射为戏，竟死。广之将兵，乏绝之处⑤，见水，士卒不尽饮，广不近水；士卒不尽食，广不尝食。宽缓不苛，士以此爱乐为用。其射，见敌急⑥，非在数十步之内，度不中不发，发即应弦而倒。用此，其将兵数困辱，其射猛兽亦为所伤云⑦。

注释：

①"为二千石"句：李广在朝为卫尉、郎中令，在边郡历任太守，皆可大体谓"二千石"。

②讷（nè）口：说话笨拙，不善言辞。

③陈：同"阵"。

④射阔狭：比赛看谁射得准。阔狭，指实际着箭点与预定着箭点的距离大小。

⑤乏绝：谓缺粮少水之时。

⑥见敌急："急"字疑衍。

⑦亦为所伤云：这段文字很像文章的结尾，而实际上后面还有一半，很可能前文是初稿，后来加以续写，留下了这样的痕迹。

译文：

李广为人廉洁，得到了赏赐总是全都分给他的部下，吃的喝的也都是和士兵们一起分享。他一辈子当了四十多年的二千石的官，到头来家中没攒下一点钱财，而他自己也从来不提家产的事。李广个子很高，胳膊也长，他那射箭的绝技也确实是出于天性，别的人即使是他的子孙学射箭，都没有一个能赶上他的。他言语迟钝，平常很少说话，和别人在一起时总喜欢画地为阵，比赛谁射箭射得准，输了的罚酒。一直到死都是这个习惯。他一生带兵东奔西走，每遇到缺水乏粮的时候，看见水，只要还有士兵没有喝上水他就决不喝水；只要还有士兵们没有吃到东西他就决不吃东西。他待人宽厚和气，因此大家都乐于为他效力。他射箭，每逢遇到敌人，非等到相距只有几十步，不能射中的话他就不射，一旦开弓，敌人肯定是应弦而倒。但也正因为这个，他也不止一次被敌人搞得很狼狈，射猛兽的时候也曾被猛兽所伤。

居顷之，石建卒，于是上召广代建为郎中令①。元朔六年，广复为后将军，从大将军军出定襄②，击匈奴。诸将多中首虏率③，以功为侯者，而广军无功。后二岁，广以郎中令将四千骑出右北平，博望侯张骞将万骑与广俱，异道④。行可数百里，匈奴左贤王将四万骑围广⑤。广军士皆恐，广乃使其子敢往驰之。敢独与数十骑驰，直贯胡骑⑥，出其左右而还，告广曰："胡虏易与耳⑦。"军士乃安。广为圜陈外向⑧，胡急击之，矢下如雨。汉兵死者过半，汉矢且尽。广乃令士持满毋发，而广身自以大黄射其裨将⑨，杀数人，胡虏益解⑩。会日暮，吏士皆无人色,而广意气自如,益治军。军中自是服其勇也。明日,复力战,而博望侯军亦至,匈奴军乃解去。汉军罢⑪,弗能追。是时广军几没,罢归。汉法,博望侯留迟后期,当死,赎为庶人。广军功自如,无赏。

注释:

①郎中令:当时的"九卿"之一,统领皇帝侍从,及守卫宫门,实际是宫廷事务之总管。

②大将军:武帝时的"大将军"地位崇高,虽名义上位在丞相之下,其权宠实在丞相之上。且与皇帝亲近,常在宫廷与皇帝决定大计,时称"内朝"。这里的"大将军"指卫青。

③中:符合。率:标准,规定。

④异道:各走各的路,即分两路出征匈奴。

⑤左贤王:匈奴大单于下面的两个最高官长之一,襄助大单于处理国事。居匈奴之东部。

⑥贯:直穿。

⑦易与:容易对付。此处写李敢的少年勇猛,亦在于衬托李广。

⑧圜陈外向:因李广军处十倍于己的敌人包围中,须四面应敌,故列为圆阵,矛头一齐向外。圜,同"圆"。陈,同"阵"。

⑨大黄:一种可以连发的大弓。

⑩益解:渐渐散去。或曰可释为"渐懈"。

⑪罢:通"疲",疲惫。

译文:

　　又过了一些时候,石建死了,于是武帝把李广召回接替石建做了郎中令。元朔六年,李广又以后将军的身份,跟随大将军卫青出定襄讨伐匈奴。在这次出征中许多将领都因为杀敌够数论功被封了侯,唯独李广落了个劳而无功。又过了两年,李广又以郎中令的身份率领四千骑兵从右北平出发讨伐匈奴,这时博望侯张骞也率领着一万多人同时出征,各人自走一条路。李广的部队进入了匈奴几百里后,突然被匈奴左贤王率领的四万骑兵包围了。这时,李广的部下都十分恐慌,李广就派他的儿子李敢先去冲击一下敌人。李敢带领着几十名骑兵跃马冲入了敌阵,在敌阵中从腹到背,从左到右,穿了个大十字后回来了,向李广报告说:"这些匈奴人容易对付!"看到了这种情景,军心才稳定下来。于是李广把自己的四千人排成一个圆阵,以对付四面围上来的敌人。匈奴人对李广的军队发起猛攻,一时间箭如雨下,四千人被射死一多半,而自己的箭也快要射光了。于是李广命令士兵们搭上箭,拉开弓,但不要射出,他自己则用一种大黄弩,一连射死了匈奴的几个偏将,其馀的人吓得纷纷后退。这时天已经黑了下来,李广的部下个个面无人色,唯独李广仍然意气风发,镇定自如,他把队伍又整顿了一下,准备继续战斗。从此人们是真的佩服李广的勇敢胆略。第二天,他们又接着顽强地作战,这时博望侯张骞的军队也到了,匈奴人才向北撤去。而汉军则因为疲惫已极,已经无力追击了。这一次李广的部队几乎全军覆没,回来之后,依照朝廷的法律,博望侯张骞由于未能按时到达,判处死刑,张骞出钱赎罪,被革职为民。李广的军功和失败的罪责相等,因此也没有受到任何赏赐。

初,广之从弟李蔡与广俱事孝文帝。景帝时,蔡积功劳至二千石①。孝武帝时,至代相。以元朔五年为轻车将军,从大将军击右贤王,有功中率,封为乐安侯。元狩二年中,代公孙弘为丞相。蔡为人在下中②,名声出广下甚远,然广不得爵邑③,官不过九卿;而蔡为列侯④,位至三公⑤,诸广之军吏及士卒或取封侯。广尝与望气王朔燕语⑥,曰:"自汉击匈奴而广未尝不在其中,而诸部校尉以下,才能不及中人,然以击胡军功取侯者数十人,而广不为后人,然无尺寸之功以得封邑者,何也?岂吾相不当侯邪⑦?且固命也?"朔曰:"将军自念,岂尝有所恨乎⑧?"广曰:"吾尝为陇西守,羌尝反,吾诱而降,降者八百馀人,吾诈而同日杀之。至今大恨独此耳。"朔曰:"祸莫大于杀已降,此乃将军所以不得侯者也⑨。"

注释:

①积功劳:此即俗所谓"没有功劳也有苦劳",即凭着年头、资历而得升迁。至二千石:指其为代相,当时的诸侯国相秩二千石。

②下中:下等里的中等,盖将人分为九等以排列之也。

③不得爵邑:意即未得裂土封侯。爵,勋级。邑,封地。

④列侯:亦称"彻侯"、"通侯",封有一定领地,较无领地的"关内侯"地位高。

⑤三公:指丞相、太尉、御史大夫。

⑥望气:古人认为觇望一个地方的云气,可以判断有关人事的吉凶祸福。燕语:闲谈。燕,安闲、从容。

⑦相：面相。

⑧恨：遗憾，后悔。

⑨"此乃"句：王朔一段，乃史公游离点缀之词，李广及其整个家族悲剧命运的制造者，乃汉代皇帝与其宠幸，文中指示甚明，而所以仍著此词，一为批评李广之杀降，一乃为其终身坎凛兴叹。

译文：

当初，李广和他的堂弟李蔡一同在文帝驾前奉侍。到景帝在位时，李蔡已经慢慢升迁到了二千石。武帝即位后，李蔡先是做了代国的丞相。元朔五年又以轻车将军的身份跟随大将军卫青出击匈奴右贤王，由于功劳够格，被封为乐安侯。到元狩二年，竟接替公孙弘做了丞相。李蔡的人品，只是个下中等，名声比李广差远了，然而李广一辈子也没有得到封爵领地，官位最高没有超过九卿；而李蔡却被封了侯，官阶也到了"三公"。李广部下的不少军官甚至士兵后来也封了侯。有一次，李广和一个望气的术士王朔闲谈，他对王朔说："自从汉朝讨伐匈奴开始，我几乎没有一次战斗没有参加。诸部校尉以下，一些人有的才能还够不上中等，然而已经有几十个靠着讨伐匈奴的军功封侯了，而我哪一条也不比他们差，可是直到今天竟没有得到尺寸之地的封赏，这是为什么呢？是我的骨相不该封侯呢？还是命里注定的呢？"王朔说："您好好回想一下，您曾经做过什么让自己后悔的事吗？"李广说："我在做陇西太守的时候，羌人曾经谋反。我引诱他们投降，有八百多人已经投降了，但我欺骗了他们，在当天就把他们都杀了。我至今最后悔的就是这件事。"王朔说："杀害已经投降的人，是一种最大的阴祸，这就是您不得封侯的原因。"

后二岁，大将军、骠骑将军大出①，击匈奴。广数自请行，天子以为老，弗许；良久乃许之，以为前将军。是岁，元狩四年也②。

注释：

①骠骑将军：此指霍去病，卫青的外甥。骠骑将军位次仅低于大将军。大出：大规模出兵。

②"是岁"二句：特别提时间，以突出下面所叙事件的重要，以及作者对此事件的深沉感慨。

译文：

    又过了两年，大将军卫青、骠骑将军霍去病率领大军大规模出击匈奴，李广多次请求参战，武帝认为他老了，开始时不答应；后来总算答应了，派他做了前将军。这一年，是汉武帝元狩四年。

广既从大将军青击匈奴，既出塞，青捕虏知单于所居，乃自以精兵走之，而令广并于右将军军，出东道①。东道少回远②，而大军行水草少，其势不屯行③。广自请曰："臣部为前将军，今大将军乃徙令臣出东道；且臣结发而与匈奴战④，今乃一得当单于，臣愿居前，先死单于。"大将军青亦阴受上诫，以为李广老，数奇⑤，毋令当单于，恐不得所欲。而是时公孙敖新失侯⑥，为中将军从大将军⑦，大将军亦欲使敖与俱当单于⑧，故徙前将军广。广时知之，固自辞于大将军⑨。大将军不听，令长史封书与广之莫府⑩，曰："急诣部⑪，如书。"广不谢大将军而起行⑫，意甚愠怒而就部，引兵与右将军食其合军出东道。军亡导⑬，或失道⑭，后大将军。大将军与单于接战，单于遁走，弗能得而还。南绝幕⑮，遇前将军、右将军。广已见大将军，还入军⑯。大将军使长史持糒醪遗广⑰，因问广、食其失道状，青欲上书报天子军曲折。广未对，大将军使长史急责广之幕府对簿⑱。广曰："诸校尉无罪，乃我自失道，吾今自上簿。"

注释：

①出东道：作为卫青大军的右翼，在东侧北进。

②少：稍，略，意即较中路绕远。

③其势不屯行：两相衡量，可知东侧部队肯定要迟到，因此急于求战的李广不愿走东路。

④结发：犹言刚成人。古代男子二十岁束发戴冠，从此算作成人。

⑤数奇(jī)：运气不好。数，命运。奇，不偶，不逢时。

⑥公孙敖：卫青穷困时的朋友，陈皇后因忌恨卫子夫而逮捕卫青欲杀之，当时公孙敖为骑郎，他与壮士拼死将卫青劫出，卫青始得不死。新失侯：武帝元狩二年(前121年)，公孙敖率兵伐匈奴，因迟到未与霍去病按时会师，当斩，贬为庶人。

⑦为中将军从大将军：据《卫将军骠骑列传》，公孙敖此行乃

以"校尉"从大将军,此处作"中将军",殆误。

⑧"大将军"句:此见卫青之偏心。

⑨自辞:自己陈述。

⑩长史:丞相、大将军手下的近身属官。封书:将命令封好。
莫府:同"幕府",将军的营帐,这里即指军部。

⑪诣:去。

⑫不谢:不告辞。

⑬军亡导:军中没有向导。亡,无,没有。

⑭或:同"惑"。

⑮绝:横穿,横渡。幕:同"漠"。

⑯还入军:回到自己军中去了。可见其气愤难平。

⑰糒((bèi):干饭。醪(láo):浓酒。

⑱"大将军"句:"使"字疑是衍文。对簿,回答质问。卫青不
一定有意害李广,而史公写得隐隐约约,使人不能不疑,可
见司马迁对卫青之厌恶。

译文:

　　李广跟着卫青攻打匈奴到达塞北后,他们从捕获的俘虏
口中得知了匈奴单于住在什么地方,于是卫青就想自己率着
精锐部队,直扑匈奴单于。他命令李广带着他的部下合并到
右将军赵食其的东路上去。东路本来就有些绕远,而卫青的
主力部队所走的中路水草少,路上势必昼夜兼程,不能停留。
于是李广请求说:"我是前将军,您现在却让我并入东路;我
从二十来岁起就和匈奴打仗,今天好不容易才能碰上匈奴单
于,我愿意打头阵,今天即使战死我也心甘情愿。"可是早在
出发之前,汉武帝就暗中嘱咐卫青了,他说李广一来年岁大,
二来这个人运气不好,不要让他和单于对阵,否则恐怕就实
现不了我们的愿望了。这时也正好卫青的好友公孙敖刚刚

丢掉了侯爵，正以中将军的身份跟着卫青出征，卫青也正想让公孙敖和他一道直扑单于，好给他个重新封侯的机会，所以他打定主意调走李广。李广心里都清楚，但他还是一再向卫青请求。卫青不听，后来他干脆派他的长史直接把命令送到了李广的军部，并催促李广说："请你马上按照命令到右将军军部报到！"李广也没向卫青告辞，就满腔怒气地回到了自己的军部，率领部队合到赵食其的右路军上去了。结果右路军没有向导，半道上迷了路，没能按时到达前线。以致于卫青的中路军与单于开战后，单于发觉形势不利，就撤军逃跑了。卫青此行遂一无所获。当卫青率领大军回师向南越过沙漠之后，才遇到了李广和赵食其。李广和卫青见了一下面，什么话也没说就回到了自己的军部。卫青派他的长史把干饭和浓酒送给李广，并向李广和赵食其询问军队迷路的情况，说是自己要向皇帝上报这次出兵不利的原委。李广置之不理，于是卫青就让他的长史急切地责问李广的部下，逼着他们交代事实。李广说："我的部下们都没有过错，军队迷路是我的责任，我现在自己向皇上呈报。"

至莫府①，广谓其麾下曰："广结发与匈奴大小七十馀战，今幸从大将军出接单于兵，而大将军又徙广部行回远，而又迷失道，岂非天哉②！且广年六十馀矣，终不能复对刀笔之吏③。"遂引刀自刭。广军士大夫一军皆哭，百姓闻之，知与不知，无老壮皆为垂涕。而右将军独下吏，当死，赎为庶人。

①至莫府：李广回到自己的军部。

②岂非天哉：李广一生蹭蹬，至六十多岁自请出塞，欲借卫青成大功，不料反受其害。观其"幸从大将军"、"又徙广部"等语，饮恨无穷。

③刀笔之吏：指掌管文书、案牍的人员。但通常多以"刀笔吏"称司法部门的文职人员，因这些人舞文弄墨，足以颠倒黑白，为非作歹。

译文：

　　李广回到军部，对自己的部下说："我从年轻时到现在与匈奴打了大小七十馀仗，这次好不容易跟着大将军出来碰上匈奴单于，谁想到大将军又偏偏把我调到了一条绕远的路上，而我们自己又偏偏地迷了路，这不是天意吗？我已经是六十多岁的人了，无论如何我也不能再去与那些刀笔吏们对质争辩。"于是他拔刀自刎而死。李广部下的官兵们都为自己的将军伤心痛哭，百姓们听到这个消息后，不论认识的还是不认识的，不论老幼，也都为这位名将落了泪。右将军赵食其接受了审判，被定为死刑，自己出钱赎做了百姓。

　　太史公曰：传曰"其身正，不令而行；其身不正，虽令不从"。其李将军之谓也？余睹李将军悛悛如鄙人①，口不能道辞。及死之日，天下知与不知，皆为尽哀。彼其忠实心诚信于士大夫也②？谚曰："桃李不言，下自成蹊③。"此言虽小，可以谕大也。

注释:

①恂恂(xún):谨厚的样子。鄙人:乡下人,草野之人。

②信:取信,受到信任。士大夫:指其部下的将士。

③蹊(xī):小路。

译文:

　　太史公说:《论语》上曾说,"自己的行为端正,即使不下命令,别人也会跟着执行;自己的行为不端正,即使下命令别人也不听"。这话说的不正是李将军吗?我看李将军的模样,谦恭诚实得像乡下人,说话辞不达意。可是到他死的时候,普天下不论认识他的还是不认识他的人,都为他哀悼。这难道不是他那一颗忠诚的心感动了大家吗?俗话说:"桃树李树虽然不会说话,但它的本质吸引人,树下都让人踩出了一条路。"这话虽然讲的是一件小事,但却可以说明一个大道理。

卫将军骠骑列传

　　《卫将军骠骑列传》是《史记》中记录武帝对匈奴战争的最主要的一篇文字。卫青、霍去病是汉武帝时代汉杰出的将领，也是我国古代少有其比的名将，在解除汉帝国来自北部的威胁，并将匈奴势力根本削弱方面，立下了巨大的功勋。卫青比较仁厚，霍去病年青有为，但由于司马迁对于武帝的武力征伐持否定态度，而且卫青、霍去病又都是武帝的亲戚，他们的发迹不得不说也凭借了一定裙带关系，因此对他们没有好感，这是不太公平的。但他们取得的对匈奴战争的辉煌胜利足以让汉代人扬眉吐气，这就使司马迁也为之感到鼓舞与自豪，对他们的军事贡献也由衷佩服，尤其对卫青所指挥的那场漠北大战，司马迁可以说是进行了倾心竭力的描写。

大将军卫青者①，平阳人也。其父郑季，为吏，给事平阳侯家②，与侯妾卫媪通③，生青。青同母兄卫长子④，而姊卫子夫自平阳公主家得幸天子⑤，故冒姓为卫氏⑥。字仲卿。

注释：

①大将军：国家的最高军事长官。大将军名义上位在丞相之下，但此时的卫青与后来的霍光权势都在丞相之上。

②给事：给其做事，犹今之所谓"服务"。

③侯妾：侯家的婢仆。媪（ǎo）：老妇，以后来的口气对其敬称，当时并不老。

④卫长子：卫家的老大，"长子"未必是名。

⑤卫子夫：武帝的第二位皇后，原为平阳公主家的歌女。平阳公主：武帝的胞姊，其实应称为"阳信公主"，因嫁与平阳侯曹时为妻，故人们也称之为"平阳公主"。

⑥冒：假充。

译文：

大将军卫青，是河东郡平阳县人。他的父亲郑季是个小吏，曾在平阳侯家做事，与平阳侯家的婢妾卫媪私通，生了卫青。卫青的同母异父哥哥叫卫长子，姐姐叫卫子夫，卫子夫是在平阳侯家接待武帝从而进宫受到宠幸的，他们都冒充姓卫。卫青字仲卿。

青为侯家人，少时归其父，其父使牧羊。先母之子皆奴畜之①，不以为兄弟数②。青尝从入至甘泉居室③，有一钳徒相青曰④："贵人也，官至封侯。"青笑曰:"人奴之生⑤,得毋笞骂即足矣,安得封侯事乎!"

注释:

①先母:指郑季之嫡妻,此时已死。

②数:计算,看作。

③甘泉居室:甘泉宫里的监狱。居室,也称保官,关押犯人的地方。

④钳徒:脖子上套着铁箍的劳役犯。

⑤人奴之生:奴仆所生的孩子。人奴,指其母卫媪。

译文:

　　卫青生在平阳侯家,但在少年时就让他去找生父郑季了,郑季让他放羊。郑季妻子所生的几个儿子都把卫青当奴隶看,不把他当兄弟。卫青曾经跟人去过甘泉宫的监狱,那里的一个囚徒给他相面说:"你是个贵人,将来要封侯。"卫青笑道:"我是一个奴婢生的孩子,不挨打骂就很知足了,怎么可能封侯呢!"

　　青壮,为侯家骑,从平阳主。建元二年春,青姊子夫得入宫幸上。皇后①,堂邑大长公主女也②,无子,妒。大长公主闻卫子夫幸,有身,妒之,乃使人捕青。青时给事建章③,未知名。大长公主执囚青,欲杀之。其友骑郎公孙敖与壮士往篡取之④,以故得不死。上闻,乃召青为建章监⑤,侍中⑥,及同母昆弟贵,赏赐数日间累千金。子夫为夫人⑦，青为大中大夫⑧。

注释：

①皇后：即陈阿娇。

②大长公主：即太长公主。皇帝之女称公主，姐妹称长公主，姑称太长公主。

③给事建章：在建章宫里当差。旧说皆谓建章宫建于武帝太初年间（前104—前101年），而卫青此时"给事建章"乃在建元年间（前140—前135年），早于建宫三十多年。

④骑郎：皇帝的骑兵侍从。篡取：劫夺，夺取。

⑤建章监：建章宫的警卫官员。

⑥侍中：在宫中侍候皇帝，后来也用为官名。

⑦夫人：后妃的封号名。

⑧大中大夫：即太中大夫，皇帝的侍从官员，秩千石，掌议论，上属郎中令。

译文：

　　卫青长大后，又去平阳侯家当骑士，侍候平阳公主。建元二年春天，卫青的姐姐卫子夫被选进皇宫受到了武帝的宠幸。当时的皇后是武帝的姑姑、堂邑侯的妻子、大长公主的女儿，她没有儿子，生性嫉妒。大长公主听说卫子夫得宠，怀了孕，很嫉妒她，就派人去逮捕卫青。当时卫青在建章宫做事，还没有什么名气。大长公主抓住了卫青，打算杀死他。卫青的好友骑郎公孙敖，带着几名壮士赶去把卫青抢了出来，救了卫青一命。武帝听说后，就征召卫青做了建章宫监，在内廷侍候武帝，和他那几个同母异父的兄弟们一起尊贵了起来，几天之内所得的赏赐就多达千金之巨。卫子夫被封为夫人后，卫青做了太中大夫。

元光五年^①，青为车骑将军^②，击匈奴，出上谷^③。青至茏城^④，斩首虏数百。

注释：

①元光五年：前130年。事在元光六年（前129年）。

②车骑将军：高级武官名，其地位仅次于大将军。

③上谷：汉郡名，郡治沮阳，在今河北怀来东南。

④茏城：也作"龙城"，匈奴的大本营，在今蒙古国鄂尔浑河西侧的和硕柴达木湖附近。这是卫青第一次打败匈奴人，胜虽不大，但是一个良好的开端。

译文：

元光五年，卫青被任为车骑将军，率兵从上谷郡北出讨伐匈奴。卫青打到茏城，杀死和俘虏了几百人。

元朔元年春^①，卫夫人有男，立为皇后。其秋，青为车骑将军，出雁门，三万骑击匈奴，斩首虏数千人^②。明年，匈奴入杀辽西太守^③，虏略渔阳二千馀人^④，败韩将军军。汉令将军李息击之，出代；令车骑将军青出云中以西至高阙^⑤。遂略河南地^⑥，至于陇西^⑦，捕首虏数千，畜数十万，走白羊、楼烦王^⑧，遂以河南地为朔方郡^⑨。以三千八百户封青为长平侯。

注释：

①元朔元年：前128年。

②斩首虏数千人：这就是通常所说的"雁门战役"，是卫青第二次打败匈奴人，是武帝与匈奴作战以来首次较大的胜利，稳定了汉王朝在北部边境的态势，坚定了汉王朝对匈奴主动进击的战略决心。

③辽西：汉郡名，郡治阳乐，在今辽宁义县西南。

④虏略：指劫掠人口物资。渔阳：汉郡名，郡治在今北京密云西南。

⑤高阙：关塞名，在今内蒙古潮格旗东南。

⑥略：以兵力抚定。河南地：即今内蒙古之临河、东胜一带地区，因其地处黄河之南，故称。这一带在秦朝属于九原郡，秦末中原大乱后，这一带被匈奴人占据。

⑦陇西：汉郡名，郡治狄道，今甘肃临洮县。

⑧走：打跑。白羊、楼烦：都是匈奴的别支，当时占据在今内蒙古之临河、杭锦旗一带地区。

⑨"遂以"句：此即通常所说的"河西朔方战役"，是汉武帝驱逐匈奴的重大战役，也是西汉王朝统一我国西北地区迈出的重要一步，解除了匈奴贵族从西北方对京都长安的威胁，建立了向匈奴进一步出击的战略基地。它实际上是西汉王朝向匈奴贵族发动一系列战略进攻的奠基之战。朔方郡，郡治在今内蒙古乌拉特前旗东南。

译文：

　　元朔元年春天，卫子夫因生了个儿子，被立为皇后。这年秋天，卫青作为车骑将军，又从雁门郡出发，率领三万骑兵进击匈奴，杀死和俘虏了几千人。第二年，匈奴入侵杀害了辽西太守，劫持俘虏了渔阳郡的二千多人，打败了韩安国的部队。于是汉朝又命令李息率军从代郡出发，讨伐匈奴；命令车骑将军卫青出云中郡西行直奔高阙。先攻占了黄河以南的土地,接着西下到陇西,杀死和俘获了几千名匈奴人,夺得了几十万头牲畜,赶跑了白羊王和楼烦王。于是就把黄河以南这一地区划作朔方郡。卫青因功被封为长平侯,食邑三千八百户。

其明年,元朔之五年春①,汉令车骑将军青将三万骑,出高阙;卫尉苏建为游击将军,左内史李沮为强弩将军,太仆公孙贺为骑将军,代相李蔡为轻车将军②,皆领属车骑将军,俱出朔方;大行李息、岸头侯张次公为将军③,出右北平:咸击匈奴。匈奴右贤王当卫青等兵④,以为汉兵不能至此,饮醉。汉兵夜至,围右贤王,右贤王惊,夜逃,独与其爱妾一人、壮骑数百驰,溃围北去。汉轻骑校尉郭成等逐数百里,不及,得右贤裨王十馀人⑤,众男女万五千馀人,畜数千百万⑥,于是引兵而还⑦。至塞,天子使使者持大将军印,即军中拜车骑将军青为大将军,诸将皆以兵属大将军。大将军立号而归⑧。

注释:
①元朔之五年:前124年。
②代相:代王之相。李蔡:李广之弟。
③大行:即大行令,也称典客,"九卿"之一,主管归附的少数
　民族事务。

④右贤王：匈奴单于手下的两个最大头领之一，主管匈奴西部地区的事务。

⑤右贤裨(pí)王：右贤王手下的小王。裨王，师古曰："小王，若言裨将也。"

⑥数千百万："千"字似应作"十"，意即"数十万以至百万"。

⑦"于是"句：此役即通常所说的"奇袭右贤王庭之战"。河南、漠南之战，是汉与匈奴大战的第一回合，事关全局。这一胜利达到了三个目的：一，正面推进，扩大战果，将匈奴主力逼往漠北，使其远离汉境；二，将匈奴左右部切断，以便分而制之；三，确保了河南地不再得而复失，根除了匈奴对长安的直接威胁。

⑧立号而归：令卫青以"大将军"之威仪率军回朝。前所谓"即军中拜车骑将军卫青为大将军"，又令"诸将皆以兵属大将军"，又令"大将军立号而归"，武帝对卫青的荣宠前所未有。

译文：

又过了一年，也就是元朔五年的春天，汉朝命令车骑将军卫青率领骑兵三万，从高阙出发，命令卫尉苏建为游击将军，左内史李沮为强弩将军，太仆公孙贺为骑将军，代相李蔡为轻车将军，都归车骑将军卫青统一指挥，一起从朔方出发；又命令大行令李息、岸头侯张次公二人为将军，从右北平出发：同时进击匈奴。结果卫青等人的这支人马正遇上匈奴右贤王的部队，右贤王本以为汉兵打不到这里，这天喝得酩酊大醉。汉朝大军趁夜袭来，包围了右贤王，右贤王大惊失色，只带了他的一个爱妾和几百名精壮骑兵，冲破包围连夜向北方逃去。汉军派轻车校尉郭成等人追了几百里，没有追上，抓获了右贤王属下的小王十几人，男女人丁一万五千多，牲畜几十万乃至上百万，而后率领部队凯旋而归。当卫青返回到边境的时候，武帝派使者拿着大将军的印信在那里迎接，就在军中拜车骑将军卫青为大将军，让各路将领及其统领的部队都统一归大将军指挥。卫青统一了军中的号令后，班师回京。

其明年春，大将军青出定襄，斩首数千级而还。月馀，悉复出定襄击匈奴，斩首虏万余人。右将军建、前将军信并军三千馀骑，独逢单于兵，与战一日馀，汉兵且尽。前将军故胡人，降为翕侯，见急，匈奴诱之，遂将其馀骑可八百，奔降单于①。右将军苏建尽亡其军，独以身得亡去，自归大将军。大将军问其罪正闳、长史安、议郎周霸等②："建当云何？"霸曰："自大将军出，未尝斩裨将。今建弃军，可斩以明将军之威。"闳、安曰："不然。兵法：'小敌之坚，大敌之禽也。'今建以数千当单于数万，力战一日馀，士尽，不敢有二心，自归。自归而斩之，是示后无反意也。不当斩。"大将军曰："青幸得以肺腑待罪行间③，不患无威，而霸说我以明威，甚失臣意。且使臣职虽当斩将，以臣之尊宠而不敢自擅专诛于境外，而具归天子，天子自裁之，于是以见为人臣不敢专权④，不亦可乎？"军吏皆曰"善"。遂囚建诣行在所⑤。入塞罢兵⑥。

注释：

①奔降单于：汉、匈长期交战，都注意尊宠归降者，皆形势所须。

②正闳（hóng）：军正名闳，史失其姓。军正，军中的司法官。长史：大将军属下的诸史之长，秩千石。议郎：在皇帝身边掌议论，秩六百石。

③以肺腑：以至亲的身份，谓卫青姊是武帝之皇后。肺腑，以喻亲属。

④以见为人臣不敢专权：以上数语见卫青之谦卑谨慎，史公若以此便谓之"柔媚"，恐偏见过深。

⑤诣：到。这里指押解到。行在所：也简称"行在"、"行所"，指皇帝当时的所在之处。

⑥入塞罢兵：以上元朔六年的两次出击匈奴，即通常所说的"漠南战役"，其最重要的意义是争得了汉、匈力量对比趋于平衡的临界点的到来。匈奴自此实力大削，已基本失去了继续向汉王朝发动大规模进攻的力量，这应当看作是汉王朝全局战略上的伟大胜利。

译文：

　　第二年春天，大将军卫青又从定襄出发讨伐匈奴，结果斩杀匈奴数千人而还。过了一个多月，又全部再次从定襄出发进攻匈奴，共斩杀俘虏了匈奴一万多人。其中右将军苏建、前将军赵信的部队共有三千多人，他们与单于率领的大军相遇，苦战了一天多，汉军几乎全军覆没。前将军赵信本来是匈奴人，是投降汉朝后被封为翕侯的，到了这种紧急关头，匈奴又向他诱降，于是他就率领着剩下的近八百人投降了单于。右将军苏建的部队全军覆没，只有他一个人只身逃出，回到了大将军那里。大将军问军正闳、长史安和议郎周霸等人说："苏建该当何罪？"周霸说："自从大将军出兵以来，从未斩过偏将。如今苏建全军覆没独自逃回，应该问斩，以申军威。"军正闳和长史安说："话不是这么说。兵法上说：'自己力量弱小却要硬拼硬打，必然被强大的敌人擒获。'如今苏建带领几千人抵挡单于率领的几万人，奋力苦战一天多，战士都牺牲了，他自己却没有二心，独自归来，如果我们还将他问斩，那无异于告诉大家以后打了败仗就不要回来了。苏建绝不应当问斩。"大将军说："我有幸作为皇室亲属而在军中效劳，我不担心缺乏威严，周霸劝我杀人立威，这不合我的心意。从我的职位讲，我是有权斩将的，但我仍不愿在境外擅行诛杀，我还是回去报告皇上，让皇上自己裁定。我们能通过这件事情表明当臣子的不敢专权，这不也是一件好事吗？"军吏们齐声叫好。于是就把苏建押进囚车，送到了武帝出巡的地方。他们也罢兵返回了塞内。

是岁也，大将军姊子霍去病年十八，幸，为天子侍中。善骑射，再从大将军，受诏与壮士，为剽姚校尉，与轻勇骑八百直弃大军数百里赴利①，斩捕首虏过当②。于是天子曰："剽姚校尉去病斩首虏二千二十八级，及相国、当户③，斩单于大父行籍若侯产④，生捕季父罗姑比⑤，再冠军⑥，以千六百户封去病为冠军侯⑦。"

注释：
①直弃：远远甩下，孤军深入。弃，甩下。赴利：寻求克敌立功。

②过当：斩杀俘虏的敌人多于带领的军队。或曰损失人员少而斩杀俘获敌人多。

③相国、当户：都是匈奴人的官名。

④大父行(háng)：单于祖父一辈的人。大父，祖父。籍若侯产：籍若侯是封号，名产。

⑤季父罗姑比：单于的小叔父，名罗姑比。

⑥再冠军：两次功盖全军。

⑦冠军侯：冠军，封地，在今河南邓县西北。

译文：

　　这一年，大将军卫青姐姐的儿子霍去病十八岁，在武帝身旁做侍中，很受宠幸。霍去病能骑善射，曾两次跟随大将军出征，大将军按照武帝的诏命，授与他剽姚校尉之职。霍去病率领八百名轻骑兵敢死队离开大军数百里去奔袭匈奴，杀敌和捕获的俘虏超过了自己损失的人数。于是武帝说："剽姚校尉霍去病斩杀和俘虏的敌人共二千零二十八人，其中有匈奴的相国、当户等官员，还杀死了单于的祖父籍若侯产，活捉了单于的叔父罗姑比，两次都勇冠全军，特封霍去病为冠军侯，食邑一千六百户。"

　　大将军既还，赐千金。是时王夫人方幸于上，宁乘说大将军曰："将军所以功未甚多，身食万户，三子皆为侯者，徒以皇后故也①。今王夫人幸而宗族未富贵，愿将军奉所赐千金为王夫人亲寿②。"大将军乃以五百金为寿。天子闻之，问大将军，大将军以实言，上乃拜宁乘为东海都尉。

注释：

①徒以皇后故也：司马迁在此表现出对卫青的偏见。徒，单，
就是。

②亲：指父母。寿：祝人健康长寿，此处指送礼。

译文：

大将军班师归来后，武帝赏给他千金。当时王夫人正得
到武帝的宠幸，于是宁乘劝大将军说："您的功劳并不算多，
您所以能够食邑万户，您的三个儿子也都被封为侯，这只是
因为您是皇后的兄弟。如今王夫人正受皇上的宠幸，但她的
家族还没有得到富贵，希望您能把皇上赐给您的千金当作礼
物给王夫人的父母送去。"于是卫青就拿出了五百金给王家
送了礼。武帝听说后，问卫青为什么这么做，卫青就把宁乘
的话讲了，武帝很高兴，就拜宁乘做了东海郡的都尉。

冠军侯去病既侯三岁，元狩二年春①，以冠军
侯去病为骠骑将军②，将万骑出陇西，有功。天子
曰："骠骑将军率戎士逾乌盭③，讨遫濮④，涉狐
奴⑤，历五王国，辎重人众慑慴者弗取⑥，冀获单于
子⑦。转战六日，过焉支山千有馀里⑧，合短兵，杀
折兰王，斩卢胡王⑨，诛全甲⑩，执浑邪王子及相
国、都尉⑪，首虏八千馀级，收休屠祭天金人，益封
去病二千户。"

注释：

①元狩二年：前121年。

②骠骑将军：霍去病征匈奴功大，始置骠骑将军，品秩同大将军。卫青、霍去病的地位、权势都在丞相之上。

③乌盭(lì)：山名，也叫姻围，在今甘肃皋兰东北。

④遬(sù)濮：匈奴部落名，当时活动在乌盭山北。

⑤狐奴：即庄浪水，在今甘肃兰州西北，流经甘肃永登城西。

⑥慑慴(shè)：恐惧，屈服。

⑦冀：《汉书》作"几"，意即差点儿。

⑧焉支山：在今甘肃山丹东南。

⑨折兰、卢胡：皆匈奴部落名。

⑩全甲：披挂整齐而又坚决抵抗者。

⑪浑邪王：匈奴王名，也写作"呼韩邪"。

译文：

　　冠军侯霍去病被封以后的第三年，也就是元狩二年春天，武帝任霍去病为骠骑将军，率领着一万骑兵从陇西出发进击匈奴，立了战功。武帝说："骠骑将军率领部队越过乌盭山，讨伐了遬濮国，跨过了狐奴河，前后经过了五个王国，对这些地方的财物辎重和被大军吓得不知所措的人，他没有去收缴抓捕，他一心希望能够抓获单于的儿子。先后转战了六天，越过了焉支山一千多里，与敌人短兵相接，杀了折兰王，又斩了卢胡王，诛灭了坚决抵抗的敌人，活捉了浑邪王的儿子及其相国、都尉，斩杀和俘虏了八千馀人，缴获了休屠王祭天用的金人，特此加封霍去病二千户。"

　　其夏，骠骑将军出北地，已遂深入，与合骑侯失道，不相得，骠骑将军逾居延至祁连山①，捕首虏甚多。天子曰："骠骑将军逾居延，遂过小月氏②，攻祁连山，得酋涂王③，以众降者二千五百人，斩首虏三万二百级，获五王，五王母，单于阏氏、王子五十九人④，相国、将军、当户、都尉六十三人，师大率减什三，益封去病五千户⑤。"诸宿将所将士马兵亦不如骠骑，骠骑所将常选⑥，然亦敢深入，常与壮骑先其大军⑦，军亦有天幸，未尝困绝也。然而诸宿将常坐留落不遇⑧。由此骠骑日以亲贵，比大将军。

注释：

①居延：沼泽名，在今内蒙古西部之额济纳旗东。祁连山：在今甘肃走廊南侧的与青海交界处，主峰在酒泉市东南。

②小月氏(ròuzhī)：当时西方的少数民族名，活动在祁连山一带地区。

③酋涂王：匈奴族别支的头领。

④单于阏氏(yānzhī)：单于的正妻，相当于汉朝的皇后。

⑤"益封"句：河西之战的胜利使汉、匈双方的力量对比发生了重大变化。匈奴河西势力被歼灭，汉完全占据了河西走廊，打开了通往西域的道路，隔断了匈奴与羌人的联系，从根本上铲除了匈奴在祁连山一带繁衍生息的重要基地。此后，匈奴不仅在与汉朝争夺西域的斗争中长期陷于被动的地位，同时也在经济上遭受重大的损失，从此匈奴日趋衰弱并渐居下风，而汉朝的优势则日益明显，基本掌握了战争的主动权。

⑥常选：通常都是经过挑选的。

⑦先其大军：离开大部队，率领轻兵深入。

⑧留落不遇：行动迟缓，总是遇不上敌人。

译文：

　　这年夏天，骠骑将军霍去病从北地郡出发，深入匈奴腹地后，与合骑侯公孙敖失去了联系，只有霍去病越过了居延水直达祁连山，俘虏了许多人。武帝说："骠骑将军越过居延水，穿过小月氏，进攻祁连山，抓获了酋涂王，集体投降的有二千五百人，斩获三万零二百人，抓获五个小王，五个王后，还有单于的皇后和五十九个王子，抓获相国、将军、当户、都尉等官员六十三人。而自己的兵力只损失了十分之三，因此加封霍去病五千户。"当时其他各位老将所率领的部队，从兵员马匹乃至兵器都不如霍去病精锐，霍去病所率领的都是精兵，而且霍去病也的确敢于孤军深入，他本人常常带着一批壮士冲锋在前，但他的确也很幸运，从来没有陷入过困境。而其他各位老将则常常不是贻误了军期，就是遇不到敌军。因此霍去病一天比一天受宠，很快其地位就和卫青差不多了。

　　其秋，单于怒浑邪王居西方数为汉所破，亡数万人，以骠骑之兵也，欲召诛浑邪王。浑邪王与休屠王等谋欲降汉，使人先要边①。是时大行李息将城河上②，得浑邪王使，即驰传以闻③。天子闻之，于是恐其以诈降而袭边，乃令骠骑将军将兵往迎之。骠骑既渡河，与浑邪王众相望。浑邪王裨将见汉军而多欲不降者，颇遁去。骠骑乃驰入与浑邪王相见④，斩其欲亡者八千人，遂独遣浑邪王乘

传先诣行在所,尽将其众渡河,降者数万,号称
十万。

①要(yāo)边:到边境线上寻找汉人,以通消息。要,拦截,这
　里指寻找。

②将城河上:率领军队在河上筑城。

③传(zhuàn):驿车。

④与浑邪王相见:骠骑将军之胆略,非常人之所及,史公不宜
　屡贬之。又,原本是浑邪王与休屠王相约一齐降汉,后浑
　邪王杀休屠王,并将其众,故此骠骑独与浑邪王相见。

译文:

　　这年秋天,单于对统领西部的浑邪王多次被霍去病击
破以至损失了几万人十分恼怒,打算将浑邪王召来杀掉。
浑邪王得知后,与休屠王等人密谋投降汉朝,他们先派人到
边塞找汉兵联络。这时大行李息正率领部队在黄河边上筑
城,见到浑邪王派来的使者后,立即派人乘驿车进京报告汉
武帝。武帝听说后,担心他们是用诈降的办法来进行偷袭,
于是就命令霍去病率领部队前去迎接。霍去病渡过黄河,
与浑邪王率领的部队相隔不远时,浑邪王的偏将们一见汉
军,有些人又变卦不想投降而逃跑了。这时霍去病立即催
马驰入匈奴军中与浑邪王相见,杀了八千想逃跑的人。他
让浑邪王单独乘坐驿车先去武帝出巡的地方拜见武帝,自
己率领着浑邪王带来的全部人马南渡黄河而还,总共有几
万人号称十万。

居顷之,乃分徙降者边五郡故塞外^①,而皆在河南,因其故俗,为属国^②。

注释:

①五郡:指陇西、北地、上郡、朔方、云中。

②属国:不改本国之俗,而属于汉,故号"属国"。

译文:

过了不久,就把前来投降的匈奴人分别安置到沿边五个郡的边境之外,都在黄河以南,让他们保留着原来的风俗习惯,做为汉朝的属国。

其明年^①,天子与诸将议曰:"翕侯赵信为单于画计,常以为汉兵不能度幕轻留^②,今大发士卒,其势必得所欲。"是岁元狩四年也^③。

注释:

①其明年:元狩四年,前119年。

②幕:通"漠"。

③"是岁"句:前面已经说了"其明年",此处还说"是岁元狩四年也",是郑重强调本年所发生事件之重要。

译文:

又过了一年,武帝和将领们议论说:"翕侯赵信为单于出谋划策,他总以为汉朝的大军没有能力越过大沙漠去进攻匈奴,尤其不敢在那里停留,现在如果我们派大部队突然前往,估计一定能将单于捕获。"这一年是元狩四年。

元狩四年春，上令大将军青、骠骑将军去病将各五万骑，步兵转者踵军数十万①，而敢力战深入之士皆属骠骑。骠骑始为出定襄②，当单于。捕虏言单于东，乃更令骠骑出代郡，令大将军出定襄。郎中令为前将军，太仆为左将军，主爵赵食其为右将军，平阳侯襄为后将军，皆属大将军。兵即度幕，人马凡五万骑，与骠骑等咸击匈奴单于。赵信为单于谋曰："汉兵既度幕，人马罢③，匈奴可坐收虏耳。"乃悉远北其辎重，皆以精兵待幕北。而适值大将军军出塞千馀里，见单于兵陈而待。于是大将军令武刚车自环为营④，而纵五千骑往当匈奴。匈奴亦纵可万骑。会日且入，大风起，沙砾击面，两军不相见。汉益纵左右翼绕单于。单于视汉兵多，而士马尚强，战而匈奴不利。薄莫⑤，单于遂乘六骡⑥，壮骑可数百，直冒汉围西北驰去⑦。时已昏，汉匈奴相纷挐⑧，杀伤大当。汉军左校捕虏言单于未昏而去，汉军因发轻骑夜追之，大将军军因随其后。匈奴兵亦散走。迟明⑨，行二百馀里，不得单于。颇捕斩首虏万馀级，遂至窴颜山赵信城⑩，得匈奴积粟食军。军留一日而还，悉烧其城馀粟以归⑪。

注释：
①转者：转运辎重的人。踵军：犹今所谓后续部队。踵，接续。

②为：其义同"将"。

③罢：通"疲"，疲惫。

④武刚车：一种既可用于进攻，也可用于防守的战车。

⑤薄莫：傍晚。薄，迫，临近。莫，同"暮"。

⑥六骡：六匹骡子拉着的快车。

⑦冒：冲破。

⑧相纷挐(rú)：互混杂在一起。

⑨迟明：到天亮时。迟，及，至。

⑩寘(tián)颜山：约即今蒙古国之杭爱山，在乌兰巴托西南。

⑪"悉烧"句：漠北之战，是汉军在距离中原最远的战场进行的一次规模最大、最艰巨的战役。在这次战役中，汉军虽然付出了丧失数万兵士和十馀万匹马的沉重代价，但却给予匈奴前所未有的打击。匈奴骑兵损失达八九万，左贤王所部主力几乎全部被歼，匈奴王廷陷于极度混乱之中。由于大批有生力量被歼灭、大批物资丧失，匈奴单于不敢再在大漠北缘立足而向西北方向远遁，因而出现了"幕南无王廷"的局面，标志着匈奴势力大范围的退缩。经过这次大决战，危害汉朝百馀年的匈奴边患已基本上得到解决。从这个意义上说，漠北之战实是汉武帝反击匈奴战争的最高峰。又，这是卫、霍与匈奴作战十一年，司马迁惟一一次正面描写，表现了卫青出色的指挥才能，这比霍去病之追求斩获又高出一个层次。

译文：

　　元狩四年春天，武帝命令大将军卫青、骠骑将军霍去病各自率领五万骑兵，又派出运送军需物资的部队和后续的步兵几十万人，而那些勇猛善战、敢冲敢打的将士都在霍去病属下。起初霍去病准备从定襄出发，直攻匈奴单于。后来从捕获的俘虏口中得知单于在东部,于是武帝改令霍去病从代郡出发,而令卫青的部队从定襄出发。当时郎中令李广为前将军,太仆公孙贺为左将军,主爵都尉赵食其为右将军,平阳侯曹襄为后将军,都归大将军卫青指挥。当部队即将越过沙漠时,卫青率领着五万人马与霍去病约定好共同进攻匈奴单于。这时赵信给单于出谋说:"汉朝大军越过沙漠之后,必定人困马乏,匈奴军队简直可以不战而胜。"于是就把他们的粮草辎重都运送到遥远的北方,而把全部精锐部队摆在沙漠以北等待汉军。卫青的部队离开边塞一千多里后,见到单于已经在那里列阵等待,于是卫青下令,把武刚车排在四周作为营垒,而派出五千骑兵去冲击匈奴军阵。匈奴也派了将近一万骑兵冲了过来。这时太阳就要落下去了,又刮起了大风,沙石打在人脸上,双方的军队都看不清对方,这时汉军左右两翼的部队向前出动包围单于。单于见汉军人多,而且战斗力尚强,如果打下去对匈奴不利,天也快黑了,于是单于就乘着一辆六匹骡子拉的车,带着几百精壮骑兵,径直冲破汉军的包围朝西北方向跑了。这时天已经黑下来,汉军和匈奴军纠缠在一起,双方的伤亡大体相当。汉军左校捕获的俘虏说,单于还没有等天黑就跑了,于是卫青就派出轻骑兵去追赶单于,自己率领大军跟在后面。匈奴的部队也纷纷四散逃走。到黎明时分,追出了二百多里,没有追到单于,只是俘虏斩杀了大约一万多人。这时部队已经到了寘颜山下的赵信城,在那里缴获了匈奴积蓄的大批粮食,补充了自己的军粮。部队在那里休息了一天就往回返,把这座城和剩下的粮食全部放火烧了。

是时匈奴众失单于十馀日,右谷蠡王闻之[1],

自立为单于。单于后得其众，右王乃去单于之号。

注释：

①右谷蠡（lùlí）王：匈奴王名，是单于之下的显要贵族，一般都是单于的兄弟或子侄。

译文：

当时匈奴的臣民们一连十几天找不到单于的下落，右谷蠡王听说后，就自立为单于。后来单于又找到他的部下，右谷蠡王才又去掉了单于称号。

骠骑将军亦将五万骑，车重与大将军军等，而无裨将①。悉以李敢等为大校，当裨将，出代、右北平千馀里，直左方兵②，所斩捕功已多大将军。军既还，天子曰："骠骑将军去病率师，躬将所获荤粥之士③，约轻赍④，绝大幕，涉获章渠⑤，以诛比车耆⑥；转击左大将，斩获旗鼓；历涉离侯⑦，济弓闾⑧，获屯头王、韩王等三人⑨，将军、相国、当户、都尉八十三人，封狼居胥山⑩，禅于姑衍⑪，登临翰海⑫。执卤获丑七万有四百四十三级⑬，师率减什三，取食于敌，逴行殊远而粮不绝⑭，以五千八百户益封骠骑将军。"

注释：

①无裨将：朝廷不为之配备裨将，以此突出霍去病在军中的

崇高地位。

②左方兵：左贤王部。

③荤粥（xūnyù）：也作"熏狁"、"猃狁"（xiǎnyǔn），匈奴的别称。

④约轻赍（jī）：即今所谓"轻装"。

⑤涉：入，入其军。或曰涉，涉水。章渠：单于之近臣。或曰"获章"是渠水名。

⑥比车耆：匈奴王名。

⑦历：度，翻过。涉离侯：山名。

⑧济：渡。弓闾：也写作"弓卢"，水名，即今之克鲁伦河，在蒙古国乌兰巴托东。

⑨屯头王、韩王：皆匈奴王名。

⑩封：在山上筑台祭天。狼居胥山：在今蒙古国乌兰巴托东。

⑪禅：拓地以祭地神。姑衍：地名，在今蒙古国乌兰巴托东南，离狼居胥山不远。

⑫翰海：大漠的别称。

⑬卤：通"虏"。丑：群，类。

⑭逴（chuò）行：远出，远征。

译文：

　　当时骠骑将军霍去病也率领着五万骑兵，车辆辎重和大将军的部队一样，而没有副将。霍去病就把李敢等大校当副将使用，他们从代郡、右北平出发，深入匈奴千馀里后，遇到了匈奴左翼的部队，战斗中杀死和俘虏的敌人比卫青多。部队回来后，武帝说："骠骑将军霍去病统领三军，并指挥着从前俘获的荤粥勇士，轻装前进，穿越大沙漠，涉水破获了单于的近臣章渠，讨伐了比车耆，转而攻击匈奴左翼的大将，缴获了战旗和军鼓；翻过离侯山，渡过弓闾河，俘虏了屯头王、韩王等三人，俘虏匈奴将军、相国、当户、都尉等八十三人。登上了狼居胥山祭天，在姑衍山祭地，一直到达了北海之滨。共计斩杀和俘虏了匈奴七万零四百四十三人，自己减员只有十分之三，他们能从敌人手里夺取军粮，因而行军到了极远的地方而能粮草不断，特加封骠骑将军五千八百户。”

两军之出塞，塞阅官及私马凡十四万匹①，而复入塞者不满三万匹。乃益置大司马位，大将军、骠骑将军皆为大司马②。定令，令骠骑将军秩禄与大将军等。自是之后，大将军青日退，而骠骑日益贵。

注释：

①塞阅：出塞时的统计。阅，检阅，统计。

②"大将军"句：大将军、骠骑将军，位次丞相，加"大司马"后，位次与权势皆在丞相之上了。大司马，古官名，汉代建国以来所未有，今始用之。

译文：

当初这两支大军出塞的时候，根据边塞上的统计，共带出官马和私马十四万匹，而回来的时候，所剩的还不到三万。而从此朝廷增设了大司马的职位，大将军卫青、骠骑将军霍去病都获得了大司马的头衔。并明确规定，骠骑将军的位次和俸禄与大将军相等。从此以后，大将军卫青的地位日益衰落了，而骠骑将军霍去病则日益受宠。

骠骑将军为人少言不泄,有气敢任。天子尝欲教之孙吴兵法,对曰:"顾方略何如耳,不至学古兵法。"天子为治第,令骠骑视之,对曰:"匈奴未灭,无以家为也①。"由此上益重爱之。然少而侍中,贵,不省士②。其从军,天子为遣太官赍数十乘③,既还,重车馀弃粱肉④,而士有饥者;其在塞外,卒乏粮,或不能自振,而骠骑尚穿域蹋鞠⑤,事多此类。大将军为人仁,善退让,以和柔自媚于上,然天下未有称也⑥。

注释:

①无以家为:霍去病的胆略气度比李广高出许多。

②不省士:不关心人,不把人看在眼里。

③太官:皇家厨房的管理员。赍(jī)数十乘(shèng):拉着几十车吃的,以供霍去病的小灶所用。赍,携带。乘,古称一车四马。

④重车:拉东西的车辆。馀弃:吃不了扔着。粱肉:指上等饭菜。

⑤穿域:开辟场地。蹋鞠:古代的一种踢球游戏,用以锻炼身体。军中也有时用作训练项目。

⑥天下未有称:此史公偏激语,在《淮南衡山列传》就载有人们对卫青的称赞之辞,云其遇士大夫有礼,于士卒有恩,号令严明,才干绝人。

译文:

霍去病为人不爱讲话,性情内向,但果敢而有胆气。武帝曾打算教他孙吴兵法,霍去病说:"关键在于临时置宜,没必要学古代兵法。"武帝为他修建了府第,让他去看,霍去病说:"匈奴还没有消灭,不能先经营自己的小窝。"这使得武帝对他越发喜欢了。但由于霍去病从小就在宫廷中为官,地位高贵,所以从不关心下层人。他出兵时,武帝专门派遣了宫廷管理伙食的人员为他拉着几十辆车的食品,等到回来的时候,许多没吃完的东西都已经放坏了。与此同时士兵中却有不少人挨饿。他们在塞外的时候,士兵由于缺粮,有些人都饿得爬不起来了,而霍去病本人还依然开场子踢球。类似的事情很多。与此相比,大将军卫青则为人善良,恭敬谦让,他以和蔼柔顺讨好武帝,但天下人却不怎么称道他。

骠骑将军自四年军后三年①,元狩六年而卒②。天子悼之,发属国玄甲军③,陈自长安至茂陵④,为冢象祁连山⑤。

注释:

①四年军:即元狩四年卫青、霍去病两路度漠北之大破匈奴。

②元狩六年:前117年。霍去病死时年仅二十四岁。

③属国玄甲军:即前所述分部集居在西北沿边五郡的归降于汉的匈奴人的铁甲军。玄甲,黑甲,铁甲。

④"陈自"句:使之列队为骠骑送殡。茂陵,武帝为自己预造的陵墓。霍去病墓在茂陵东侧五百米。

⑤"为冢"句:其墓从侧面周视,皆为山峰形,即所谓"象祁连山"。这也是为了纪念他破昆邪于祁连山的功绩。

译文:

霍去病是在元狩四年讨伐匈奴以后第三年,也就是元狩六年去世的。武帝很伤心，他调集了归降于汉的匈奴人的铁甲军，列队从长安一直排到茂陵，仿照着祁连山的形势给他修筑了陵墓。

　　太史公曰：苏建语余曰："吾尝责'大将军至尊重，而天下之贤大夫毋称焉，愿将军观古名将所招选择贤者①，勉之哉！'大将军谢曰：'自魏其、武安之厚宾客②，天子常切齿③。彼亲附士大夫，招贤绌不肖者，人主之柄也。人臣奉法遵职而已，何与招士！'"骠骑亦放此意④，其为将如此。

注释：

①所招选择贤者："选"、"择"重复，可略其一。
②魏其、武安：魏其侯窦婴与武安侯田蚡，武帝即位初期的两个大贵族。因当时社会尚有战国馀风，故两人皆有养客之习。
③"天子"句：武帝为了加强中央集权，打击封建割据，凡一切聚集私家势力与结客行侠之风，都在取缔之列。但武帝对窦婴、田蚡的养客恨得"切齿"之事史无明文；《魏其武安侯列传》中曾写武帝恨田蚡之专权跋扈，至田蚡死后，武帝听到田蚡生前勾结淮南王的事情，于是说："使武安侯在者，族矣！"卫青所指，盖即此事。
④放：通"仿"，仿效。

译文：

　　太史公说，苏建曾对我说："我曾指责过大将军'您有这么高的地位权势,却得不到天下贤士的称颂,您为什么不学习古代名将的做法,也招纳贤士呢?'大将军说:'自从魏其侯、武安侯广招宾客以来,皇上对此恨得咬牙切齿。让士大夫亲附自己,进贤黜不肖,这是皇上的权柄,做臣子就只管奉公守法尽忠尽职就行了,搞什么招贤纳士呢!'"霍去病大体上也是效仿这种做法,他们就是这样做将军的。

游侠列传

　　《游侠列传》是司马迁为汉初以来社会上存在过的"布衣之侠"所立的类传。作品以儒侠对举,以儒为侠作反衬,歌颂了游侠,特别是那些闾巷布衣之侠的言必信、行必果,急人之难,不爱其躯的高尚品质,对他们的行为活动,表现了无比的钦敬;对他们的不幸结局,表现了极大的愤慨。汉代自武帝尊儒以来,以公孙弘为代表的儒生们皆以猎取功名为目标,以阿谀人主、粉饰酷法为能事。也有少数"拘于咫尺之义"、"不苟合于世"的人,这些人虽有高名,但对于国家社会却一无所补。以上两种人布于朝野,都是被社会舆论所称道的。而那些敢怒敢为,敢触法网以济人之困的豪侠之士,却生受迫害打击,死蒙奸盗之名。而杀侠者,又儒者也。司马迁对于这种是非颠倒的极大不公,表现了无比的愤慨。这是关涉到汉代政治法律、道德风尚等许多社会问题的作品,与《伯夷列传》一样,是《史记》中对现实社会批判最尖锐,抒发愤世之情最强烈的篇章。在这里我们选取了郭解的有关传记。

　　郭解是当时影响最大的"侠",其结局也最冤枉、最悲惨,而他的冤案正是汉武帝与丞相公孙弘一起定案的。司马迁敢于冒天下之大不韪,为郭解鸣不平,为他歌功颂德、树碑立传,这种公然与当朝皇帝对着干的勇气既前无古人,也后无来者。

韩子曰①："儒以文乱法②，而侠以武犯禁③。"二者皆讥，而学士多称于世云④。至如以术取宰相卿大夫⑤，辅翼其世主，功名俱著于春秋⑥，固无可言者⑦。及若季次、原宪⑧，闾巷人也，读书怀独行君子之德，义不苟合当世，当世亦笑之。故季次、原宪终身空室蓬户，褐衣疏食不厌。死而已四百馀年，而弟子志之不倦⑨。今游侠，其行虽不轨于正义⑩，然其言必信，其行必果⑪，已诺必诚，不爱其躯，赴士之厄困，既已存亡死生矣，而不矜其能，羞伐其德⑫，盖亦有足多者焉。

注释：

①韩子：韩非，战国末期韩国人，曾与李斯俱受学于荀况，为法家学派中集大成的人物。著有《韩非子》。

②儒以文乱法：指儒生以古非今，反对现行的政策等。

③侠以武犯禁：逞个人的勇力，不顾法制约束。

④学士：指儒家学者。称于世：称道于汉世。

⑤以术取宰相卿大夫：指公孙弘、张汤等人。公孙弘以儒术为武帝丞相，张汤先为廷尉，后又为御史大夫。皆以阿谀人主，取名当世，深为司马迁所不满。

⑥春秋：泛指国史。

⑦无可言者：犹言"不必说"、"用不着说"。反语嘲讽，意实鄙之。

⑧季次、原宪：都是孔子的学生。季次，名公皙哀，字季次，生平未曾出仕。原宪，字子思，曾居于乱草蓬蒿的穷巷，而不以贫为耻。

⑨志：记，怀念。倦：停止。

⑩不轨：不遵轨辙，意即与传统的礼法、道德相对抗。

⑪行必果：办事一定办成。果，坚定，不改变。

⑫伐：耀，与上句"矜"字同义。

译文：

　　韩非子说过："儒生舞文弄墨反对国家法度，游侠逞用武功违犯国家禁令。"这两种人韩非子都是批评的，但儒生们在今天往往被世人所称赞。至于那些凭儒术取得宰相卿大夫，辅佐君主，功名载于青史的，当然更不用说了。即使像季次、原宪那样的里巷书生，他们谨守节操，不与世俗同流合污，曾被许多人所嘲笑，所以季次、原宪一辈子住着柴门陋室，穿着粗布短衣，连吃饭都没有保证。可是他们虽然已经死去四百多年了，但他们的弟子却至今仍然不停地称道着他们。如今的游侠，他们的行为虽然不合今天的时宜，但是他们说话算数，办事一定要有结果，凡是答应人家的事情一定要兑现，他们不惜牺牲自己的生命去解救别人的危急，等到濒于死亡的人得到了新生，仗势害人的人得到了惩罚，他们却不夸耀自己的才能，不去吹嘘自己的德行，这也有值得称赞的地方吧！

　　且缓急①，人之所时有也。太史公曰：昔者虞舜窘于井廪②，伊尹负于鼎俎③，傅说匿于傅险④，吕尚困于棘津⑤，夷吾桎梏，百里饭牛⑥，仲尼畏匡⑦，菜色陈、蔡⑧。此皆学士所谓有道仁人也，犹然遭此菑⑨，况以中材而涉乱世之末流乎⑩？其遇害何可胜道哉！

注释：

①缓急：复词偏义，这里指紧急。

②虞舜窘于井廪(lǐn)：指虞舜未为帝时，曾被其父与其弟多次陷害，舜修廪，其父等自下纵火；舜治井，其父等自上填塞，舜皆得幸逃去。窘，困。廪，仓库。

③伊尹负于鼎俎(zǔ)：伊尹最初为了寻机会接近汤，曾经去汤妻有莘氏家做奴隶。后以"媵臣"身份，背着做饭用的锅子板子见汤，以做菜的道理暗示其对于政事的见解，结果被汤重用。伊尹，名挚，商汤时的贤臣，曾佐汤灭夏建商。鼎，古代用为煮锅。俎，切东西的案板。

④傅说(yuè)匿于傅险：傅说，商代武丁时的名臣，据说他在未遇武丁时，是一个苦役犯，在傅险(地名，在今山西平陆东)做苦工，后被武丁发现，任以政事。匿，隐，这里是"埋没"、"不得志"的意思。

⑤吕尚困于棘津：据说吕尚原来的命运非常不好，年已七十，尚卖食于棘津。吕尚，姜尚，即姜太公。棘津，古水名，在今河南延津东北。

⑥百里饭牛：据《孟子·万章》，百里奚用五张羊皮的价格把自己卖给秦国养牲畜的人，用养牛的道理向秦穆公讲解治国之道，受到秦穆公重用。百里奚，春秋时秦穆公的贤臣，曾辅佐秦穆公称霸西戎。

⑦仲尼畏匡：孔子由卫去陈，路经匡邑，被当地人误认为曾经侵暴过他们的鲁国阳虎，从而加以包围。后来弄清，才被释放。畏，这里指受惊。

⑧菜色陈、蔡：孔子又想去楚国，陈、蔡两国怕孔子去楚于己不利，于是发兵围之，使之绝粮七日。菜色，不吃粮食只吃野菜的饥饿面色。

⑨菑：同"灾"。

⑩"况以"句：中材，中等才智的人，亦谦辞委婉地包含了自己
　　在内。涉，经历，遭逢。

译文：

　　再说，紧急情况是人们所常遭遇的。太史公说：大舜
在淘井和修仓的时候被人暗算过，伊尹曾沦落为当厨子，
傅说曾被埋没在傅险，吕尚曾困居在棘津，管仲当过俘
虏，百里奚给人喂过牛，孔子曾在匡地遭到围困，又在陈
国和蔡国饿过肚子。这些都是儒生们所称赞的有崇高仁
义道德的人，他们尚且遭到这样的灾难，况且那些只有中
等才干而又生活在乱世中的人呢？他们所遇到的灾难，
又怎么说得完呢！

　　鄙人有言曰①："何知仁义，已飨其利者为有
德。"故伯夷丑周②，饿死首阳山，而文武不以其故
贬王；跖、蹻暴戾③，其徒诵义无穷。由此观之，"窃
钩者诛，窃国者侯，侯之门仁义存"，非虚言也。

注释：

①鄙人：边鄙、草野之人，指平民百姓。

②伯夷：殷末人，因不满周武王的伐纣，故隐于首阳山；又因
　　以食周粟为耻，故遂饿死。丑：瞧不起。

③跖、蹻：盗跖、庄蹻，古代所传说的两个大盗。暴戾(lì)：凶
　　暴残忍。戾，性情乖张，反常。

译文：

　　老百姓的俗话说："管它什么仁义不仁义，谁对我有好处，

我就说谁是好人。"因此尽管伯夷反对过武王伐纣，而且又饿死在首阳山，但文王、武王的声誉却并不因此而降低；盗跖、庄跷凶狠残暴，可是他们的党徒却长久地传颂着他们的功德。这样看来，"偷钩子的人被杀，偷国家的人封侯，哪里有王侯之家，哪里就有仁义"，这不是一句假话啊！

今拘学或抱咫尺之义①，久孤于世②，岂若卑论侪俗③，与世沉浮而取荣名哉④！而布衣之徒，设取予然诺⑤，千里诵义，为死不顾世，此亦有所长，非苟而已也⑥。故士穷窘而得委命⑦，此岂非人之所谓贤豪间者邪？诚使乡曲之侠⑧，予季次、原宪比权量力，效功于当世，不同日而论矣⑨。要以功见言信，侠客之义又曷可少哉⑩！

注释：

①拘学：拘于一偏之见，而顽固不化的学者。咫尺之义：狭隘的教条。

②久孤于世：此指季次、原宪等人。孤，违，背离。

③侪(chái)：同类，同辈。

④"与世"句：从史公本意讲，他对于季次、原宪虽然并不十分崇敬，但对他们也绝无恶感。这里是在说反话，是在表现他对公孙弘、张汤之流的憎恶，和对于游侠悲惨遭遇的愤慨不平。

⑤设：讲究，重视。

⑥苟：这里指随随便便，不讲原则。

⑦委命：托身，依靠。

⑧乡曲之侠：与下文"闾巷之侠"、"匹夫之侠"意思相同，都是指平民之间的侠义之士。乡曲，犹言"乡下"，有时兼含有贫穷荒僻之意；也有时与"乡里"同义，故通常"乡曲"即泛指下层。

⑨不同日而论：犹言"不可同日而语"，指游侠远远不及季次、原宪。类似季次、原宪的儒生在汉代有何"权"何"力"，又有何种"功效"，皆不知所云。大约这是汉代尊儒气氛中的俗见，司马迁也就暂退一步，姑妄如此言之，下句折回，方是真意。

⑩曷：意思同"何"。少：轻视，鄙视。

译文：

现在有些拘谨的学者，死守着一点小小的道义，背离世俗，穷困地生活在世界上，哪如降低调门儿，随波逐流地去猎取功名富贵呢？而那些平民出身的游侠，他们谨慎对待取予，对别人说话算数，因而使千里之外的人都在称赞他们的义气。他们为急人之难而不怕牺牲，不怕世人如何议论，这也有他们的长处，不是什么人随随便便都可以做到的。所以当人们走投无路时，就去求救于他们，这不就是人们所赞扬的英雄好汉吗？假如拿这些平民之侠去和季次、原宪比较权力、影响，以及对社会的贡献，那是不可同日而语的。如果从办事见效果，说话能兑现看，那游侠的行为又怎么可以轻视呢！

古布衣之侠①，靡得而闻已。近世延陵、孟尝、春申、平原、信陵之徒②，皆因王者亲属③，藉于有土卿相之富厚④，招天下贤者，显名诸侯，不可谓不贤者矣。比如顺风而呼,声非加疾,其势激也。至如闾巷之侠⑤,修行砥名⑥,声施于天下⑦,莫不称贤,是为难耳。然儒、墨皆排摈不载⑧。自秦以前,匹夫之侠⑨,湮灭不见,余甚恨之。以余所闻,汉兴有朱家、田仲、王公、剧孟、郭解之徒,虽时捍当世之文罔⑩,然其私义廉絜退让,有足称者。名不虚立,士不虚附。至如朋党宗强比周⑪,设财役贫⑫,豪暴侵凌孤弱,恣欲自快,游侠亦丑之。余悲世俗不察其意,而猥以朱家、郭解等令与暴豪之徒同类而共笑之也⑬。

注释:

①古:司马迁的所谓"古"指春秋以前。

②延陵:指吴国的公子季札,吴王寿梦之子,吴王诸樊之四弟,因其封地在延陵,故亦称"延陵季子"。季札之称侠,与他遍游上国,与名卿相结,因心中暗许赠剑,即解千金之剑而系在徐君墓前树上,有侠士之风。但延陵季子不能言"近世",也不能与四公子相比,下文也只说四公子之事,疑"延陵"二字衍。

③皆因王者亲属:孟尝君为齐威王之孙,齐宣王之侄;平原君是赵武灵王之子,惠文王之弟;信陵君是魏昭王之子,安釐王之弟。只有春申君不是楚王的亲属,但因其对楚国有大功,深受考烈王信任,为楚国宰相。

④藉:凭借,依仗。有土:有封地。

⑤闾巷之侠:犹言平民之侠。

⑥砥(dǐ)名:打磨、提高自己的名节。砥,打磨,修炼。

⑦施:延,传播。

⑧儒、墨皆排摈不载:战国时的学派甚多,其所以特别提出儒、墨两家,是因为在当时这两家是"显学",有代表性。同时儒家讲"仁义",墨家讲"兼爱",也都与侠客思想有相通之处。这两家都排斥不载,其他更可想而知。摈,排斥,抛弃。

⑨匹夫之侠:即平民之侠。匹夫,平民,庶人。

⑩捍:抵触,违犯。文罔:犹今之所谓"法网",法律、规章。罔,网。

⑪朋党:指为图谋私利而互相勾结起来的官僚帮派。宗强:犹言"豪族"、"豪绅"。比周:皆"依从"、"亲密"之义,即犹今之所谓"狼狈为奸"、"朋比为奸"。

⑫设:依靠,凭借。

⑬猥:曲,犹如今之所谓"错误地"、"不加区分地"。

译文:

古代布衣之侠的事迹,已经没办法知道了。近代的延陵季子、孟尝君、春申君、平原君、信陵君等人,都因为是国君的亲属,凭借他们封地的收入和卿相的地位,招揽天下的贤士,使自己扬名于诸侯,这不能说他们不是贤能的人;但这好比顺着风向呼喊,声音没有加强,但风势却使声音显得很响,传得很远。至于平民之侠,他们是靠着修炼自己的品德,提高自己的名节,来扬名于天下,博得天下人的称赞的,这才是不容易的呀!然而儒家和墨家的著作都不记载他们的事迹。使秦朝以前的平民之侠的事迹都埋没了,真叫人遗憾。据我所知,汉朝建立以来,有朱家、田仲、王公、剧孟、郭解等人,这些人虽然有时触犯国家的法律,但是他们的道德信义和廉洁谦让的人品,有值得称赞之处。他们的名声不是凭空吹起来的,人们依附他们也不是无缘无故的。至于那些结党营私的强宗豪族,他们彼此勾结,依仗家财奴役穷人,凭借权势欺负孤弱,肆无忌惮地为所欲为,真正的游侠对他们也是鄙视的。我感叹世人竟看不出上述两种人的区别,竟然错误地把朱家、郭解等同那些土豪恶霸们混在一起而加以嘲笑。

郭解,轵人也,字翁伯,善相人者许负外孙也。解父以任侠,孝文时诛死。解为人短小精悍,不饮酒。少时阴贼①,慨不快意②,身所杀甚众。以躯借交报仇③,藏命作奸④,剽攻不休,及铸钱掘冢⑤,固不可胜数。适有天幸,窘急常得脱,若遇赦⑥。及解年长,更折节为俭⑦,以德报怨,厚施而薄望。然其自喜为侠益甚。既已振人之命⑧,不矜其功,其阴贼著于心,卒发于睚眦如故云⑨。而少年慕其行,亦辄为报仇,不使知也⑩。解姊子负解之势,与人饮,使之嚼⑪。非其任,强必灌之。人怒,拔刀刺杀解姊子,亡去。解姊怒曰:"以翁伯之义,人杀吾子,贼不得。"弃其尸于道,弗葬,欲以辱解。解使人微知贼处。贼窘自归,具以实告解。解曰:"公杀之固当,吾儿不直。"遂去其贼,罪其姊子,乃收而葬之。诸公闻之,皆多解之义,益附焉。

注释:

①阴贼:深沉,狠毒。

②慨:愤激不平。

③借交:豁出性命,(不怕牺牲)帮着朋友。

④藏命:窝藏亡命徒。

⑤铸钱:指武帝实行铸钱官营后仍私自铸钱。

⑥若:或,不然就是。

⑦节:品性,风操。俭:敛也,即"检束"、"谨慎"的意思。

⑧振:拯救。

⑨卒:通"猝",突然。睚眦(yázì):因为别人瞪了他一眼的怨恨。

⑩"亦辄"二句:史公书此为后面之郭解被害做伏笔。

⑪使之嚼:强迫人家"干杯"。嚼,通"釂"。

译文:

郭解是轵县人,字翁伯,是当时著名相士许负的外孙。郭解的父亲因为任侠,在孝文帝时被处死。郭解为人矮小,精明勇健,不喝酒。他少年时残忍狠毒,稍不如意就动手杀人,被他杀掉的人很多。他不惜豁出命去为朋友报仇,又常窝藏亡命,犯法抢劫,以及私造钱币,挖掘坟墓等,难以指说。但他运气好,每次碰到危难,总是能够逃脱,不然就是遇上朝廷大赦。到郭解长大成人时,一下子变成了一个谨慎守法的人。他用恩德回报别人的仇怨,他给别人的多而希望取得的少,但他行侠尚义的本性却更加突出了,他救完了人家的命,从不夸耀自己的功劳。他把残忍深藏在心底,说不定什么时候会因一点小事而突然爆发起来。许多年轻人仰慕他的行为,也常常为他报仇,而又不让郭解本人知道。郭解姐姐的儿子倚仗郭解的势力,劝人喝酒,人家喝不了,他非灌人家,逼得人急了,动手杀了郭解的外甥,而后逃走了。郭解的姐姐发怒说:"凭你郭解这么大的名气,有人杀了我的儿子,凶手竟然抓不到?"于是故意把她儿子的尸体扔在道上,不埋葬,想让郭解难堪。郭解暗中派人探听到了凶手的去向,凶手没有办法了,只好来向郭解自首,如实地说明了真相。郭解说:"你杀的对,是我们的孩子没有道理。"于是放走了凶手,而归罪于自己的外甥,把他的尸体收起来埋葬了。大家听说这件事后,都称赞郭解的义气,而归附他的人就越来越多了。

解出入,人皆避之①。有一人独箕倨视之②,解遣人问其名姓。客欲杀之。解曰:"居邑屋至不见敬,是吾德不修也,彼何罪!"乃阴属尉史曰③:"是人,吾所急也④,至践更时脱之⑤。"每至践更,数过,吏弗求。怪之,问其故,乃解使脱之。箕踞者乃肉袒谢罪⑥。少年闻之,愈益慕解之行。

注释:

①避:让路,表示尊敬。

②箕倨视之:箕倨、直视,在古代都是傲慢无理的样子。倨,通"踞"。

③阴属:暗中嘱咐。属,嘱托。

④急:关心,关切。

⑤践更:谓取得人钱,代人往出徭役者。脱:漏,免。

⑥肉袒:脱掉衣袖,露出臂膀,这是古人宣誓或请罪时做出的姿态。

译文:

　　郭解每次出门,人们都给他让路表示尊敬,唯有一个人傲慢地叉着腿坐在那里看着郭解,不给他让路。郭解叫人去问那人的姓名,门下的人想要杀他,郭解说:"同住在一个县城而不受人敬重,是我的德行没有修好,他有什么罪!"于是暗中告诉县尉说:"那个人是我所关心的,等轮到该他出徭役时请免掉他。"因此那个人好几次该去服徭役时,县吏都不找他。他很奇怪,去问是什么缘故,这才知道是郭解说情免了他徭役。于是这个人就光着背来向郭解请罪。当地的青年们听说这件事,对郭解的行为就更加仰慕了。

雒阳人有相仇者,邑中贤豪居间者以十数^①,终不听。客乃见郭解。解夜见仇家,仇家曲听解。解乃谓仇家曰:"吾闻雒阳诸公在此间,多不听者。今子幸而听解,解奈何乃从他县夺人邑中贤大夫权乎!"乃夜去,不使人知,曰:"且无用,待我去,令雒阳豪居其间,乃听之。"

注释:
①居间:从中调停。

译文:
　　洛阳有两个人结了仇,当地的贤豪十几个人都来给他们调和过,但始终没能解决。于是有人就去请郭解来办。郭解夜间去找这两家仇人谈,两个仇家看着郭解的面子,勉强接受了调停。郭解对这两个仇家说:"我听说洛阳的许多贤豪都给你们调解过,你们都不肯听,现在你们听从我的调停和解了,我怎么能侵夺人家城镇贤豪的调停权力呢?"于是连夜离开了洛阳，不愿意让别人知道此事，临走时还说："你们暂时先别听我的话，等我走后，当洛阳的贤豪们再来调解时，那时你们再照办。"

　　解执恭敬，不敢乘车入其县廷①。之旁郡国，为人请求事，事可出，出之②；不可者，各厌其意③，然后乃敢尝酒食。诸公以故严重之④，争为用。邑中少年及旁近县贤豪，夜半过门常十馀车，请得解客舍养之。

注释：

①"不敢"句：上应有"出未尝有骑"五字，误出于后文。县廷，县衙前的大院。

②出：出脱，获释。

③厌：通"餍"，饱，满足。

④严重：尊重，敬重。

译文：

　　郭解为人谦敬，从来不敢坐着车子进县衙。到其他郡国为人办事时，事情可以解决的，就尽量解决好；不能解决的，也都设法让人们得到一定程度的满意，然后他才吃得下饭去。大家因此更加尊重他，争着为他效力。本城的少年以及其他邻县的贤豪，一夜之间往往就有十来起人赶着车子到郭解家去接一些被掩护的人回去供养。

　　及徙豪富茂陵也①，解家贫，不中訾②，吏恐，不敢不徙③。卫将军为言④:"郭解家贫不中徙。"上曰:"布衣权至使将军为言,此其家不贫。"解家遂徙。诸公送者出千馀万⑤。轵人杨季主子为县掾,举徙解⑥。解兄子断杨掾头。由此杨氏与郭氏为仇。

注释:

①徙豪富茂陵:茂陵是汉武帝的坟墓。建元二年,武帝照旧例为自己预建陵墓,并在其地设县,令迁各地富豪入居之。元朔二年,又迁郡国富豪于茂陵,郭解之迁即在此时。

②不中訾:当时规定家訾三百万(铜钱)以上者迁茂陵。訾,同"资"。

③"吏恐"二句:可见徙郭解是有朝廷之命。

④卫将军:即卫青。

⑤出千馀万:汉代"一金"抵铜钱一万,"千馀万"铜钱即"千金"之资。

⑥举徙解:据此处文意,郭解之被迫搬迁,乃先由"杨季主子"自下提名,丞相公孙弘汇总后,始至武帝处。

译文:

等到汉武帝下令强迫各地的富翁往茂陵搬迁时,郭解家里贫穷,财产的数目够不上搬迁的标准,但是下面办事的官吏害怕上面怪罪,不敢不让他搬迁。这时大将军卫青替郭解求情说:"郭解家里贫苦,不够搬迁条件。"武帝说:"一个平民居然能使将军替他说情,说明这个人家绝不贫穷。"于是郭解就被勒令搬迁了。上路的时候,送他的诸公拿出千金之资。轵县人杨季主的儿子在县里为吏,是他提出让郭解搬迁的。

于是郭解哥哥的儿子就砍了这个县吏的头，从此杨家与郭家结了仇。

解入关，关中贤豪知与不知，闻其声，争交欢解。解为人短小，不饮酒，出未尝有骑。已又杀杨季主①。杨季主家上书，人又杀之阙下。上闻，乃下吏捕解。解亡，置其母家室夏阳，身至临晋②。临晋籍少公素不知解，解冒，因求出关。籍少公已出解，解转入太原，所过辄告主人家。吏逐之，迹至籍少公③。少公自杀，口绝。久之，乃得解。穷治所犯，为解所杀，皆在赦前。轵有儒生侍使者坐，客誉郭解，生曰："郭解专以奸犯公法，何谓贤！"解客闻，杀此生，断其舌。吏以此责解，解实不知杀者。杀者亦竟绝，莫知为谁。吏奏解无罪。御史大夫公孙弘议曰④："解布衣为任侠行权⑤，以睚眦杀人，解虽弗知，此罪甚于解杀之⑥。当大逆无道⑦。"遂族郭解翁伯。

注释：

① 已：过后，后来。

② 身：单身。

③ 迹：追踪。

④ 御史大夫：主管监察弹劾的最高长官，秦、汉时与丞相、太尉合称"三公"。公孙弘：以读《公羊春秋》出名，汉武帝尊儒过程中平步青云。

⑤行权:行使他所不该行使的权力。

⑥"解虽弗知"二句:史公极写时人之敬慕郭解;而忌恨必欲杀之者,乃前一儒生,后一公孙弘,于此见史公对汉世儒生之反感、气愤。

⑦当:判,定罪。

译文:

　　郭解搬迁入关后,关中的贤豪无论认识的还是不认识的,都因为郭解的名声争先恐后地来和郭解交朋友。郭解为人矮小,不喝酒,出门也没有随从的车马。后来又有人杀了杨季主,杨季主家里的人上告郭解。这时又有人把上告郭解的人杀死在皇宫大门外。武帝知道后,下令逮捕郭解,郭解逃跑了。他把他的母亲家属安置在了夏阳,自己逃到了临晋。把守临晋的籍少公一向不认识郭解,今天冒然来投,请求出关,籍少公就仗义地放走了他。郭解辗转到了太原,所过之处,他都把自己的去向告诉给招待过他的人家。官府一路上追查郭解,待至追查到籍少公这里,籍少公自杀了,线索从此断绝。很久以后,官府才抓到了郭解。他们四处调查郭解的罪行,结果发现郭解杀人的事都发生在大赦以前。这时轵县有一个儒生,陪着前来访查郭解罪行的使者谈话,座中有人称赞郭解是好人,这个儒生说:"郭解专门作奸犯科,怎么能说是好人?"郭解的门客听说此事后,很快地又杀了这个儒生,而且割去了他的舌头。法吏们向郭解追问此事,但郭解实在不知道杀人者是谁。而杀人者也从此销声匿迹,根本查不出是谁了。法官们只好宣布郭解无罪。这时御史大夫公孙弘说:"郭解作为一个平民百姓,居然敢充好汉使威权,因为一点小事杀人。这一次他虽然不知道,但其罪过比他自己杀人还要重,应该判他个大逆不道。"就这样,郭解被满门抄斩了。

太史公自序

  《太史公自序》是《史记》的最后一篇，内容分为两部分：前一部分司马迁叙述了自己的生平家世，叙述了自己写作《史记》的时代条件、个人动机、以及受刑后的忍辱著书；后一部分介绍了《史记》其书的规模体例，以及每一篇的写作宗旨。这是研究司马迁的生平思想以及《史记》其书的重要资料。我们在这里选取了其中的自传部分。

  在自传部分，最重要的是接受遗教与忍辱发愤两节。接受遗教一节悲慨沉挚，对此，我们应该透过他们的父子关系，看到这是一种时代要求、历史使命的体现。忍辱发愤一节则最本质的体现了司马迁的生死观与价值观。

迁生龙门①,耕牧河山之阳②。年十岁则诵古文③。二十而南游江、淮,上会稽④,探禹穴⑤,窥九疑⑥,浮于沅、湘⑦;北涉汶、泗⑧,讲业齐、鲁之都⑨,观孔子之遗风,乡射邹峄⑩;厄困鄱、薛、彭城⑪,过梁、楚以归⑫。于是迁仕为郎中⑬,奉使西征巴、蜀以南⑭,南略邛、筰、昆明⑮,还报命。

注释:

①龙门:山名,在今陕西韩城东北、山西河津城西北十二公里的黄河峡谷中,原称"龙门",也称"禹门"。

②河山之阳:这里指龙门山之南,黄河的西北岸。

③古文:先秦流传下来的用"古文"所写的六国书籍。秦朝统一前,东方六国所用的文字称作"古文"。

④会稽:山名,在今浙江绍兴南。

⑤禹穴:会稽山上的一个洞穴,相传禹曾进去过,故称"禹穴"。

⑥九疑:山名,在今湖南道县东南,其山有九峰,皆相似,故称"九疑"。相传舜巡狩至此而死,遂葬焉。

⑦浮于沅、湘:意即乘船到达过沅水、湘水流域。

⑧北涉汶、泗:向北到达过汶水、泗水。古汶水在今山东境内。古泗水流经今山东泗水、曲阜,南入江苏,汇入淮水。

⑨讲业:讲习儒家的学业。齐、鲁之都:齐都临淄,在今山东淄博之临淄区东北;鲁都即今山东曲阜。

⑩乡射:儒家所讲究的古礼之一。邹峄:邹县的峄山。曲阜是孔子的故乡,邹县是孟子的故乡,司马迁在这里讲习儒业,参加这里儒生举行的活动,充分表现了司马迁对这两

位儒学大师的崇敬。

⑪厄困鄱、薛、彭城：司马迁在此有何"厄困"，史无明文。鄱，同"蕃"，即今山东滕县。薛，在今山东滕县南。彭城，即今江苏徐州。

⑫过梁、楚以归：前已言及"彭城"，彭城即楚国，此又云"过梁楚"，"梁"下似不宜再出"楚"字。梁是汉代的诸侯国，国都睢阳（今河南商丘南）。近来有人以为"楚"或指陈涉为"张楚王"时的都城陈县，即今之河南淮阳。

⑬郎中：皇帝的侍从人员，上属郎中令。

⑭"奉使"句：事在武帝元鼎六年（前111年）。是年武帝平定西南夷，在今云南、贵州以及四川南部新设了武都、牂柯、越嶲、沈黎、文山五个郡，故派司马迁前往考查。巴、蜀，汉郡名，巴郡的郡治江州（今重庆西北），蜀郡的郡治即今四川成都。

⑮略：行视，视察。邛：邛都，在今四川西昌东，当时为越嶲郡的郡治所在地。笮：笮都，在今四川汉源东北，当时为沈黎郡的郡治所在地，后来并入蜀郡。昆明：古地区名，在今云南昆明西，当时属于归汉的滇王，后来设为益州郡，郡治在今云南晋宁县东北。

译文：

　　司马迁出生在龙门，曾在龙门山南过了一段耕田和放牧的生活。十岁时开始学习古文。二十岁开始南下游历，先后曾到过江淮一带，还上过会稽山，探访过禹穴，又到过九疑山，瞻仰过舜的坟墓，而后乘船到过沅水和湘水，接着又北上到了汶水、泗水，在齐、鲁的旧都临淄、曲阜游过学，领略了孔子的遗风，还到邹县的峄山参加过那里的乡射活动，后来路经鄱县、薛县、彭城时，遇到了一些麻烦，吃过一些苦头，最后经过梁国、楚国回到了家乡。回来后不久就进京做了郎中，又奉命出使去了巴、蜀以南，到过邛都、筰都，以及昆明国，然后才返回来。

是岁天子始建汉家之封①，而太史公留滞周南②，不得与从事③，故发愤且卒。而子迁适使反，见父于河、洛之间。太史公执迁手而泣曰："余先周室之太史也。自上世尝显功名于虞夏，典天官事。后世中衰，绝于予乎？汝复为太史，则续吾祖矣。今天子接千岁之统④，封泰山，而余不得从行，是命也夫，命也夫！余死，汝必为太史；为太史，无忘吾所欲论著矣⑤。且夫孝始于事亲，中于事君，终于立身。扬名于后世，以显父母，此孝之大者。夫天下称诵周公，言其能论歌文、武之德⑥，宣周、邵之风⑦，达太王王季之思虑⑧，爰及公刘⑨，以尊后稷也⑩。幽、厉之后⑪，王道缺，礼乐衰⑫，孔子修旧起废，论《诗》、《书》⑬，作《春秋》⑭，则学者至今则之。自获麟以来四百有馀岁⑮，而诸侯相兼，史记放绝⑯。今汉兴，海内一统，明主贤君忠臣死义之士，余为太史而弗论载，废天下之史文，余甚惧焉，汝其念哉！"迁俯首流涕曰："小子不敏，请悉论先人所次旧闻⑰，弗敢阙。"

注释：

① 是岁：即武帝元封元年（前 110 年）。始建汉家之封：开始
进行汉朝的首次封禅活动。到泰山峰顶增土祭天称作
"封"，在泰山下面的某小山拓土祭地称作"禅"。

② 周南：即洛阳一带。

③ 不得与从事：司马谈任太史令，封禅活动是他所在部门的
应管之事；司马谈还亲自参加过有关封禅礼仪的制订，故
而深以不能参与此次活动为憾。

④ 接千岁之统：据《封禅书》，西周初年周成王曾登封泰山，自
周成王（前 11 世纪）到武帝元封元年，相隔九百多年，此云
"千岁"是约举成数。

⑤ 吾所欲论著：即指写《史记》。

⑥ 论歌文、武之德：旧说今《诗经》中的《文王》、《大明》、《文王
有声》以及《尚书》中的《牧誓》等歌颂文王、武王功业的作
品皆为周公所作。

⑦ 邵：同"召"，即指召公，名奭，周公之弟。

⑧ 太王：即古公亶父，周文王的祖父，后被追尊为"太王"，《诗
经》中的《绵》即为歌颂太王而作。王季：名季历，太王之
子，文王之父，后被称"王季"，《诗经》中的《皇矣》即为歌颂
王季而作。

⑨ 公刘：周族的远辈祖先，由于发展农业，使周族从此兴盛，
《诗经》中有《公刘》篇即歌颂其功业者。

⑩ 后稷：名弃，周族的始祖，以发展农业之功被舜封为"后
稷"，《诗经》中有《生民》，即演说后稷之事。

⑪ 幽、厉之后：即指东周以来。幽、厉，周幽王、周厉王，都是
西周的昏君。

⑫ 王道缺，礼乐衰：即礼崩乐坏，西周前期的"王道"秩序不复

存在。

⑬论《诗》、《书》：《诗》、《书》原是学官里的两种传统教材，孔子重新予以解释、阐发。

⑭作《春秋》：司马迁采用孟子以及汉代公羊学家的说法，认为《春秋》是孔子所作，而且把《春秋》的思想说得极其玄妙；但孔子自己没有说过此事，相反孔子一直声称自己是"述而不作"的，今人多不取这种说法。

⑮获麟：指鲁哀公十四年（前481年）西狩获麟事，孔子对此伤心慨叹，其《春秋》的写作也就从此搁笔了。四百有馀岁：获麟至元封元年，凡三百七十二年。

⑯史记放绝：指各国写的历史书丢失散乱。史记，泛指历史书。

⑰论：演绎，阐发。次：编排，排列。据此可知司马谈当时已经编写了部分书稿，或者至少已经编排了许多资料，故司马迁如此说。

译文：

　　就在这一年，汉武帝第一次去泰山举行汉朝的封禅大典，而司马谈因为有病走到洛阳时只好留下来，不能跟着去参加了，他又遗憾又生气病情加重快要死了。正好他的儿子司马迁出使回来，父子俩在洛阳见了面。司马谈拉着儿子的手流着眼泪说："我们的祖先曾经是周朝的太史。再早的先人在虞舜夏禹的时代就曾有过显赫的功名，主管天文。后来半道上衰落了，难道在我们这里就让它断了吗？如果今后你能再当上太史令，那就继承了我们祖先的事业吧。当今皇帝上接千年来已经断绝的大典，到泰山去祭天，可我却不能跟着去，这不是命吗，这不是命！我死后，估计你一定会做太史令；你做了太史令，千万不要忘记我想写的那部著作。孝道的最浅层次是侍奉父母,中间层次是侍奉国君,最高层次是建立功名,使自己名扬后世,连父母也跟着光荣,这才是最大的孝道。自古以来人们赞扬周公,就因为他能够歌颂文王、武王的功德,使自己和召公的风教普行于天下,他发挥了太王、王季的思想,并向上一直追溯到公刘,推尊到始祖后稷。自从幽王、厉王以来,王道不昌,礼崩乐坏,孔子整理了旧时的文献,振兴了已被时人废弃的礼乐,他讲述了《诗》、《书》,撰写了《春秋》,直到今天,学者们还把它视为行为的准则。从鲁哀公获麟孔子的写作搁笔到今天又有四百多年了,由于各国的兼并战乱,当时的历史书都已散失断绝。当今汉朝建立,国家统一,明主贤君、忠臣义士的事迹很多,我们身为史官,如果不能把他们写下来,造成历史文献的荒废,那是我所忧惧的,你一定要好好注意这件事!"司马迁低着头,流着泪说:"我虽然不聪明,但我一定要把您已经收集整理的资料,写成著作,决不能让它有半点缺失。"

卒三岁而迁为太史令^①,绌史记石室金匮之书^②。五年而当太初元年^③,十一月甲子朔旦冬至^④,天历始改^⑤,建于明堂^⑥,诸神受纪^⑦。

注释:

①卒三岁:元封三年(前108年)。迁为太史令:据此可知司马迁在长安的住宅是在"茂陵显武里",同时又可推知司马迁是生于前135年,即武帝建元六年。

②"绌史记"句:句子不顺,意即大量阅读石室金匮之史记。绌,即"籀"字,亦作"抽"。《说文》:"籀,读书也。"

③"五年"句：意谓司马迁任太史令后的第五年是太初元年（前104年）。

④十一月甲子朔旦冬至：十一月初一是甲子日，这天的早晨交冬至节。

⑤天历始改：从这天开始使用新历法，即所谓"太初历"。

⑥建：立。这里指颁行。明堂：儒家传说的一种古代建筑。

⑦诸神受纪：改历于明堂，班之于诸侯。诸侯，群神之主，故曰"诸神受纪"。受纪，即接受新历法。

译文：

　　司马谈去世三年后，司马迁果然做了太史令，于是他就开始阅读国家图书馆里收藏的那些图书档案。又过了五年，也就是太初元年，这一年的十一月初一即甲子日凌晨冬至，国家颁布了新历法，在明堂里举行了典礼，各地的诸侯们都一体遵照实行。

太史公曰①："先人有言：'自周公卒五百岁而有孔子。孔子卒后至于今五百岁②，有能绍明世③，正《易传》④，继《春秋》⑤，本《诗》、《书》、《礼》、《乐》之际？'意在斯乎！意在斯乎！小子何敢让焉。"

注释：

①太史公曰：此"太史公"乃司马迁自指。

②"孔子"句：云"五百岁"者，此以祖述之意相比，所谓断章取义，不必以实数求也。

③有能：意即"孰能"。绍：接续，继承。

④正《易传》：孔子作过《易传》，因历年久远，传写讹误，故须订正而用之。

⑤继《春秋》：司马迁认为《春秋》是孔子所作，今欲效孔子的《春秋》以写《史记》，故曰"继"。

译文：

　　司马迁说："我父亲曾说过：'周公死后五百年，出了孔子，孔子死后到现在又有五百年了，有谁能继承并发扬古代圣人的事业，能正确地理解《易传》，能接续着孔子的《春秋》，依据着《诗》、《书》、《礼》、《乐》的本质意义，来写一部新的著作呢？'说不定这个人就在眼前吧！就在眼前吧！我怎么能推让呢？"

　　于是论次其文①。七年而太史公遭李陵之祸②，幽于缧绁③。乃喟然而叹曰："是余之罪也夫！是余之罪也夫！身毁不用矣。"退而深惟曰④："夫《诗》《书》隐约者，欲遂其志之思也。昔西伯拘羑里，演《周易》⑤；孔子厄陈、蔡，作《春秋》⑥；屈原放逐，著《离骚》；左丘失明，厥有《国语》⑦；孙子膑脚，而论兵法⑧；不韦迁蜀，世传《吕览》⑨；韩非囚秦，《说难》、《孤愤》⑩；《诗》三百篇，大抵贤圣发愤之所为作也⑪。此人皆意有所郁结⑫，不得通其道也，故述往事，思来者。"于是卒述陶唐以来⑬，至于麟止⑭，自黄帝始。

注释：

①论次：阐述，编排。

②七年：指天汉三年（前98年）。司马迁自太初元年（前104年）开始写《史记》，至天汉三年共七年。太史公遭李陵之祸：指天汉二年（前99年）李陵征匈奴兵败被俘，司马迁因议论李陵事下狱，而于天汉三年受宫刑事。

③缧绁(léixiè)：捆绑犯人的绳索。

④深惟：深思。

⑤"昔西伯"二句：司马迁说是周文王被殷纣王囚于羑里（今河南汤阴北）的时候，将《周易》的八卦推衍成了六十四卦，后人对此说多有怀疑。西伯，即周文王。

⑥"孔子"二句：孔子一生中曾有厄于陈、蔡（今河南淮阳与上蔡之间）及作《春秋》二事，但史公一定要将二事联系起来，并说成因果关系，此其行文之需要。

⑦"左丘"二句：《国语》的作者，旧说曾认为是左丘明，但史公乃曰"左丘失明，厥有《国语》"，不知何据。

⑧"孙子"二句：孙膑被庞涓断足后，逃到齐国，后率齐师破杀庞涓于马陵道，并有兵法传世。

⑨"不韦"二句：吕不韦在任秦国丞相时，曾召集宾客为之著述了一部《吕氏春秋》，后因事被秦王流放巴蜀，死于途中。

⑩"韩非"二句：韩非是战国末年韩国公子，其著作《说难》《孤愤》传到秦国后，大受秦王赞赏。秦王喜爱韩非的才华，将其召到秦国，后被李斯等所害。今史公为了抒情需要，故意将吕不韦、韩非的事情从时间上作了颠倒。

⑪"《诗》三百篇"二句：《诗经》是一部古代歌谣集，内容相当丰富，但说其作者大抵都是"圣贤"，说其内容大抵都是"发愤"之作，显然不合事实。

⑫郁结:郁闷,纠结。

⑬陶唐:指尧。

⑭至于麟止:《自序》记《史记》之断限有两说,一曰"于是卒述陶唐以来至于麟趾",一曰"余历述黄帝以来至太初而讫"(见篇末),一篇之中所言全书起讫不同。这可能是因为司马谈为太史令时,最可纪念之事莫大于获麟,故讫"麟止"者是司马谈;及元封而后,司马迁继史职,则最可纪念之事莫大于改历,故"讫太初"者是司马迁。《太史公自序》一篇本来也是司马谈所作,司马迁修改之而未尽,故犹存牴牾之迹。

译文:

于是司马迁就开始编排史料,进行评论,写成文章。写到第七年,由于李陵问题,司马迁遭了罪,被下在了牢狱里。于是他感叹说:"这是我的罪过吗?这是我的罪过吗?我的身体已经遭到了毁伤,恐怕再也干不成什么事情了!"可是转而进一步想,又说:"《诗》、《书》之所以写得含蓄,不就是为了能表达作者的思想吗?当初周文王被囚禁在羑里时,演绎了《周易》;孔子在陈国、蔡国倒霉时,写了《春秋》;屈原由于被流放,写了《离骚》;左丘氏由于失明,写了《国语》;孙膑断了双腿,写了《兵法》,吕不韦流放巴蜀,写了《吕览》;韩非在秦国下狱,写了《说难》、《孤愤》,《诗经》三百篇,大部分也都是圣贤们发愤写出来的。这些人都是因为有抱负,而又得不到施展,所以才通过写书来叙述往事,寄希望于后来的知音。"于是就叙述了上起唐尧,下至汉武帝获麟为止的历史,而第一篇则是从黄帝开始的。

图书在版编目(CIP)数据

史记/韩兆琦译注.—北京:中华书局,2007.4(2009.10 重印)
(中华经典藏书)
ISBN 978 - 7 - 101 - 05563 - 4

Ⅰ.史…　Ⅱ.韩…　Ⅲ.①中国 - 古代史 - 纪传体②史
记 - 译文③史记 - 注释　Ⅳ.K204.2

中国版本图书馆 CIP 数据核字(2007)第 034166 号

书　　名	史　记	
译 注 者	韩兆琦	
丛 书 名	中华经典藏书	
责任编辑	刘胜利	
出版发行	中华书局	
	(北京市丰台区太平桥西里 38 号　100073)	
	http://www.zhbc.com.cn	
	E - mail:zhbc@zhbc.com.cn	
印　　刷	北京市白帆印务有限公司	
版　　次	2007 年 4 月北京第 1 版	
	2009 年 10 月北京第 7 次印刷	
规　　格	开本/880 × 1230 毫米　1/32	
	印张 12¾　插页 2　字数 180 千字	
印　　数	56001 - 66000 册	
国际书号	ISBN 978 - 7 - 101 - 05563 - 4	
定　　价	20.00 元	